デジタル競争戦略

コンサンプション・エコシステムがつくる新たな競争優位

モハン・スブラマニアム＝著
NTTデータグループ コンサルティング＆アセットビジネス変革本部＝訳

The Future of Competitive Strategy
Mohan Subramaniam

ダイヤモンド社

THE FUTURE OF COMPETITIVE STRATEGY :
Unleashing the Power of Data and Digital Ecosystems
by
Mohan Subramaniam

Japanese translation published by arrangement with The MIT Press
through The English Agency (Japan) Ltd.

訳者まえがき

最近のＡＩ、センサーといったデジタル技術の劇的な発展は、これまでの情報技術の進歩の延長とは異なる衝撃を社会に与えています。

昨今のデジタル技術の発展を身近に体験し、それがもたらす将来の社会、経済を展望すると、「デジタル変革は始まったばかりで、今後、いままでの想定を超える変化が起きる」という感覚を持たれる方が多いのではないでしょうか。

多くの経営者は、この始まったばかりのデジタル変革の中で、どのように社会の変化を見極め、新たにどのような事業立地を開拓していくかを悩まれ、将来への見通し（foresight）を求められていると思われます。

今回私たちが翻訳した本書で、著者のモハン・スブラマニアムＩＭＤ教授は、デジタル・エコシステムの競争戦略、インタラクティブ・データによる価値創造が、社会と技術の変化をもたらすと指摘し、経営者が新たな事業立地の開拓をするためのインサイトを与えてくれています。
スブラマニアム教授は、次のように言います。

製品と業界に根ざした戦略的思考だけでは、新しいビジネスワールドの中で成功を収めるには十分でない。競争優位の原動力は製品からデータへまぎれもなくシフトしている。いまやデータが製品を支えるのではなく、製品がデータを支えている。なぜならセンサーやＩｏＴ（モノのインターネット）などの先進デジタル技術により、製品がユーザーのインタラクティブ・データを運ぶ導管として機能するようになったからだ。

スブラマニアム教授の主張を私なりに補足説明すると次のようになります。

従来のデータの役割は、製品を効率的に生産、販売するために活用される、つまり「製品を支える」ことにあった。しかし、センサー、ＩｏＴ技術が進展すると、製品とユーザーとのあいだでリアルタイムに発生する多量のデータを取得でき、これらのデータ分析をすることにより顧客に新たな価値を提供することが可能となる。すると、データこそが新たな顧客価値を創出するための源泉となり、製品はそのデータを取得するための導管の役割へと変化する。また製品は、新たな顧客価値を提供するカスタマージャーニーの中のタッチポイントのひとつにもなる。センサー、ＩｏＴがつくり出すデータ（インタラクティブ・データ）が企業の組織形態（エコシステム）を変え、企業の競争戦略を変えるのである。

本書で書かれている、スブラマニアム教授の考えの骨子を見ていきましょう。

これまで利用可能だったのは、販売や生産などのイベントが起こるたびに断続的に発生するデータ（事後データ）でしたが、今後は、センサー、ＩｏＴの技術進展により、設備の稼働状況や製品間の制御情報をリアルタイムに双方向でやり取りするデータ（インタラクティブ・データ）を活用できるようになります。

スブラマニアム教授は、このインタラクティブ・データを起点に、「コンサンプション・エコシステム」という新しい概念を提案します。

それは、製品から取得したインタラクティブ・データを起点に、補完財を提供するサードパーティをデジタルでネットワーク化することで企業提携（エコシステム）をつくり、顧客に新たな価値を提供するというものです。自動車は、ガソリン、駐車場、道路、保険などが利用できてこそ利用者に価値を提供できます。これらの補完財の提供者をデジタルでネットワーク化し、自動車の利用者に駐車場の空き情報など、幅広い顧客サービスを提供するコンサンプション・エコシステムの構築が経営戦略上の重要事項になると言います。

バリューチェーンをインタラクティブ・データで高度化したプロダクション・エコシステムでの競争は、既存の業界内の競争が中心で、経営者は基本的には既存のマーケットで既存の競合を意識した競争戦略をとればよいのです。しかしコンサンプション・エコシステムでは、ＧＡＦＡＭといったデジタル先進企業が、ある領域のインタラクティブ・データを取得し、それをテコにコンサンプション・エコシステムを構築する可能性があります。言い換えると、デジタル先進企業が、コンサンプション・エコシステムのリーダーとなり、既存企業をエコシステムの単なる情報提供者として取り込むことで、既存企業が従来持っている優位性を奪ってしまうかもしれないのです。

この新たなコンサンプション・エコシステムにおいて既存企業が主導権を取るためには、製品を導管として、影響範囲が大きく（スコープ）、他社が容易に取得できない（ユニークネス）、自社で管理する権利を有する（コントロール）データをおさえることがポイントなのです。

ここで、私たちが、この本を翻訳、出版することとなった経緯について少し述べたいと思います。

私たちは、いままでの経験と国内外の成功事例を分析し、デジタル変革が成功するためのフレームワークを作成しています。そのフレームワークは、デジタル技術を活用し新たな顧客価値提供のために顧客体験の変革を行う「顧客価値リ・インベンション戦略」領域と、それを実現するための「バリューチェーン・エンジニアリング」領域からなっています。それらを統合して「顧客の真の課題の解決（Outcome）を基本とする（Based）サービス（Service）という意味で「アウトカム・ベースド・サービス」のフレームワークとしています。

このフレームワークをブラッシュアップするなかで、スブラマニアム教授の *The Future of Competitive Strategy*（本書の原書）に出会うことができました。センサー・データについては、フレームワークの中に入れてはいましたが、データソースのひとつの扱いにしかすぎませんでした。スブラマニアム教授の、センサーから取得できるデータ（インタラクティブ・データ）を起点に新たな組織形態（エコシステム）、さらには新たな競争戦略を体系的に説明するという考え方は大変興味深く、またグローバルの多くの先進事例が具体的に分析されており、説得力のあるものでした。

この本から大きな示唆を得た私たちは、著者のスブラマニアム教授と意見交換したいと思い、さっそく、同氏に直接対談の打診をしたところ、快く応じていただきました。2022年11月にローザンヌにあるIMDのキャンパスを訪問して、数時間に及ぶ議論をすることができました。これを機会にこの本を翻訳出版するプロジェクトがスタートしました。この経緯は教授の「日本の読者へのメッセージ」の中でも書かれています。

議論をする中で、私たちは、スブラマニアム教授のコンサンプション・エコシステムの考えを私たちのフレームワークに反映させたいと思いました。私たちのフレームワークのコアである顧客価値の観点から、以下の論点を私たちなりに再整理する必要がありました。

1番目の論点は、コンサンプション・エコシステムに取り込む企業について、どのような考え方で優先順位をつけるかです。

2番目の論点は、複数のコンサンプション・エコシステムが競合する場合、競合に勝つエコシステムが満たすべき条件は何かです。

3番目の論点は、コンサンプション・エコシステム内でのリーダーが満たすべき条件は何かです。さらには、どのような技術発展が起きたときにリーダーの交代が起きるかです。

上記の論点に関する議論は、スブラマニアム教授と私の特別対談として本書に収録しています。

私たちの議論に真摯にコメントをしてくださり、多くのことを教えてくださっている教授に感謝するとともに、日本語の翻訳出版ができた喜びを分かち合いたいと思います。

私たちは、2023年6月にスブラマニアム教授をお招きし、グローバル展開をしている企業の経営幹部と意見交換する会を開催しました。参加いただいた企業からは、自社でどのようにインタラクティブ・データを活用するか、どのような企業と連携してコンサンプション・エコシステムを構築するのがよいのかについて活発な議論ができたところです。

社会の変化、技術の変化を捉え、データを活用して新たな顧客価値をリ・インベント（再創造）することについて、本書を通じて一人でも多くの方々にフォーサイトをお届けできれば幸いです。

ＮＴＴデータ経営研究所代表取締役社長
ＮＴＴデータ代表取締役副社長（2023年6月当時）
山口重樹

日本の読者へのメッセージ

ローザンヌのさわやかな朝、ＩＭＤのキャンパスで、私は尊敬すべきゲスト、山口重樹氏（ＮＴＴデータ代表取締役副社長〔当時〕）と石塚昭浩氏（ＮＴＴデータ経営研究所グローバルビジネス推進センター長）をお迎えしました。私たち三人は、レマン湖のすばらしい景色を背景に、日本企業がデジタル時代の価値創造の新たな機会を捉え、その機会を十分に活用するための共通の関心事を中心に議論を交わしました。

山口さんは拙著に感銘を受け、このコンセプトを日本企業に紹介したいとの意向を示され、翻訳することを提案してくださいました。それが本書『デジタル競争戦略』（*The Future of Competitive Strategy*）です。

１９９４年に初めて日本を訪れて以来、私の日本に対する愛情は深くなっています。日本の活気ある伝統と文化、揺るぎない労働倫理、礼儀正しく思いやりのある社会、すばらしい料理、絵のように美しい山々、静謐な寺院など、そのすべてが私の心を捉えて離しませんでした。

しかし、私が最も尊敬するのは、日本企業が経営とビジネスの分野で果たした計り知れない貢献です。日本企業は、TQM（総合的品質管理）の概念を開拓し、それを経営哲学に昇華させ、世界中の製品やサービスの質を向上させました。さらに、リーン生産方式、カイゼン、カンバン、ジャストインタイム在庫管理などの画期的なコンセプトによって、無駄を省き、生産性を最大化するためのグローバルなオペレーション手法に革命をもたらしました。日本企業は、工業化時代の頂点に君臨していました。そしていま、日本企業はデジタル時代において、その足跡を残す機会を得ているのです。


デジタル時代は、工業化時代とは対照的に、データの潜在的な可能性と新興のデジタル・エコシステムの比類なき能力によって、ビジネスチャンスを拡大し、価値創造を促進することをおもな特徴としています。これは、グーグル、フェイスブック（企業名メタ）〔これ以後、本書ではすべてフェイスブックと表記〕、アマゾンなどの巨大テクノロジー企業が、データとデジタル・プラットフォームの変革力を効果的に活用し、成功を収めていることからも明らかです。その結果、これらの企業は、エクソン、GM、ボーイングといった長年の産業界の巨人を抜き去り、世界で最も価値のある企業としてトップの座を占めるようになりました。

しかし、データとデジタル・エコシステムに起因する機会は、デジタル・プラットフォームに限定されるものではありません。本書では、従来型の企業が、既存のビジネス・インフラを基盤として、いかにしてデータ革命を受け入れることができるかを探求しています。

実際、産業界の存在感が強ければ強いほど、データやデジタル・エコシステムから利益を得る可能性は高くなります。本書で紹介するコンセプトとフレームワークは、従来型の企業が潜在能力を発揮するための洞察を提供するものとなるでしょう。多くの日本企業が持つ強大な過去の実績を考慮すると、本書で紹介する考え方は、日本企業にとって特に関連性が強く、価値があるはずです。

本書では、産業革命期の企業が直面する課題として、「デジタル近視眼《マイオピア》」という概念を取り上げています。企業が自社のコア製品や業界固有の事情にとらわれ、その外にある新しい機会を見過ごす傾向のことです。多くの企業が、既存の製品に依存するあまり、データから収益を上げる可能性を認識できずにいるのです。

データから収益を得る可能性は、センサーやＩｏＴを利用して、製品から新たな種類のデータを取得する革新的な方法を発見したときにつかむことができます。

しかし、こうしたチャンスをつかむためには、データ活用に関する考え方の大きな転換が必要です。従来の考え方は、データを使って製品をサポートすることでした。しかし、これからは製品がデータをサポートし、新しい種類のデータを生成する効果的な媒体とならなければなりません。また、製品やプロセスの改善だけでなく、データを捕捉し利用するための新たな手段を含むイノベーションへの取り組みも必要です。このような広い視野は、企業がデジタル時代に成功するために不可欠です。

日本企業は一貫して、継続的な学習と革新の文化を受け入れてきました。品質と信頼性の高さは、他に類を見ないほど高い評価を得ています。日本企業は、長期的な目標へのコミットメントが高く評価されています。新しいビジネスモデルや手法に積極的に投資し、未開の地を開拓することを恐れません し、顧客のニーズを理解し、それに応えるための並外れた献身的な姿勢も広く認められています。デジタル時代において、日本企業が指導的立場に立つことは必然なのです。

私の本が、そのような日本企業を支援することに少しでも貢献できれば、それは私にとって大変な名誉であり、誇りです。

スイス・ローザンヌにて

モハン・スブラマニアム

はじめに

私が競争戦略の分野に携わるようになったのは、博士課程での研究を始めた30年以上前のことだ。当時、産業組織論が競争戦略の分野に大きな影響を与えていた。それは、企業が業界という文脈の中で競争戦略を構築するのに役立った。業界の特性は企業の収益性に影響を与えるため、企業にとっては、業界の力を最大限に活用して競争することは理に適っていた。

その視点は、学問の領域において、明解な概念的フレームワークと強力な実証的裏づけを提供した。また、バリューチェーン主導のビジネスモデルを展開するビジネスパーソンや大多数の企業に対しては、それぞれの業界での自社のポジションを見きわめ、競争優位を獲得するための実用的な指針を示した。

今世紀に入り、新しいテクノロジーが注目を集めるようになった。ソフトウェアの力が顕在化したのである。インターネットはビジネスのプロセスを変えはじめ、私たちは、デジタル接続の飛躍的な進展とデジタル・プラットフォームの出現を目の当たりにした。企業、特にテクノロジー企業は、自分たちを取り巻く世界を業界ではなく、エコシステムとして捉えはじめた。

このような動向を見て、私は次のように考えた。業界ではなく、エコシステムに根ざした競争戦略とはどのようなものだろう？　当時のアイデアは曖昧なものだった。しかし、私の願いと目的は明確だった。第一に、競争戦略のための新たなフレームワークを開発し、従来の業界別フレームワークと同じ深さと緻密さを持つフレームワークをエコシステムに与えること。第二に、プラットフォーム型のビジネスモデルを展開するテクノロジー企業だけでなく、バリューチェーン型のビジネスモデルで競争する大多数の企業にも、そのフレームワークを当てはめることである。

２０１４年10月、共通の友人宅での懇親会で、私は偶然にもバラ・アイヤーと再会した。バラとは、彼がボストン大学の情報システム学部の新米教員だったころからの知り合いで、私は同大学院の戦略経営学博士課程を卒業したところだった。再会したときは、彼はバブソン・カレッジに、私はボストン・カレッジにいた。話はエコシステムにおよんだ。共通の関心が十分にあり、会話をさらに深めなければならないという結論に達した。

私たちは週に2、3回会い、何時間も議論した。彼はテクノロジーの観点から、私は戦略の観点から語った。初期の段階では、ＡＰＩ（アプリケーション・プログラミング・インターフェース）を基盤としてデジタル・エコシステムを構築できると考えていた。当時、ソフトウェアのプログラム同士が対話するためのAPIは、テクノロジーの世界ではよく知られていた。しかし、従来型の産業にとっては、新たなエコシステムをつくり出すという点で、その可能性はそれほど明らかではなかった。私たちは、従来型企業にとってＡＰＩが持つ戦略的意義について、複数の共同論文を発表した。

しかし、悲しいことにバラは、一緒に仕事を始めてから数年後、働き盛りのときに亡くなった。彼が遺してくれた貴重な洞察の種を育て、成長させることが私の役割になった。

そのころ、私は世界各地でエグゼクティブ教育のワークショップも開催していた。これらのワークショップを通じて、私は自分の考えをデジタル分野の経験豊かなエグゼクティブに聞いてもらい、自分の考えを広げ、洗練させることができた。競争戦略のためのデジタル・エコシステムというフレームワークが姿を現しはじめた。

私がこの研究を始めてから、デジタルの力はますます強くなっている。センサーやＩｏＴは、いまや産業界に遍《あまね》く存在している。データの力は、だれの目にも明らかだ。業界的マインドセットからデジタル・マインドセットへの転換が喫緊の課題となった。未来の競争戦略が到来したのである。

本書は、デジタル時代における競争戦略の礎《いしずえ》を築くものだ。私はこの本を書くことを楽しんだ。読者のみなさんにも楽しく読んでいただければ幸いである。

デジタル競争戦略

目次

序章

データが主役の時代

競争優位の条件が変わった

「データ」という資源の新たな価値

「世界で最も貴重な資源は、もはや石油ではなく、データである」

エコノミスト誌（2017年5月6日号）は巻頭記事のタイトルでこう宣言した。[1] 記事はアマゾン、グーグル、アップル、フェイスブックなど、データという資源がもたらす価値の大半を占有する一握りのデジタル先進企業の動向を詳細に論じた。

デジタル・プラットフォームを駆使するビジネスモデルで経済を支配するこれらの企業は、エクソン、GM（ゼネラル・モーターズ）、ボーイングなど、長らく産業界に君臨してきた従来型の巨大企業を時価総額ランキングの定位置から引きずりおろした。

企業価値の序列が覆されたとき、強固なバリューチェーンに立脚するビジネスモデルで産業史に名を刻む従来型企業のCEOたちは頭を抱えた。なぜわが社は、新たに発見されたデータという資源の恩恵を受けていないのか？　どうすればデータから価値を引き出せるのか？

従来型企業の大多数は、データが自社のビジネスにもたらす価値を把握していない。マッキンゼー・グローバル・インスティテュート（MGI）が2019年に発表したレポートによると、先進的なデジタル技術によって、世界のGDPは2030年までに13兆ドル増えるという。だが「現状を見れば、どの産業も最先端のデジタル技術からはほど遠い状態にある」とレポートは指摘している。[2]

ほとんどの企業は目の前にある機会から利益を得るための戦略を確立していない、というのがMGI

の見立てである。

企業はこれまで、自社が事業を行っている業界の中だけで、製品[3]の生産と販売のことだけを考えていれば競争優位を築くことができた。だが、これからはデータの活用によって競争優位を確保しなくてはならない。先進テクノロジーを使って自社製品から取得できるデータ、自社を取り囲むデジタル・エコシステムから生まれるデータによる競争優位である。

それを実現するためには、次の3つのことが必要だ。

①データの活用方法がデジタル技術によってどう変わったかを理解すること。

②ビジネス環境をデジタル・エコシステムとして捉え直すこと。

③データ活用によってデジタル・エコシステムで競争優位を築くために必要な、新しいマインドセットとフレームワークを理解すること。

本書の目的は、企業がデータを活用して競争優位をつかむのに必要なインサイトを提供することだ。デジタル領域での競争のダイナミズムを分析し、そのなかで企業が自社や他社のデータを使って優位を確立する方法を説明する。そして、企業がデジタル・トランスフォーメーション（DX）を成し遂げ、最新のデジタル戦略を構想し実行するための道案内をすることだ。

序章では、本書全体の基礎となるコンセプトを提示し、次章以降の議論のための土台を提供する。

自動車メーカーのDX戦略

本書の議論の全体像をイメージしていただくために、ビジネス環境の変化に適応しようとするフォード・モーター・カンパニー（以下フォード）の取り組みを見てみよう。フォードと言えば工業時代を代表する企業であり、自動車産業そのものを牽引した代表的メーカーだ。

同社は2018年に、DXのために110億ドルを投じる10カ年計画を発表した。[4] その構想の根底にあるのは、出荷するすべての車にセンサーを搭載し、ありとあらゆるデータを収集するという取り組みだ。センサーは、たとえばエンジンの動き、ブレーキの効き具合、タイヤの空気圧、道路の状態、空気の質などをリアルタイムで検知する。どのセンサーも1秒間に最大50回までデータを送信できる。1台の車が1時間走ると約25ギガバイトのデータを収集できる計算になる。[5]

そうして集めたデータをもとに、フォードは新しい「スマート・カー」の機能を提供する。視野の外にある他の車の動きを検知してドライバーに注意を促す、車線からはみ出さないようにサポートする、衝突しそうになると自動的にブレーキをかける、ドライバーが設定した最高速度を超えない範囲で流れに合わせて速度を調整する、といった機能だ。

電気自動車は、充電状態と消費予想を示し、予定の距離を走るのに必要な充電時間を教えてくれる。充電ステーションでは、停電やプラグの脱落などで充電が止まるとユーザーにアラートが届く。充電ステーションがあるポイントを経由する走行ルートも作成してくれる。

フォードはまた、ＣＹＮＣと呼ばれる車載通信システムやフォード・パスというアプリ（アプリストアで入手できる）によってユーザーのスマートフォンとつながり、データをやり取りしている。このアプリには、２つの地点間の最短ルートを示すだけでなく、運転中のドライバーの行動パターンに合わせたサービスを提供する機能がある。たとえば、アレクサ（アマゾンの音声アシスタント）を介してスターバックスのコーヒーを注文できる。[6]位置情報、天候、交通情報をリアルタイムで収集し、車の到着時刻を予測して店に伝えてくれるので、ドライバーは待たされることなくコーヒーを受け取れる。支払いもアプリが勝手にやってくれる。最新のフォード車は「車輪が付いたスマートフォン」[7]のようなものだ。

フォードにとって、こうした取り組みは最初の一歩にすぎない。ＤＸをめざす道のりの途上には、多くのマイルストーンが設定されている。同社は、スマートな運転アシスト機能を開発して、完全な自動運転を実現することをめざしている。業務用車両については、車両が発するデータから不具合の発生時期を予測してメンテナンス計画を立て、交換用部品も用意し、稼働率１００％を実現しようとしている。[8]アプリを使ったドライバー支援を拡張し、コーヒーの注文だけではなく、空いている駐車スペースを知らせたり、渋滞時の代替ルートを提案したりすることなどもめざしている。

あらゆる製品がデータで結ばれる

フォードの事例には学ぶべき点が多い。もちろん、すべての企業がＤＸのために何十億ドルも投資しようとは思わないだろうし、その必要もない。しかし、あらゆる製品が、データを通じて、これまでになかった方法でユーザーとやり取りできるようになることは知っておいたほうがよい。製品からもたらされるデータは、すべての企業にとって新しいビジネスチャンスを開く鍵となる。チャンスは今後ますます拡大し、データは価値創造のための源泉となる。

しかし、先進的な取り組みから学ぼうとすると、次のような疑問が生じる。

- データが持っているどんな能力が、新たな価値創造を可能にするのか？
- どうすれば価値創造の機会を見つけ、最大化できるのか？
- どうすれば他社に先んじて機会をつかみ、競争上の優位を確立できるのか？

この問いに答え、デジタル改革の取り組みを進めるうえで、前提となる現状認識がある。以下に論じる3つの点は、デジタルの世界で競争しようとするすべての企業が理解すべき基本的な認識だ。それは本書が論じるデジタル競争戦略を理解するための基本でもある。

基本認識1　先進的データ技術が異次元の可能性を開く

データを活用するというのは目新しい話ではない。企業は自社の製品、市場、オペレーションに関するデータを持っており、そこからインサイトを得て意思決定を行っている。フォードは販売データを分析することで、どの車種が、どの地域で、どのディーラーに人気があるのかを把握している。そして、このようなインサイトを製品開発、キャパシティ・プランニング〔需要を満たすためのリソースを確保する計画〕、マーケティングに活用している。昔からやっていることだ。変わったのは、圧倒的に広く深くデータを活用できるようになったことである。

インタラクティブ・データ

近年、データの重点は、単発的《エピソディック》データからインタラクティブ・データに移行しつつある。単発的データとは、あるイベントが起こったとき、そのつど断続的に生まれるデータだ。サプライヤーが部品を出荷したとき、製品が生産・販売されたときなどに収集されるのが単発的データだ。

一方、インタラクティブ・データとは、アセット〔機械や設備など〕の稼働状況や、製品とユーザー間のやり取りなどを継続的に追跡するデータのことで、センサーやIoTを通じてもたらされる。アセットとその動作パラメータをトレースすることで、生産性向上に役立てることができる。たとえば、溶鋼の加熱温度を適切に保つ工場のセンサーは品質と生産効率を向上させるし、家電製品に装着されたセンサーは画期的なユーザー体験をもたらす。

フォード車のレーンアシスト、自動ブレーキ、充電不足アラート、コーヒー注文アプリなどは、リアルタイムのインサイトに基づいているが、それはインタラクティブ・データを使うことでのみ実現できる。同様にGEのジェットエンジンは、パイロットとのあいだで情報を交換しながら、向かい風、追い風、乱気流、飛行高度など、飛行中のインタラクティブ・データを活用して燃料消費を最適化している。バボラのテニスラケットは、プレーヤーのスキルを把握し、上達に役立つ情報を提供する。テンピュールのマットレスは、睡眠時の心拍数、呼吸パターン、体の動きなどのデータをリアルタイムで収集し、姿勢を変えるよう働きかけることで睡眠の質を高める。[9]

従来型企業も、ウェブやアプリからインタラクティブ・データを収集している。たとえばワシントン・ポストは、自社サイトでニュースを閲覧している読者に対し、興味のありそうな記事を推薦している。バンク・オブ・アメリカのエリカというアプリは、ユーザーの支出行動を追跡し、ベンダーからの返金確認、毎週の支出分析、支払い期限のリマインドなどの機能を実現している。オールステート保険のアプリは、運転中に集められるインタラクティブ・データを使ってドライバーに安全運転を促している（従来型企業がセンサーを使ってインタラクティブ・データを収集する方法は**図0-1**を参照）。

リアルタイム・データと事後データによるインサイト

製品とユーザーのやり取りから得られるリアルタイム・データは、最終的には事後データとなり、事後的インサイトを得るために分析される。事後データからのインサイトには、いくつか特徴がある。まず、センサーから送られてくるデータは、企業が事後的インサイトを得たいと考えている対象についての情報をピンポイントで提供してくれる。フォードの例で考えると、そのような対象は2つある。自動車のパーツ（たとえばエンジン）とドライバーだ。フォードはエンジンに搭載された複数のセンサーからデータを収集し、エンジン1台ずつについてプロファイル〔属性や履歴を示すデータの集合〕を作成する。同様に、複数のセンサーからのデータを集約して、ドライバー一人ずつのプロファイルを作成する。

図0-1
インタラクティブ・データを生成するセンサー

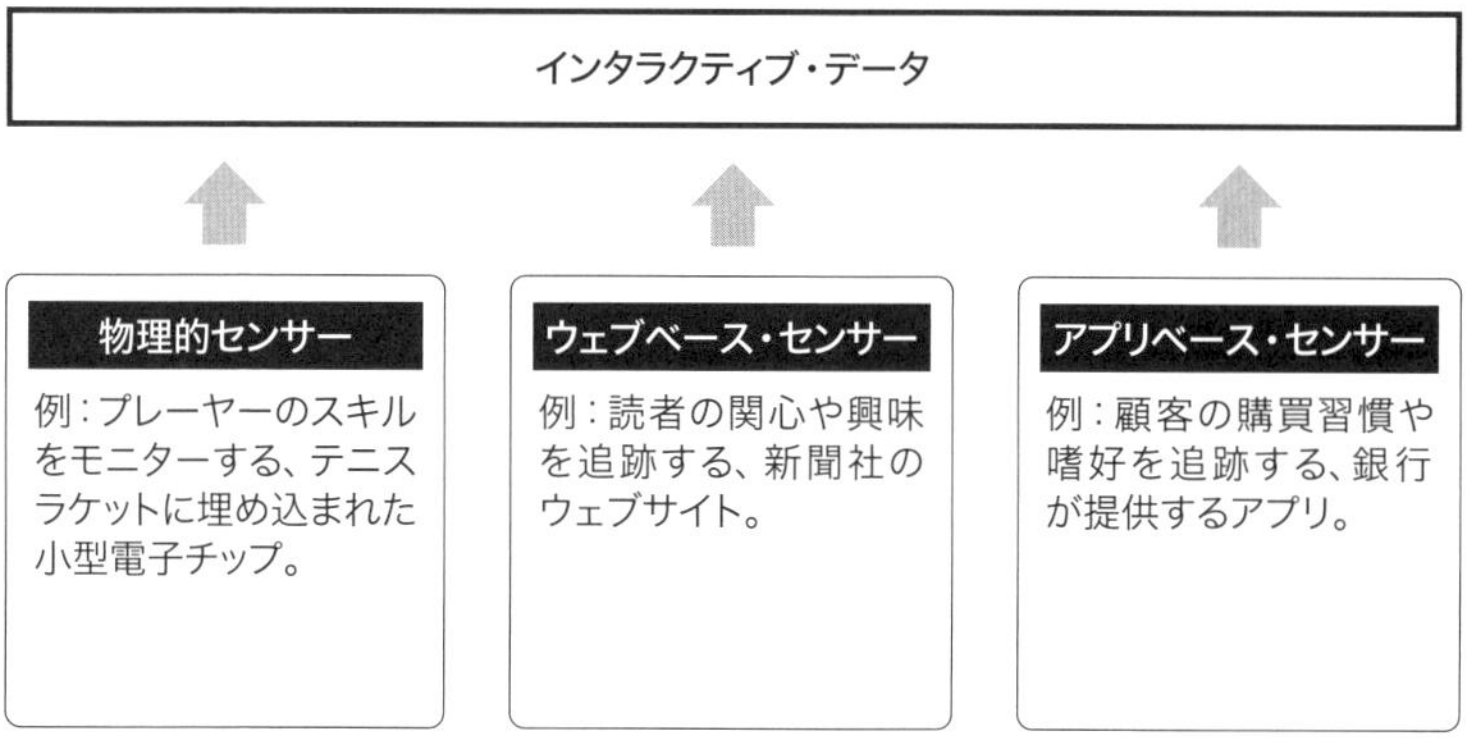
インタラクティブ・データ
物理的センサー
例：プレーヤーのスキルをモニターする、テニスラケットに埋め込まれた小型電子チップ。
ウェブベース・センサー
例：読者の関心や興味を追跡する、新聞社のウェブサイト。
アプリベース・センサー
例：顧客の購買習慣や嗜好を追跡する、銀行が提供するアプリ。

注：アマゾンやウーバーのようなデジタル・プラットフォーマーは通常、ウェブベースやアプリベースのセンサーだけを使用する。従来型企業は、物理的センサー、ウェブベース・センサー、アプリベース・センサーのすべてを使うことができる。

これによってフォードは、個々のエンジンの性能や状態を分析し、故障の予兆をはじめ、メンテナンスに必要な情報を把握できる。個々のドライバーについても、充電の頻度や運転ぶりなどの特性を把握できる。センサーを搭載した製品の普及が進めば進むほど、企業が事後的インサイトを得られる対象が増える。

企業は蓄積したデータをもとに、各プロファイルから詳細なインサイトを得ることができる。キャタピラーは、モーターグレーダー〔整地作業用自走重機〕のユーザーが、重い土砂を運ぶのに使っているのか軽い砂利を運ぶのに使っているのかを把握している。スリープ・ナンバーは、自社のマットレスでユーザーが得ている睡眠の質を知っている。オールステート保険は、加入者がどれくらい安全運転を心がけているかを把握している。ナイキは、シューズを履いた顧客が走っているのか歩いているのかを知っている。

このようにセンサーから飛んでくるリアルタイムのデータは、製品やユーザーについての精緻なプロファイルを作成するのに役立つ。企業は高度なインサイトを得て、個々の顧客に合わせてカスタマイズされた製品や新しい体験、価値創造につながる新たな機会を提供できるようになる。

たとえばキャタピラーは、土砂ではなく砂利を効率的に運ぶモーターグレーダーを開発し、製造コストを削減して価格を引き下げ、利益を増やした。スリープ・ナンバーは、より良い睡眠を通じたウェルネス・サービスを提供している。ナイキは顧客の利用シーンに適したシューズを販売している。

「製品の意味」が変わる

インタラクティブ・データから得られるインサイトは、製品が追求すべき目的を一変させる。製品はもはや機能やブランド、あるいはそれ単体での利益のためだけのものではなく、新しい顧客体験を提供するために必要なデータを企業にもたらしてくれる重要な媒体となった。

目的の変化とともに、データと製品の主従も逆転した。これまで、データの主要な役割は製品を支えることだったが、いまでは製品がデータを支えている。なぜなら製品は、センサーやＩｏＴなどの技術によって、製品自体とユーザーのやり取りの詳細を伝える媒体になったからだ。この逆転によって、製品だけでなくデータも企業にとって収益源となった。先進技術によってデータの性質が変化したことにともない、データが果たす役割は拡大している（**表0-1**および13ページの**表0-2**を参照）。

インタラクティブ・データを集めるのは製品だけではない。さまざまなソースが、センサーを通じてデータを送ってくる。サプライヤー、アセット、プロセス（組み立て、製造、銀行融資の申請、保険

表0-1
変化したデータの性質

これまでの性質	新しい性質
●単発的。データは個別のイベントによって生成される（たとえば、マットレスなどの商品が売れるたびに発生する）。	●インタラクティブ。データは、ユーザーとセンサー搭載製品やアプリのあいだで行われる連続的なやり取りによって生成される（たとえば、マットレスのセンサーが心拍数や呼吸パターンをストリーミングし、睡眠の質を評価するなど）。
●一括して保存される（マットレスの種類別、小売チャネル別、地域別の合計収益など）。	●個人のプロファイルを作成するために保存される（長期にわたる安眠度のデータなど）。
●データの価値の大半は、蓄積されたデータを事後的に分析することによって得られる（たとえば、特定のチャネルや地域で特定のマットレスの売り上げが増加または減少した理由などの分析ができる）。	●データの価値は、リアルタイムのインタラクティブ・データと蓄積されたデータの両方から得られる（たとえば、睡眠時のリアルタイム・データによる入眠効果の改善や、蓄積データの分析による睡眠パターンの把握など）。

金請求など）、物流サービス、小売店の棚、その他ありとあらゆるところからデータが流れ込んでくる。企業はそれを、従来からのデータベースや、ソーシャルメディアなどの新たなデータソースと統合することができる。

テクノロジーの進歩によって新たなデータソースをつかんだ企業は、リアルタイム・データと事後的データを統合することなどにより、これまでとは次元の違うことができるようになった。最新のクラウド技術によって、センサーから間断なく送られてくる膨大なデータとプロファイルを格納しつづけることもできるし、人工知能（AI）、機械学習、データ分析などによって、各プロファイルから得られるインサイトをさらに強化することもできる。[10]

ＩｏＴでつながったアセット全体からのリアルタイム・データを、さまざまな切り口で抽出することもできる。たとえば、ＩｏＴにつながっている駐車場では、フォードはドライバーの同意を得たうえで車両の位置データを共有し、車を駐車場の空きスペースに誘導することができる。

それだけでなく、センサーを搭載した機器同士が、リアルタイムでデータをやり取りしながら、過去のデータから得た知識によって意思疎通《コミュニケーション》することができる。たとえばバボラは、ラケットからプレーヤーのスキルを示すデータを集め、レベルの近い相手やふさわしいコーチとマッチングさせることができる。ＩｏＴでつながったこのようなアセットの数は、今後数年で３００億〜５００億に上ると見込まれ、競争優位をもたらすデータの価値も大いに高まるはずだ。[11]

基本認識2　デジタル・エコシステムには2つの顔がある

データの可能性を最大限に引き出すためには、データの受け手がネットワークでつながっている必要がある。受け手の一部は、自社のバリューチェーンの中に存在する。たとえば、フォード車に搭載されたセンサーが発するデータは、ソフトウェア設計部門、ＡＩセンター、デジタルサービス部門、部品保管倉庫、修理工場やカーディーラーなど、フォードという組織の内側にいる受け手と共有される。それらが連携することで、予知保全〔機器の状態を継続監視して行う予防的メンテナンス〕のような新しい価値提案ができる。

データの受け手はバリューチェーンの外にもいる。アマゾン〔音声アシスタントのアレクサを通じて〕、

表0-2
拡大するデータの役割

例	これまでの役割	新たな役割
マットレス・メーカー	●サプライヤーからのインプットの効率向上。 ●生産スケジュール、在庫、流通ロジスティクスの最適化。 ●製品設計の改善。 ●顧客のニーズに合わせたマーケティングや販売活動。	●マットレスとユーザーのやり取りを追跡し、睡眠の質をモニターする（センサーを通じて）。 ●マットレスを睡眠データにリアルタイムで適応させることで、睡眠の質を向上させる。 ●睡眠データを室内にあるもの（適度な照明や心地よい音楽のための機器など）とリアルタイムで共有することで、睡眠の質を向上させる。 ●マットレスを健康とウェルネスのための製品とすることで、新しいデータドリブン・サービスや収益源を生み出す。
保険会社	●母集団のリスク評価（住宅保険の対象となる住宅の集合など）。 ●収益性のある保険料設定と競争力のある契約条項。 ●被害発生後の請求処理の効率化。 ●契約者を増やし、解約を減らし、平均リスクを引き下げるための、さまざまな市場セグメントに合わせた効果的マーケティング・キャンペーンの実施。	●個別リスクの監視（契約者の住居をセンサーでモニターするなど）。 ●損害予測（水道管凍結の可能性など）。 ●注意喚起による損害回避（水道管が凍結する前に湯を通してもらうなど）。 ●損害発生後のサービス提供（損害を回避できなかった場合の修理班の派遣など）。 ●新しいデータドリブン・サービスの提供によって、保険ビジネスを損害補償から損害予防と損害発生後の復旧サービス提供へと移行し、新たな収益源を確保する。

スターバックスといった企業、あるいは銀行、さらには天気予報や交通情報などのアプリ提供者たちだ。彼らが連携して役割を果たすことで、前述したフォード車のコーヒー・サービスが実現する。

データの送り手と受け手のネットワークが、当該事業のデジタル・エコシステムを構成する。従来型企業の場合、このネットワークは2つの構成要素から成る。すなわち、バリューチェーン内部の「プロダクション・エコシステム」と、バリューチェーン外部の「コンサンプション・エコシステム」である。[12]

プロダクション・エコシステム

プロダクション・エコシステムとは、製品の生産と販売に関わる内外の組織や部門、アセット、活動などのすべてが連携した環境のことだ。主要な構成要素としてはサプライヤー、研究開発、製造、組み立て、流通チャネルなどがある。

このような連携が可能なのは、バリューチェーン全体の活動にくまなくセンサーが組み込まれ、IoTによって接続されているからである。

プロダクション・エコシステムは、データの価値を引き出すために企業が活用できる生産サイドの環境である。たとえば、サプライチェーン内にセンサー・ネットワークを構築すれば、在庫の状況をリアルタイムで把握し、精度の高い在庫調整を実現できる。工場にセンサーを設置すれば、機械やロボット、製造や組立部門の通信を同期させ、ワークフローを合理化して業務効率を向上させることができる。

製品にセンサーを搭載すれば、そのデータを使って製品の特性を最大限に引き出したり、新たなサービスを追加したりすることができる。顧客によってまちまちな使い方に対し、いちばん適したかたちで製品の特性を発揮させることができるからだ。このような機能向上や新たなサービスは、追跡し、改善し、目に見える数字で示すことができる。

GEは航空機エンジンに「成果保証《アウトカム・ベースド》サービス」を導入した。これは、エンジンが発するガイダンスに従ってパイロットが操縦すれば燃料消費が削減されることを保証し、その成果に応じて課金するというものだ。GEはジェットエンジンを売ったときに得られる収益に加え、新しいサービスからも継続的収益を得ることができる。

他の企業も、顧客の使用データを使って製品のパフォーマンスを向上させるスマート製品を提供することができる。たとえば、オーラルBのスマート歯ブラシは、スマートフォンのアプリで歯磨きの効果を検証し、可視化することで、ユーザーの歯磨き習慣を改善する。キャタピラーは、建設機械の使用や消耗、破損といった状況をリアルタイムで監視するセンサーを使って、ダウンタイムをなくしている。いずれも企業がプロダクション・エコシステムから新しい価値を生み出した好例だ。

研究開発、製品開発、マーケティング、販売、アフターサービスなどの部門がデジタルでつながり、センサー由来のデータを受信、分析、生成、共有、対応することで、このような価値の提供が可能になる。部門間のセンサー・ネットワークが広範かつ複雑なほど、企業のプロダクション・エコシステムは大きくなる。

コンサンプション・エコシステム

コンサンプション・エコシステムは、バリューチェーンの外部とのつながりに焦点を合わせるという点で、プロダクション・エコシステムとは異なる。コンサンプション・エコシステムは、製品に搭載されたセンサーが発するデータを受信してそれを補完する、複数の企業のネットワークによって構成される。

スターバックスのような小売業者が、車のセンサーから送信されるデータに基づいてドライバーにサービスを提供するのは、補完的ネットワークの一例である。駐車スペースの空き状況を車に知らせる駐車場も同じだ。バリューチェーン内の部門や事業で形成されるネットワークと違い、企業はこのネットワークを直接コントロールするわけではない。

独立した企業から成るこのネットワークは、多くのアセットがデジタル接続されるほど拡大する。たとえばフォードのコンサンプション・エコシステムは、小売店（スターバックスだけでなく）やアセット（駐車場だけでなく）がつながって補完的な機能が加わるほど拡大する。

データやデジタル接続の技術が発達する前は、コンサンプション・エコシステムを持っている企業はほとんどなかった。だがいまでは、センサーを埋め込んだ電球によってさえ、新しいコンサンプション・エコシステムが形成されつつある。「スマート電球」には、物体の位置や動き、音などを感知するセンサーが搭載されている。それが発するデータは、デジタル連携する企業や組織に、価値を創造するための機会を提供する。

スマート電球が発するデータとそれに対するサードパーティ企業の対応によって、多方面でコンサンプション・エコシステムがつくられる。たとえば、スマート電球が、だれもいないはずの家の中で何らかの動きを感知すれば、アラームやスマートフォン・アプリのセキュリティ・サービスのエコシステムが動きはじめる。

倉庫に在庫を感知するセンサーがあれば、ロジスティクスを改善するエコシステムが形成される。銃声を感知するセンサーがあれば、防犯カメラや緊急通報、救急車など、街の安全維持のためのエコシステムが起動する。

コンサンプション・エコシステムは、従来型企業に新しい市場に進出する機会をもたらし、データの価値を引き出す新しい方法を提供する。

コンサンプション・エコシステムを支えるデジタル・プラットフォーム

内部的ネットワークであるプロダクション・エコシステムと違い、コンサンプション・エコシステムは外部の個人や企業をつなぐものだ。それが価値を生むためには、データによって可能となった補完的企業間のやり取りを調整する必要がある。言い換えれば、コンサンプション・エコシステムをひとつのプラットフォームのように機能させなければならない。

たとえばシムコン（銃声を感知するスマート電球を開発したボストンのスタートアップ）は、防犯カメラのような装置や、警察や救急車、病院などの組織をつなぐプラットフォームを構築している。[13] フォードのコーヒー・サービスは、車のドライバー、アレクサ、スターバックス、さまざまなアプリ開発者、銀行などがデータをやり取りするプラットフォームによって実現している。

これは製品に関するものとしては新しいアイデアだが[14]、このアプローチ自体は、さまざまな第三者間のやり取りを調整する既存のプラットフォームで採用されている。たとえばフェイスブックは、友人やグループ間でのニュースや情報の共有を調整している。ライドシェアのプラットフォームであるウーバーは、車のドライバーと利用者のあいだで行われるあらゆるやり取りを調整している。

エコシステムはデータで動く

以上のように、プロダクション側でもコンサンプション側でも、データはデジタル・エコシステムの中を行きめぐって関係者をつないでいる。データは、プロダクション側ではバリューチェーンの中で活用され、コンサンプション側ではデジタルでつながって補完しあう企業群によって活用される。

どちらも、企業間競争のフィールドは製品だけでなく、製品から生まれるデータにまで広がっている。また、企業には顧客との関係を一新する機会がもたらされている。要するに、データが持つ可能性の全体は、両方のエコシステムを足し合わせなければ把握できないということだ。

ただし、プロダクション・エコシステムとコンサンプション・エコシステムは別個に分析しなくてはならない。なぜなら、前者はバリューチェーン、後者はプラットフォームが生命線であって、異なるケイパビリティ〔組織的な能力や強み〕を必要とするからだ。この違いを認識することによって、企業は有効なデジタル戦略を構想することができ、具体的な選択肢を検討することができる。

デジタル・エコシステムをプロダクションとコンサンプションの両面から掌握することが、企業がデジタル競争戦略を構築するための肝であり、難所でもある。デジタル・エコシステムは、企業が取得したデータの力をフルに引き出すうえで最も重要だ。企業がどのようなエコシステムを構築し、どう使うかで、データをデジタル戦略に活かせるかどうかが決まる。

データとデジタル・エコシステムがDXを推進する

企業がデータから引き出すことのできる価値は、収集できるデータの種類と、構築したデジタル・エコシステムのタイプに応じて、4つの階層を経過しながら拡大していく。[15] その過程で、企業はビジネスモデルを変革するための課題に直面する。言い換えれば、4つの階層はDXの4段階に対応している（21ページの**図0–2**参照）。

第1層は、バリューチェーン内のアセットから得られるインタラクティブ・データ（センサー由来もしくはIoT由来）を活用して、バリューチェーンの効率を向上させるという段階だ。たとえばフォードは、これまで人間の目で行っていた車体の塗装検査を自動化して（センサー、IoT、VR、AIなどを利用）、不具合の検出工程を改善している。

第2層は、製品とユーザーとのインタラクティブ・データを活用して、バリューチェーン内の活動をさらに高度なものにするという段階だ。たとえばキャタピラーは、製品とユーザーとのインタラクティブ・データに基づいて、重い土砂ではなく軽い砂利を効率的に運ぶコスト効率の高いモーターグレーダーを設計した。インタラクティブ・データを既存のアセットと突き合わせると、課題と機会が見えてくる。この層では、効率化の範囲を、既存のアセットの利用にかかわることだけでなく、研究開発や製品開発といった他のプロセスまで広げることができる。

第3層は、インタラクティブ・データから新しいデータドリブン・サービスを生み出す段階だ。GEは、製品とユーザーのインタラクティブ・データを利用してジェットエンジンの燃費改善を実現し、航空会社が削減したコストの一部を成果報酬とする契約によって新たな収益源をつかんだ。効率向上のためだけにデータを利用するのではなく、新たな収益源をつかむためには、第1層や第2層以上に、既存のビジネスモデルを大きく変える必要がある。

最後の第4層では、インタラクティブ・データを利用してユーザーとサードパーティを結びつけ、製品やバリューチェーンをデジタル・プラットフォームへと拡張する。フィットネス機器のペロトン・インタラクティブは、データを利用してユーザー・コミュニティを構築し、個々のユーザーに適したトレーニング方法やトレーナーを紹介している。長年バリューチェーン駆動型のビジネスモデルで戦い、デジタル・プラットフォームの経験に乏しい従来型企業にとって、第4層は最大の難関と言える。

第3層まではプロダクション・エコシステム・エコシステムが、第4層にはコンサンプション・エコシステムが関わる。本書は従来型企業がデジタル・エコシステムを通じて集めたデータの価値を高めながら、これらの4つの階層を進んでいく方法を詳しく述べる。

プロダクションとコンサンプションの両方を統合したものがデジタル・エコシステムであるという理解こそが本書の核心だ。企業のニーズに合わせて構築されたデジタル・エコシステムは、競争戦略の基礎であり、本書の議論の要《かなめ》でもある。

図0-2
デジタル・トランスフォーメーション（DX）の4段階

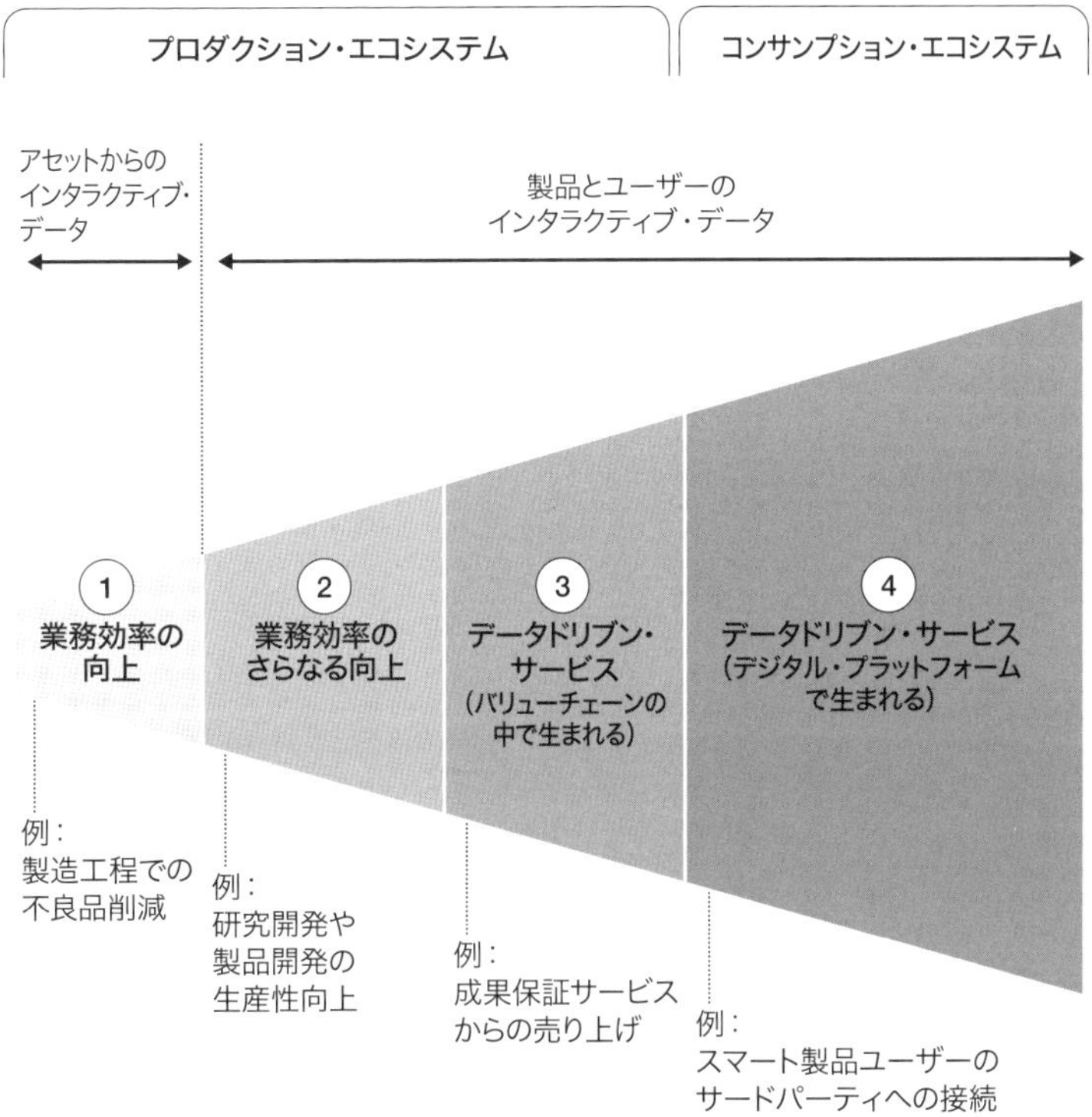

基本認識3

競争の中身が変わった

デジタル競争戦略とは、自社のデジタル・エコシステムに存在するデータを活用して競争優位を構築するための一連の方策である。業界の枠の中で、製品の力に頼って優位を確立するというこれまでの競争戦略とは異なる。競争力の重点をデータとデジタル・エコシステムに移すには、製品や業界に関する基本的な前提を考え直し、組み直す必要がある。

デジタル以前の競争優位

製品の力で競う企業にとっては、ビジネス環境を業界という枠組みで捉えることが有用だ。何が競争優位かは業界の特性で決まるので、その特性をどう活かすかが競争戦略そのものになる。

マイケル・ポーターが提示して1980年代に人気を博したのが、企業を取り巻く5つの競争要因〔企業間競争、バイヤーの交渉力、サプライヤーの交渉力、新規参入の脅威、代替品や代替サービスの脅威〕を示す「ファイブ・フォース」というフレームワークだ。[16] 企業が業界に影響力をおよぼし、それによって競争優位を築き、平均を上回る収益を得る手段を見つけるのに役立つ。

このフレームワークに従う企業は、業界内のバイヤー、サプライヤー、競合製品を抑え込むような力を獲得することで、自社の優位を確立しようとする。そのために、競合製品を売っているライバル企業の強みを削《そ》いだり、事業展開に必要な条件（固定費、製造能力、広告投資など）のレベルを引き上げて新規参入を防いだりして、市場シェアを確保しようとする。それを可能にするのがバリューチェーン、すなわち生産と販売に関わるすべての活動の相補的な結びつきである。

競争のフィールドと道具が変わった

しかし、企業が製品そのものではなく、製品から得られるデータで競争するようになると、これまで有効だったそのような競争戦略の前提は成立しなくなる。

まず、データが力を発揮するためには、データの受け手をつなぐネットワークが存在しなければならない。データと、そのデータが企業や顧客や協力者にもたらす意味が、ネットワークの参加者のあいだで交換される世界では、個々の企業の生産能力（もしくはホテルの空室数や小売店の床面積など）は突然その重要性を失う。重要なのはそうしたアセットに関するデータであり、そのデータによって価値を得ることのできる他社とのつながりだ。

デジタル戦略を掲げる従来型企業にとって、競争優位の主たる源泉は、業界における製品の優位ではなくデジタル・エコシステムでなければならず、そこで競争に勝たなくてはならない。したがって、業界の特性で決まる競争優位だけに頼っていたのでは行き詰まる。そうではなく、デジタル・エコシステムの属性を活用する戦略にシフトしなくてはならない。優位性を競う環境が、業界ではなくデジタル・エコシステムそのものになるのである。

優劣の基準が変わった

古い戦略から新しいデジタル戦略への移行を、フォードのケースで見てみよう。同社は、今後数年で全車両を完全自動運転にする計画を進めている。[17]

フォードは、これからの顧客は車を所有するよりサブスクリプションによって利用することを好むようになると予測している。車を使う必要があれば、自律走行車を呼び寄せる。自分のスケジュールを車に教えれば目的地までのルートを計画してくれる。好みに合わせて、お気に入りのコーヒーショップなどの店舗に立ち寄ってくれるし、走行中にニュースやビデオ、音楽を流してもくれる。

このシナリオでは、車の物理的性能よりデータ活用能力のほうが重要になる。ユーザーは、車のブランドやモデルではなく、運転中にデータを通じて提供されるサービスのほうを重視するかもしれない。そうなるとフォードにとって、伝統ある自動車メーカーとしての特性より、データ型サービスを提供する機会と強みをもたらしてくれるデジタル・エコシステムのほうが重要になる。

実際、このシナリオを可能にするエコシステムには、新しいデータ駆動型サービスのためにデータを生成し共有するすべての企業が含まれ、従来の自動車産業の境界を超越している。

ライバルが変わった

さらに、デジタル・エコシステムでは、業界内での競争とは別種の前提で競争が展開される。いまやライバルは、自社と同じ製品をつくっている他社だけでなく、業界を問わず同種のデータにアクセスするあらゆる企業である。

フォードのライバルは、グーグルの親会社アルファベットが立ち上げた自動運転技術のウェイモや、配車サービスのウーバーだ。フォードはこれらの会社と、データへのアクセスと、データドリブン・サービスを展開するためのケイパビリティを競っている。フォードもフォードのライバル企業も、ただ製品をつくり続けるだけなら競争力を失うことになるだろう。

競争の焦点がデータドリブン・サービスに移行するなかで、フォードにはデジタル・プラットフォームを管理する新たなケイパビリティが必要になる。自動車を生産し販売するという既存のバリューチェーンにおける能力の重要性は相対的に低下する。

フォードは、センサー経由で集めたデータをプラットフォーム上で提供して、新しい顧客を呼び込まなければならない。そのためには、車を買ってもらうことだけを考えていたこれまでのマーケティングを変える必要がある。新たなライバルがプラットフォーム・サービスを無料で提供して、ユーザーを惹きつけ、データを取得することを計算に入れておかなくてはならない。これまでのフォードのビジネスモデルは、そうしたサービスにはまったく対応していない。

ネットワーク効果が現れた

デジタル先進企業はネットワーク効果の役割と重要性を理解しているので、一般的にプラットフォーム・サービスを無料で提供している。[18] 顧客が多く参加してくれるほど、プラットフォームの魅力が増すからだ。

ネットワーク効果はデジタル世界の代名詞のように言われるが、古い業界にもなかったわけではない。たとえば、QWERTY配列のキーボードを搭載したタイプライターは、ユーザーが増えてネットワークが形成されたことで、他のキーボード配列を市場から締め出して利益を得た。[19] ただ、そのような効果は少数の製品にしか生じず、「ネットワーク産業」と呼ばれた一部の業界だけの現象だった。[20]

今日、従来型製品がセンサーを搭載し、デジタル・プラットフォームと同様にインタラクティブ・データを収集するようになると、ネットワーク効果はこれまでよりはるかに一般的になり、さまざまなビジネスで優位性の源泉になろうとしている。フォードもまた、デジタル戦略を実効あるものにするためには、自社のプラットフォームを通じてネットワーク効果を生み出さなければならない。ネットワーク効果の優位性は指数関数的に増大するため、勝者総取り《ウィナー・テイク・オール》の結果になることが多い。[21] フォードが成功すれば、データドリブンの乗車サービスを展開する新たなライバル企業に対する参入障壁は、製造業としてのフォードが規模の力で築き上げてきた障壁よりも強力なものになるだろう。

以上3つの基本認識（6〜26ページ参照）を整理したのが**表0−3**である。

従来の競争戦略とデジタル競争戦略

製品からデータに重点が移るにつれ、どの企業もフォードと同じような課題に直面する。デジタル・エコシステムの中で競争するための新たな手段が必要になるということだ。

表0-3
競争戦略の進化

	従来の競争戦略	最新のデジタル競争戦略
手段	製品	データ
ビジネス環境	業界	デジタル・エコシステム
ケイパビリティの基礎	バリューチェーン	スマート・バリューチェーンとデジタル・プラットフォーム
参入障壁	規模	ネットワーク効果
顧客から提供される価値	製品の購入	製品の購入とインタラクティブ・データの提供
競合企業	製品の優劣と販売を競う	データの獲得と活用を競う

しかし、業界という概念がまったく無意味になるわけではない。それは製品ベースの強みを維持するのに役立つ概念であり、依然として重要だ。デジタル・エコシステムで競争するうえで必要な、新しいリソースを構築するためのよりどころになるし、従来からの強みは新たな強みにピボットするのにも役立つ。フォードのブランドと幅広い顧客基盤は、強力なネットワーク効果を発揮するプラットフォームの構築に役立っている。

本書はおもにデジタル競争戦略について論じるが、従来からある競争戦略の要点についても取り上げて2つの戦略の違いを明確にし、それらが相互に補完しあうことも強調するつもりだ。企業は今後、もともとあった強みと新しいものの考え方のあいだでバランスを取りながら、自社を取り囲む競争環境に適応する独自の方法を見つけなければならない。

本書は、その方法を発見するために必要な情報を提供する。読者は以下のような問いに対する答えを得ることができるはずだ。

- どうすれば、新たなデータの供給源を獲得できるか？
- どうすれば、顧客にインタラクティブ・データを提供してもらえるか？
- どうすれば、自社のビジネスに最適なデジタル・エコシステムを構築できるか？
- どうすれば、デジタル・エコシステムで新たな価値を追求しながら、既存製品の強みも維持できるか？
- プロダクション・エコシステムにおいて、どのような戦略でデータを活用するのがよいか？
- コンサンプション・エコシステムにおいて、どのような戦略をとるべきか？
- どうすれば、製品をプラットフォームに拡張することができるか？
- どうすれば、他のプラットフォームに対する優位を築けるか？
- どうすれば、デジタル・エコシステムに登場する新たな競合を認識できるか？
- どのような新しいケイパビリティを構築すべきか？
- どうすれば、インタラクティブ・データを使って競争優位を確立できるか？

4つのデジタル・イネーブラー

この本の中心テーマは、データから新しい価値を引き出し、デジタル競争戦略を実行する方法である。すべての章がこの問いに答えるために配置されている。

各章の主張はデジタル・エコシステム――プロダクション・エコシステムとコンサンプション・エコシステムで形成される――の枠組みに足場を置いている。その際のデジタル・エコシステムは、従来型企業がデータから価値を創出するためのものであって、おなじみのデジタル先進企業のデジタル・エコシステムとは別のものであることをお断りしておく。本書が提示するデジタル・エコシステムのフレームワークによって、従来型企業はバリューチェーン駆動型の強みを維持しつつ、データが持つ新たな価値を獲得することができるだろう。

本書は、「データからデジタル戦略へ」と進む旅をたどりながら、鍵を握る4つのデジタル・イネーブラー〔実現を可能にする決定的な機能や要因〕――エコシステム、顧客、競合企業、ケイパビリティ――を論じ、競争優位と成長のためにそれぞれをどう活用するかを論じる（次ページの**図0-3**参照）。

①「デジタル・エコシステム」は、データの力を増幅させ、その価値を引き出すための方法を従来型企業に提供する。

②「デジタル顧客」とは、製品とユーザーのインタラクティブ・データを企業にもたらしてくれる

図0-3
データからデジタル戦略へ

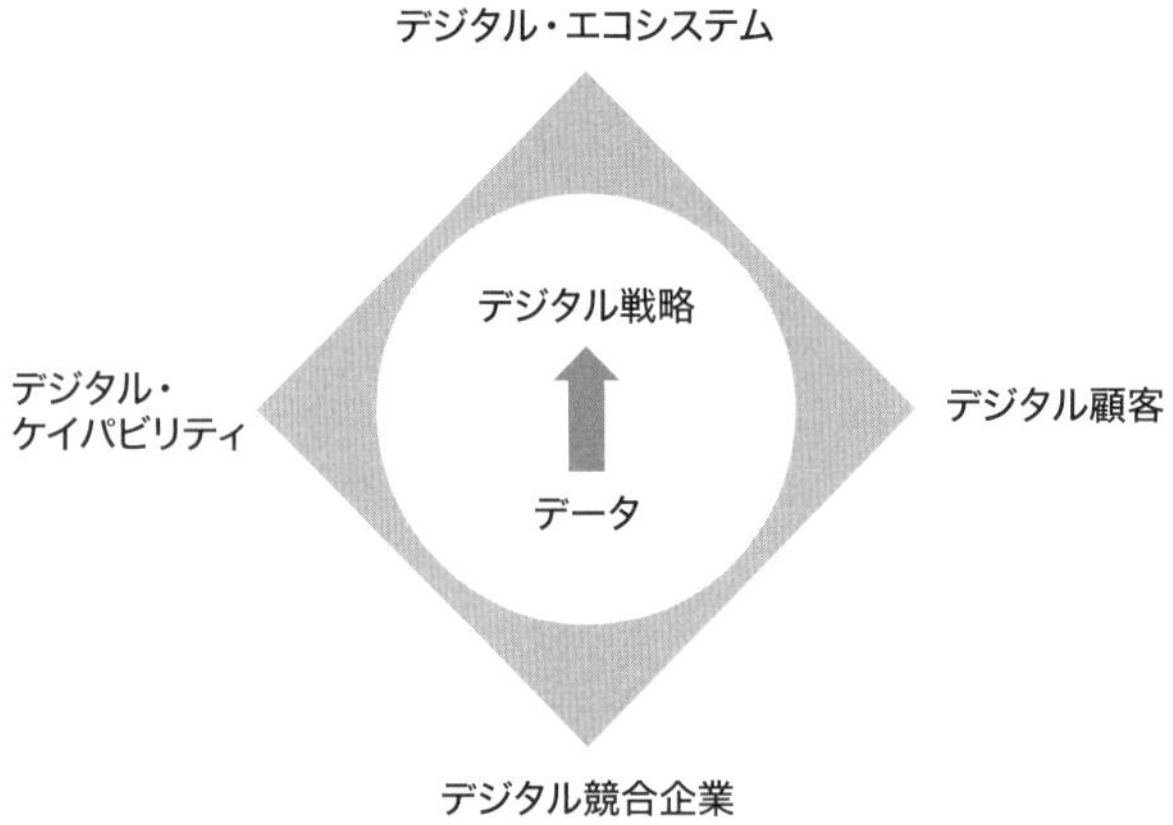

存在であり、従来型企業が収益拡大につながるデータドリブン・サービスを提供するのに不可欠な存在である。

③「デジタル競合企業」とは、同種のデータの獲得を競う相手であり、昔からある製品の優劣を競うライバルとは異なる。これにどう立ち向かうかはデジタル戦略の重要なポイントになる。

④最後に、企業は、データの価値を引き出し、デジタル競争戦略によって新しいフロンティアを切り拓くための「デジタル・ケイパビリティ」を必要としている。

各章の内容

各章の内容を概観しておこう（33ページの表0-4参照）。

第1章と第2章では、どうすれば有効なデータを蓄積し、データ活用能力を高めることができるかを論じる。

- 第1章では、データ活用に取り組む従来型企業が、先行するデジタル先進企業から学ぶべき教訓を論じる。デジタル先進企業の内部の仕組みと、彼らがプラットフォームを通じてデータの力を最大限に利用するケイパビリティを高めてきた道筋をひもとく。また、従来型企業がデジタル先進企業のインサイトを自社の戦略に取り入れる具体的な方法を解説する。
- 第2章では、API(アプリケーション・プログラム・インターフェース)、つまりプログラム間の通信を実現するツールについて述べる。APIは、さまざまなプログラムをつなぎ、複数の企業によるデータ共有を可能にし、そのデータで何をするかの指示を各社に発する。デジタル・エコシステムの出現と成長の原動力であり、これまで考えられなかったような企業間の協力で価値を創造できるようにした立役者だ。

　この章ではデジタル先進企業のAPI活用法を解説する。また、従来型企業がデジタル戦略の基盤を築くために、デジタル企業のベストプラクティスをどのように適用できるかを提案する。

第3章、第4章、第5章では、デジタル・エコシステムの仕組みと、データの価値を高めるためにその仕組みを最大限に活用する方法を掘り下げる。

- 第3章では本書の中心となるフレームワークを提示する。すなわち、プロダクション・エコシステムとコンサンプション・エコシステムを融合した「デジタル・エコシステム」の全体を描く。そのうえで、さまざまな事例を通して、どうすれば従来型企業がこのエコシステムを構築し、活用できるかを説明する。その議論の中で2つのエコシステムの違いが明らかになるはずだ。

ここで従来型企業が注意すべきなのは、慣れ親しんだバリューチェーン駆動型の発想に引きずられ、プロダクション・エコシステムだけに注力してはならないということだ。この章では、コンサンプション・エコシステムとプロダクション・エコシステムを車の両輪と捉えることで、そのような落とし穴を避け、新たな価値を創造する道を提示する。

● 第4章では、プロダクション・エコシステムについて論じる。これを活用して企業が業務効率を向上させ、新たなデータドリブン・サービスを提供するための方法を説明する。このエコシステムからもたらされる価値は、業務効率の向上のために使う場合と、新たなサービスのために使う場合とでは異なる。この章では、それらを区別しながら、従来型企業が実行できる方策のいくつかを事例を交えて紹介する。

● 第5章では、コンサンプション・エコシステムが新たなデータドリブン・サービスを生み出すうえでいかに役立つかを述べる。特に、従来型企業が製品をプラットフォームに拡張するときに使える「製品連携デジタル・プラットフォーム」という新しい概念を紹介する。また、製品がプラットフォームに拡張されるとき、なぜ拡張されるのか、どのように拡張されるのかを左右する偶発的要因について掘り下げる。さらに、プラットフォームが現実的な選択肢となった場合に従来型企業が採用できるアプローチをいくつか紹介する。製品連携プラットフォームを活用した戦

表0-4

本書の概要

序章	本書の核となる考え方	デジタル・エコシステムにおけるデータの活用が競争優位の源泉となることの理由。
第1章	デジタル先進企業から学ぶべきこと	従来型企業がデジタル企業のようにデータの力を活用する方法。
第2章	API：エコシステムの接着剤	APIがデジタル・エコシステム戦略の基礎をいかに構築しているか。
第3章	デジタル・エコシステム	従来型企業はデジタル・エコシステムをどう捉えるべきか。プロダクション・エコシステムとコンサンプション・エコシステムとは何か。どこがどう異なるのか。違いを越えて、どのようにつながっているのか。従来型企業のデジタル競争戦略において、なぜそれらが重要な土台となるのか。
第4章	プロダクション・エコシステム	プロダクション・エコシステムでデータの価値を最大限に引き出す方法。
第5章	コンサンプション・エコシステム	コンサンプション・エコシステムでデータの価値を最大限に引き出す方法。製品連携デジタル・プラットフォームとは何か。
第6章	デジタル顧客	デジタル顧客とは何か。従来型顧客と何が違うのか。どうすればデジタル顧客基盤を構築できるか。
第7章	デジタル競合企業	デジタル競合企業とは何か。以前から業界に存在するライバル企業とどう違うのか。競合企業をどのように特定するか。その脅威をどのように評価するか。
第8章	デジタル・ケイパビリティ	デジタル・ケイパビリティ（企業の組織的能力）とは何か。産業時代のケイパビリティと何がどう違うのか。どうすれば構築できるか。
第9章	データをめぐる社会的懸念の高まり	従来型企業は、データ利用をめぐるプライバシーの問題や、データドリブンの競争優位に関する社会的懸念の高まりにどう対処すべきか。
第10章	デジタル競争戦略	自社のデジタル競争戦略は何か。自社にとって最適な戦略をどのように見つけるか。その実行計画をどのように策定するか。

略は、デジタル・エコシステム戦略のもうひとつの重要な要素である。

●第6章では「デジタル顧客」、つまり製品の利用や関連するやり取りを通じてデータを提供してくれる顧客について述べる。デジタル顧客は従来の顧客と何が違うのか、なぜ違うのか、デジタル戦略においてどんな重要性を持つのかを説明する。また、デジタル顧客基盤を構築し、そこから取得できるデータの範囲を広げるための方法も論じる。

●第7章では「デジタル競合企業」、つまり自社と同じようなデータ活用を行おうとしている競合企業について論じる。まず、その登場を予測し、特定する方法を示す。また、デジタル領域での競争的ダイナミズムの性質を分析し、自社の相対的な強みをどのように評価すればよいかを説明する。さらに、従来型企業がデジタル戦略を策定して競合企業と戦う方法を論じる。

●第8章では、データを武器として競争するのに必要な「デジタル・ケイパビリティ」について論じる。プロダクションとコンサンプションのデジタル・エコシステムからデータの価値を引き出すために必要な能力を詳述する。また、従来型企業がデジタル競争戦略を構築しようとするとき、デジタル・ケイパビリティを既存のケイパビリティにどう融合させればよいかを考える。

●第9章では、プライバシーとデータセキュリティに関する懸念の高まりを念頭に、データの収集と共有に付随する課題について論じる。データを共有することで得られるプラスとマイナスのバランスを取るための指針を示す。

●第10章では、以上すべての洞察をまとめ、データドリブンのデジタル競争戦略を確立するために必要なことがらの全容を提示する。また、デジタル競争戦略を策定し、実行するための行動計画も紹介する。

デジタル・エコシステムで求められる「視野」

ハーバード・ビジネス・スクール教授のセオドア・レビットは、1960年に発表した「マーケティング近視眼」と題する有名な論文で、企業が既存の製品だけに集中すると顧客ニーズの変化を見失うことを指摘した。[22]

たとえば、馬車の御者が使うムチを製造していた会社は、顧客が馬車から他の交通手段へと移行する変化に対応できなかった。このような近視眼を避けるために、レビットは企業に「われわれのビジネスは何かと問わなくてはならない」と教えた。

この古典的事例では、もしムチを作っていた会社が、「われわれのビジネスはムチの製造なのか、移動手段の提供か」と自問していたら、倒産せずにすんだかもしれない。馬車に代わる新しい移動手段を利用する顧客に、まったく別の製品を販売できたかもしれないからだ。

実際、「ビジネス」という言葉はすぐに「業界」と同義になった。レビットの論文でも、2つの言葉はしばしば同じ意味で使われている。「わが社のビジネスは何か」という彼の有名な問いも、しばしば「わが社の業界は何か」という言葉で引用された。だとすればムチの製造会社は、「業界の新たなトレンドに、わが社の製品をどう適応させればよいのか」と問うべきだった。そう考えていれば、交通輸送業界のトレンドの変化に適応しようとしたはずだ。

レビットが発した問いは、デジタル化した今日のビジネスにも当てはまる。「わが社のビジネスは何か」という問いは、いまでも重要だ。しかし、問いの趣旨は変わっている。今日の近視眼は、マーケティングの近視眼ではなくデジタルの近視眼だからである。

自社の製品や業界という内向的発想で競争優位を維持しようとすると、デジタル近視眼に陥る。顧客の選好が製品からデータドリブン・サービスやデジタル体験にシフトしていることに気づかないのも、データの新しい価値やその価値がビジネスの領域を広げることを見落とすのも、デジタル近視眼にほかならない。

読者が戦略的な視野を広げ、デジタル近視眼の罠にはまらないように、本書が役立つことを願っている。データの活用によって従来型ビジネスモデルを再活性化するためのインサイトを求めている人は、本書を読むべきだ。豊かな顧客体験を提供するために製品を強化する方法を探している人、業界の枠を越えてデジタル・エコシステムへとフィールドを広げたいと考えている人、そして、デジタル戦略で勝ち残るためのケイパビリティを構築したいと考えている人に、ぜひこの本を読んでいただきたい。

第1章

データ

デジタル競争戦略の力の源泉

巨大デジタル企業の隆盛

新たな10年の幕が開いた2020年1月、企業の時価総額世界ランキングは、トップ10のうち7社が巨大なデジタル先進企業によって占められていた。「GAFAM」と呼ばれる5社――グーグル、アップル、フェイスブック、アマゾン、マイクロソフト――にいたっては時価総額合計が5兆ドルを超え、S&P500の全企業の合計のほぼ2割に達した。その支配力は今後ますます強まる勢いだ。[1] 彼らが隆盛を極める背景には何があるのか？ 最も重要な要因は、データを有効に活用する卓越した能力である。[2]

これほどの隆盛の理由は、インターネットがあらゆるシーンで使われるようになったからだ。彼らはどこよりも早く、インターネットとソフトウェアを駆使してデジタル・プラットフォームを構築し、データが秘めていた未曾有のパワーを引き出した。

アップルとマイクロソフトはインターネットが普及する前からある企業だが、デジタル・プラットフォームをテコに圧倒的な優位性を確立した。アップルは、他の4社と違ってスマートフォンやタブレット、ラップトップといった物理的製品によって地位を築いたが、iOSというプラットフォームが重要な役割を果たしているという点では共通している。

ほかにプラットフォームを使って急成長した企業として、エアビーアンドビー、ウーバー、ネットフリックス、イーベイ、グルーポンなどが知られているが、すべてに共通するのは、データを活用する方法に革命を起こしたことである。

ここで重要なのは、従来型企業も同じ方法が使えるということだ（それが本書を執筆した理由だ）。米国のGAFAMや中国のBATH（バイドゥ、アリババ、テンセント、ファーウェイ）に代表されるデジタル先進企業は、データを活用して優位性を確立した。いまやセンサー、IoT（モノのインターネット）、AI（人工知能）などの先進技術によって、従来型企業もそのプロセスを再現し、強力なデータ活用企業《パワーハウス》へと進化できる。

そのためにはまず、デジタル・プラットフォームというものの仕組みと機能を理解する必要がある。

デジタル・プラットフォーム──物理的空間が要らない交換の場

プラットフォームとは、複数のユーザーが一同に会し、さまざまな交換を行う場だ。アマゾン、エアビーアンドビー、ウーバーといったデジタル・ビジネスを語る文脈で使われることが圧倒的に多い言葉だが、物理的空間としてのプラットフォームなら大昔から存在する。

商人や人びとを集め、食料や家畜と金銭を交換する市場《いちば》は5000年以上前からある。現代のショッピングモールも、店と消費者をつなぐプラットフォームだ。[3] 物理的プラットフォームでのやり取りは、交換に参加する人びとが同じ空間に集まることによって成立する。

だがインターネットの登場により、私たちは物理的にその場にいなくても交換ができるようになった。店や会場に行かなくても本は買えるし、映画や音楽を視聴することもできる（たとえばアマゾンやアップルのプラットフォーム上で）。図書館に行かなくても知りたいことは調べられるし（たとえばグーグル検索で）、実際に会わなくても友だちと交流することもできる（たとえばフェイスブックで）[4]。

どのやり取りも、物理的な空間を共有していなくても、ネット上のデータ交換によって成立する。そのデータを使って、たとえばネットフリックスは、利用者の好みに合わせて次に観る作品を薦める。ユーザーがリアル店舗に行かなくても、このようなやり取りができる。

データ――最強のイネーブラー

デジタル・プラットフォームの威力を最初に感じたのは、物理的な場所で物理的な交換を行っていた従来型企業だ。ネットフリックスはビデオレンタル大手のブロックバスターを追い落とし、アマゾンはバーンズ・アンド・ノーブルをはじめとするリアル書店の地位を脅かした。

アマゾンの競争力に大きく寄与したのは、ロングテールとネットワーク効果という2つの強みだ。いずれも、参加者が物理的空間にいる必要がないことによる強みだ。データは、デジタルでの交換を可能にしただけでなく、企業に新たな強みをもたらしたのである。

この2つの強みについて、有名な事例を使って紹介しよう。何度も聞いたことがある読者が多いと思うが、ここで改めて紹介するのは、基本的な発想を再確認して、あとの章で論じるフレームワークへの導入とするためである。

図1-1
ロングテール

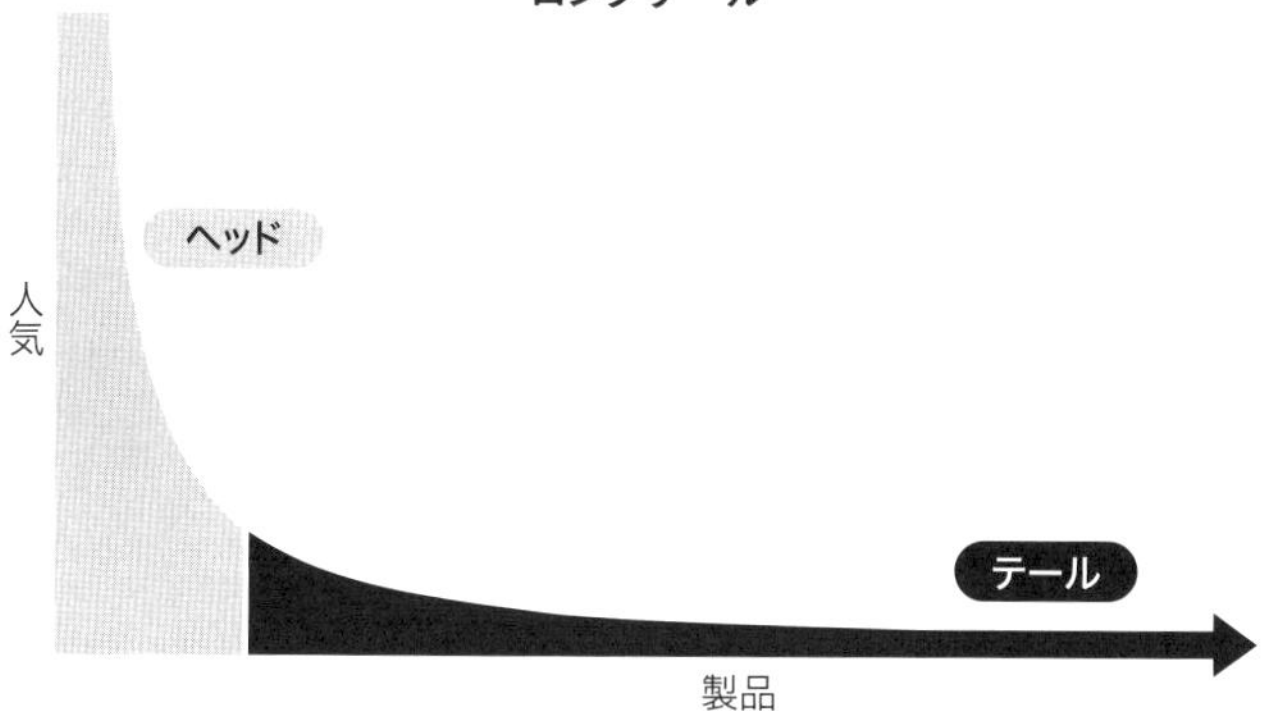

ロングテールの利点

ロングテールとは、アイテムの売れ方に見られる特徴的な統計的分布のことで、認知度も人気も低い商品のアイテム数が、人気商品のアイテム数をはるかに上回るような場合に現れる[5]（図1-1参照）。たとえば映画や音楽では、人気のあるヒット作はごくわずかで、大部分の作品はほとんど知られることさえない。人気のある少数のアイテムの売り上げが分布の〝頭《ヘッド》〟で、人気のない多数の品目が〝長い尻尾《ロングテール》〟となる。

以前は物理的スペースの制約により、売り場に並べられて販売の対象になるのは一部の人気商品に限られた。そのため物理的なプラットフォームでの利益の大半は、種類の限られたアイテムの販売によるヘッド（曲線左側の薄い部分）から得られる。しかし、物理的空間の必要がないデジタル・プラットフォームではアイテム数に制約がないので、利益は人気商品からだけではなく、個々にはあまり売れていないがはるかに種類が多いロングテール（曲線右側の濃い部分）

からも得られる。それがロングテールの強みだ。[6]

ブロックバスターvsネットフリックス

レンタルビデオ市場に参入したネットフリックスが、ブロックバスターとの競争で、この強みをどう活かしたかを見てみよう。映画会社とレンタル客のあいだのやり取りを仲介することで利益を得る点では両社に違いはない。

ブロックバスターは、全米で数千店をチェーン展開し（かつては商業地区の一等地に８０００以上の店舗を構えていた）、販売もしくはレンタルで、ビデオやＤＶＤを顧客に提供していた。店舗スペースには限りがあったので、品揃えは人気作品が中心であった。つまり、売り上げの多くは来店客がいちばん選びそうなヒット作品《ブロックバスター》に依存していた（そういう作品は何本もストックしていた）。

ネットフリックスは当初、顧客からのオーダーをサイト経由のデータで受け付け、物理的媒体であるＤＶＤを送り届けていた。顧客は店ではなくネット上で作品を選び、選ばれた作品のＤＶＤが全米に約50カ所ある大型倉庫のいずれかから郵送された。倉庫には、ブロックバスターの店舗と違って物理的スペースの制約がほとんどなかった。そのため同社は、人気作品だけでなく、あまり知られていない作品も提供することができ、それがロングテールの強みをもたらした。

ネットフリックスは、他の戦略を組み合わせてロングテールの効果を拡大していった。そのひとつがサブスクリプション・モデルだ。月単位で定額を請求する仕組みによって、作品のレンタル回数とは関係なく安定した収益を得られるようになった。そのおかげで、ほとんどレンタルされる見込みのない作品も保有する余裕ができた。

一方のブロックバスターは、実際にDVDがレンタルされてはじめて利益が上がる。当然、動きの鈍いDVDが高コストな棚を占有することが問題になる。そのため人気作品に依存する体質、つまり販売曲線におけるヘッド頼みの体質に陥っていったのである。

ネットフリックスの戦略のもうひとつの側面は、黙っていても借りてもらえる人気作品のプル型販売ではなく、レコメンド・エンジンを使って、万人受けはしなくても特定のユーザーが好みそうな作品を薦めるプッシュ型販売だ（ブロックバスターはプル型販売に頼るしかなかったが、そのことについては第6章で述べる）。このようにしてネットフリックスは、ロングテールの安定した強みによってレンタルビデオ市場での地位を確立したのだ。

直接ネットワーク効果vs間接ネットワーク効果

データをイネーブラーとするデジタル・プラットフォームは、リアルな物理的空間を必要としない。そのため、集められるユーザー数にほとんど制約がなく、ユーザーが増えれば増えるほどプラットフォームとしての魅力が増す。それが「ネットワーク効果」と呼ばれる強みだ。[7]
プラットフォームを持つネットフリックスは、有名無名を問わず映画会社に作品の提供を呼びかけることができる。また、ネット接続の広がりを活かして、サブスクリプション契約数を増やした。人口が少なく映画をレンタルしそうな客層が少ない遠隔地でも契約者を獲得した（ブロックバスターはそんな場所に店を出すことはできない）。ネットフリックスと契約する視聴者が増えるほど、映画会社の側では作品を提供する意欲が高まり、作品数が増えることによって、利用者の側では満足度が増して契約者が増えた。

成功しているデジタル・プラットフォームでは、必ずこのようなネットワーク効果が働いている。物理的プラットフォームには不可能な方法で、何百万人ものユーザーがつながることで効果が生まれている。ネットワーク効果は、プラットフォームに集まるユーザー集団からもたらされる。ユーザー集団というのは類似点のあるユーザーのクラスターのことだ。たとえばネットフリックスには、映画制作会社とレンタル客という2つのユーザー集団が存在する。

そしてネットワーク効果は、自分が属しているユーザー集団から得られるものか否かによって、直接ネットワーク効果と間接ネットワーク効果の2種類に分かれる。

直接ネットワーク効果

ユーザーが自分と同じユーザー集団から受けるメリットが直接ネットワーク効果である。たとえばフェイスブックのユーザーは、フェイスブック上の友だち（自分と同じユーザー集団）とつながることでメリットを得ている。文書を作成しようとする人は、利用者が多く、共有や共同作業がしやすいマイクロソフトのワードに価値があると感じる。

間接ネットワーク効果

ユーザーが自分とは別のユーザー集団から受けるメリットが間接ネットワーク効果である。たとえばフェイスブックのユーザーは、アプリ開発者（別のユーザー集団）が音楽配信やゲームを連携してくれればメリットが増す。これが間接ネットワーク効果だ。

アップルのiOSやグーグルのアンドロイドは、ユーザーに多数のアプリ開発者へのアクセスを提供し、アプリ開発者には多数のユーザーへのアクセスを提供している。双方に間接ネットワーク効果をもたらすことで、この強みを最大限に活かしている。

規模の経済――需要サイドvs供給サイド

デジタル・プラットフォームは規模が大きくなるほど、そのネットワーク効果も強力になる。その強みは、従来型企業が持っている物理的な規模の大きさによる強みとは違う。

従来の規模による優位性は、供給サイドのスケールメリット、つまり大量生産・大量販売の効率によるものだった。[8] ブロックバスターは、多くの店を構えてDVDを大量にレンタルし、広告費の単価を下げ、他の小さなレンタルチェーンより優位に立った。また、DVDを大量購入する力を背景に映画制作会社と交渉し、調達コストを下げた。

他方、ネットワーク効果は需要サイドの規模から生まれる。[9] 需要が増加すると、多くのユーザーとつながることによる効率性が増し、ネットワーク効果も強まる。ネットワークが価値を生むのは、消費者の行動は互いに影響しあっており、一人の商品選択が別のだれかの選択に影響をおよぼすからだ。[10] あるネットワークに多くの人が集まると、そのネットワークの魅力が増す。

ユーザーが増えれば増えるほど、ネットワーク効果の影響力が増す。フェイスブックの強みは、同社のテクノロジーがもたらす供給サイドの規模の経済ではなく、膨大なユーザーのネットワークがもたらす需要サイドの規模の経済なのだ。

デジタル・プラットフォームの中には、供給サイドと需要サイドの両方で規模の経済をつかんでいるものもある。アマゾンの規模は、バーンズ・アンド・ノーブルと同様に調達コストを抑えるのに役立っているが（供給サイドの規模の経済による）、同時に、バーンズ・アンド・ノーブルのようなリアル店舗型ビジネスでは得られないネットワーク効果（需要サイドの規模の経済による）の強みももたらしている。

デジタル・プラットフォームの破壊的影響力

データのやり取りによって多種多様かつ無数のユーザーがつながることで、デジタル・プラットフォームはロングテールとネットワーク効果の強みを獲得する。

デジタル・プラットフォームが出現した当初、企業の商品やサービスそのものには劇的な影響はなかった。影響があったのは売り方のほうで、eコマース（電子商取引）の台頭によるところが大きかった。eコマースは、販売方法の選択肢が広がるという点で生産者にもメリットがあった。たとえば、出版社はバーンズ・アンド・ノーブルとアマゾンの両方を小売店として利用できたし、映画会社はブロックバスターとネットフリックスの両方から作品を視聴者に届けられるようになった。

著名な経営学者マイケル・ポーターは２００１年に、インターネット主体のビジネスモデルを、あくまでも従来の戦略を補完する手段にすぎないものと位置づけた。[11] つまり、世界を揺るがす破壊的存在《ディスラプター》とはみなされていなかったのだ。

デジタル先進企業が築いた要塞

ポーターがそう述べてから20年以上経ったいま、インターネットを背景に生まれたいくつかの先駆的企業が巨大なデジタル企業へと変貌を遂げている。スマートフォンが普及し、通信帯域が拡大し、デジタル接続が社会のすみずみまで広がるという技術分野の広範なトレンドが追い風となった。デジタル空間でデータをやり取りする機会が指数関数的に増加したことで、これらの企業はデータ流通の分野で支配的存在となった。

さらに、デジタル先進企業は新たなテクノロジーがもたらす機会の波に乗って、自社のビジネスモデルにおけるデータの役割を高度なものに変えていった。もはやデータは、デジタルのやり取りを便利にするだけの補助的存在ではなく、経済を動かすあらゆる交換を支配する中核的存在となったのである。

この変化を理解するには、デジタル先進企業がインタラクティブ・データをどのように活用したかを検証しなければならない。

インタラクティブ・データの3つの性質

デジタル・プラットフォームの本質はインタラクティブ・データにある。デジタルでやり取りするため、ユーザーはプラットフォームにアクセスする。そこでのユーザーの行動はウェブサイトやアプリによって逐一把握され、インタラクティブ・データが生成される。

アマゾンは、顧客が自社のサイトで商品を閲覧したときに発生するすべてのデータを取得している。グーグルも、利用者が自社の検索エンジンで探していた答えに行き着くまでの履歴を取得している。このように、プラットフォームではウェブサイトやアプリがセンサーとなってインタラクティブ・データを収集する。

プラットフォームでのユーザーの行動をリアルタイムで追跡すれば、データはリアルタイム・データとなる。やり取りを遅滞なく進めるには即時性が欠かせない。このデータを使って、ウーバーは利用客とドライバーをつなぎ、乗車に至るまでの行動を双方に促す。グーグルは検索ワードと検索結果をマッチングさせる。

インタラクティブ・データは、リアルタイムのやり取りにとどまらない価値を創出する。この価値を引き出すために、デジタル先進企業はこのデータが持つ3つの性質を利用している。すなわち、①高度なインサイトをもたらす性質、②外部の企業《エンティティ》や組織と共有しやすいという性質、③内容の濃いデジタル体験を提供できるという性質である（**図1-2**参照）。それぞれについて説明しよう。

図1-2
インタラクティブ・データの特性

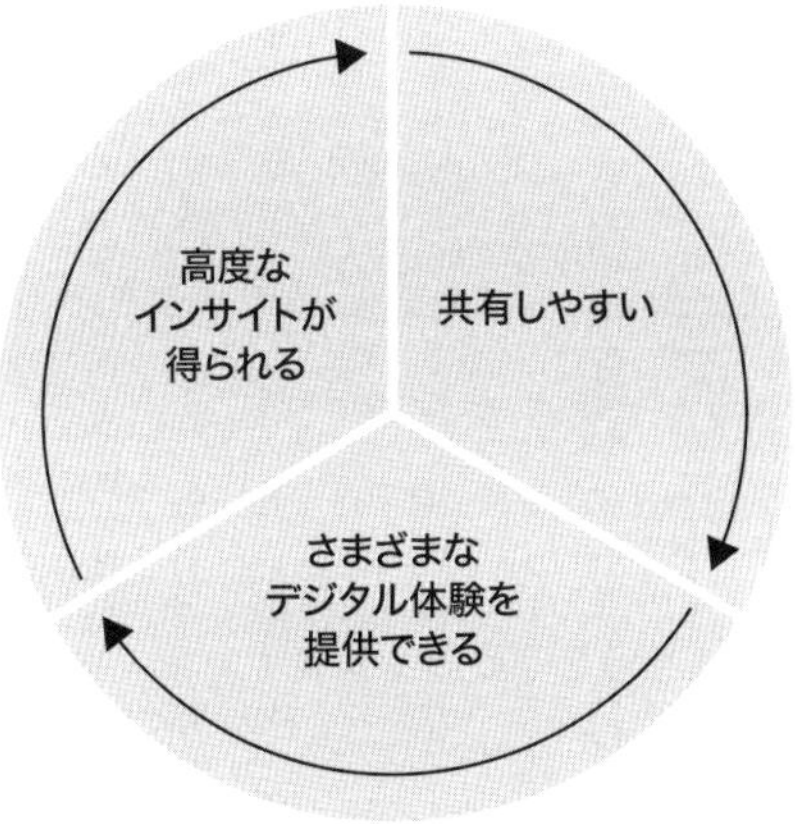

性質1 高度なインサイトをもたらす

インタラクティブ・データはデジタルで行われるありとあらゆるやり取りをリアルタイムで捉える。ユーザーが探している本や映画、乗客が車の到着を待っている場所、入力された検索ワード、SNSの投稿への反応……これらはほんの一例にすぎない。

一連のやり取りに区切りがつくと、リアルタイム・データは事後データとなる。デジタル先進企業は事後データを蓄積してユーザー一人ひとりのプロファイルを作成している。何度もやり取りが行われるなかでデータが追加され、プロファイルが精緻になり、ユーザーに対する高度なインサイトが生まれる。個々のユーザーのペルソナが持つ、微妙で複雑な側面を反映するインタラクティブ・データが大量に生成されることで、深いインサイトが得られるのである。

アマゾンでは、ユーザーが商品を閲覧するたびに、購入に至らなくてもインタラクティブ・データが生成される。一方、リアル店舗は来店客の店内での動きをデータ化できないため、収集できるデータは最終的に何を買ったかに限られる。さらに重要なのは、アマゾンが集めるデータ量の圧倒的な多さだ。同社は米国のeコマース市場全体の50％近くを占めており[12]、毎分4000人以上のユニークビジターがサイトを訪れている[13]。

デジタルなインターフェースが日常生活のすみずみに浸透してくるにつれ、デジタル先進企業が蓄積するデータの量は増加の一途をたどっている。2012年時点でインターネットのアクティブユーザーは22億人だったが[14]、2019年には2倍の44億人まで増えた[15]。そこから生まれる膨大なトラフィックによって、デジタル先進企業は未曾有の量のインタラクティブ・データを獲得している。グーグルは毎秒4万件の検索を処理し[16]、フェイスブックは1日に27億件の「いいね！」を集め、毎分3テラバイト以上のデータを解析している[17]。

インタラクティブ・データはユーザーの複雑で微妙なペルソナを捉えるのに役立つ。グーグルでの検索やアマゾンでの商品閲覧の履歴からは、ユーザーの興味や嗜好について純度の高い情報が得られる。同様に、フェイスブックでの「いいね！」や、インスタグラムでシェアされた「モーメンツ」のパターンから、ユーザーの内面をうかがうことができる。大量のリアルタイム・データが個々のユーザーのプロファイルに反映されると、そこから深いインサイトを導き出すことができる。

デジタル先進企業は、強力なアルゴリズムとＡＩを駆使してこうしたインサイトをさらに深化させ、個々のユーザーについて多くのことを知る。フェイスブックは、カップルがいつ結婚するのか、本人たちが決める前から予測できる[18]。マイクロソフトはオフィス365やリンクトインを通じて、ユーザーの仕事のスキルやビジネス上の人間関係を把握している（これについては第2章で詳しく述べる）。現在、フェイスブックとグーグルを合わせると、880億ドルのデジタル広告市場の約60％を占める。それはユーザーの好みや行動に対するインサイトにより、ニーズに合わせてピンポイントでターゲティングできるからだ。[19]

性質2　外部と共有しやすい

ウーバーに、女性のユーザーが夜遅くに危険な場所で車を待っていることを知らせるインタラクティブ・データが届いたとしよう。その後データは、女性がいつ車に乗ったか、いまどこを走っているか、いつ目的地に到着したかをリアルタイムで継続的に伝えてくる。

ウーバーはこうしたデータをアプリ事業者と共有する。アプリ事業者は、たとえば、彼女が向かう先にいる友人に安全確認のためにリアルタイムのメッセージを送信することができる。この見守り機能は、データがリアルタイムで共有されるからこそ価値があるのであって、翌日に共有しても何の意味もない。

インタラクティブ・データには、リアルタイムに共有されるからこそ存在する即時的な価値がある。これまでのデータには、そのような性質はなかった。言い換えれば、データはリアルタイムで共有しなければ価値を生まない。リアルタイム・データが持っている価値は一過性のものなので、企業は自社の強みを失う心配をすることなく、外部の企業や組織（たとえばアプリ開発者）とデータを共有することができる。

他方、事後的に蓄積されたデータの価値は一過性のものではなく、むしろ時間の経過とともに価値が高まる。あえて言えば、蓄積データを外部と共有することには危険がともなう。競争力を維持するためにはデータの秘匿が必要な場合が多いからだ。たとえば、ウーバーが乗客やドライバーのプロファイルを外部の事業者と共有することはあり得ない。

現代のデジタル技術によって、リアルタイム・データの共有は難しいことではなくなった。それを実現したのがＡＰＩ（アプリケーション・プログラミング・インターフェース）と呼ばれるプロトコルだ。[20] ＡＰＩによって、２つまたはそれ以上のソフトウェア間での通信が可能になり、多くの企業や組織のあいだで情報を共有できるようになった（ＡＰＩについては第2章で詳しく述べる）。リアルタイム・データを簡単に共有できるようになれば、デジタル・プラットフォームが形成するエコシステムの動きにも拍車がかかる。データを共有する組織が多くなるほど、エコシステムは拡大し活性化する。

性質3　デジタル体験を充実させる

ウーバーは、利用者の安全のために、彼女が指定した友人にリアルタイム・データを共有する。それがウーバーの提供するデジタル体験だ。デジタル体験とは、データによって可能になった体験のことである。

ウーバーが提供できるデジタル体験はそれだけではない。たとえば、利用者が空港に向かっているならオンライン・チェックインのサポートができる。食事に行こうとしているなら、レストランの評判を示せるし、予約やメニューの確認、お薦めの料理の紹介もできるかもしれない。

こうしたデジタル体験は、ユーザーを乗せて走行する車からのインタラクティブ・データを、ウーバーが航空会社やレストランなどと共有することで提供できるようになる。この種のデータを得られない従来のタクシーでは、そんなことはできない。提供できるのは清潔な車両や礼儀正しい接客といったアナログな体験だけだ（それはウーバーも提供できる）。

インタラクティブ・データは、さまざまな方法でユーザーのデジタル体験を豊かにする。

第1に、データの双方向性によって、ユーザーはリアルタイムで、つまりプラットフォームとやり取りをしているその瞬間にデジタル体験を得ることができる。ウーバーは利用者が車に乗っているときにリアルタイムでデジタル体験を提供する。アマゾンはサイトを閲覧中のユーザーに、探している本の著者が書いた別の本や、同じテーマを扱った別の著者による本、あるいはユーザーレビューなどを表示することで、リアルタイムのデジタル体験を提供している。

第2に、双方向かつ即時のデータ共有を行うことで、自社の顧客に補完的サービスを提供してくれる他社の参加を促し、それによって新しいデジタル体験を追加することができる。ウーバーは創造的なサービスや体験を発見してくれる多様なアプリ開発者を巻き込んでいる。

第3に、蓄積したデータに基づくユーザーインサイトによって、個々のユーザーのデジタル体験を最適化できる。たとえばウーバーは、ユーザーのプロファイルに基づいて、お薦めのレストランやメニューの情報を個別に提供している。

インタラクティブ・データの強大なパワー

インタラクティブ・データは、デジタル先進企業をますます強大なものにする。彼らがプラットフォーム上での中核事業を越えて影響力を発揮できるのはデータの力による。

中国のアリババとテンセントは、インタラクティブ・データを武器に銀行事業に参入した。両社のプラットフォームには、検索、eコマース、決済サービス、ソーシャルネットワーク上のチャット、エンターテインメントなど、5つのコア機能がある。それらが連携して、ユーザーのあらゆる消費行動からインタラクティブ・データを大量に生み出している。

たとえば、車を買おうとしているユーザーがいるとする。アリババとテンセントは、そのユーザーがどんな車を欲しがっているのか、いつまでに欲しいのか、だれと相談しているのか、信用履歴はどうか、どこに住んでいるのか、といった情報を把握している。

このようなインサイトによって、両社は従来の銀行よりも、ユーザーが魅力を感じる融資提案ができる。手続きをデジタル化して煩雑な書類を不要にしたり、お買い得の車を勧めたり、便利な場所にあるディーラーを紹介したりするデジタル体験も提供できる。中国の個人融資市場で両社が大きなシェアを占めているのもうなずける（アリババとテンセントについては、デジタル競合企業を扱う第7章で詳しく論じる）。

インタラクティブ・データによって、プラットフォームは商品やサービスの販売だけでなく、生産の面でも影響をおよぼすことができる。ネットフリックスは現在、映画やテレビ番組を自社制作している。インタラクティブ・データから得たインサイトによって、従来の制作会社にはまねのできない方法でコンテンツのマス・カスタマイゼーション〔個別ニーズに対応しながら行う大量生産〕を行っており、それが同社に大きな強みをもたらしている。

ここで、フォードがコーヒーを注文するアプリをドライバーに提供しているという、序章で紹介した話を思い出す読者がいるのではないだろうか。フォードがそんなサービスを提供しようとするのも、グーグルやウーバーが自動車業界にとって手ごわい競争相手になるのも、すべての理由はインタラクティブ・データにある。

将来、人びとは車を買うより、自分にとって便利な移動サービスを選択するようになる。そうなると、さまざまな双方向データからユーザーのプロファイルを生成するプラットフォームを持つデジタル先進企業が有利になる。なぜなら、たとえばグーグルは、個々のユーザーに関する情報（旅行の予定、買い物の好み、家族関係など）を利用して、個別に最適化されたシームレスな車のライドサービスを提供することができるからだ。

デジタル先進企業のデータ優位性

以上をまとめると、デジタル先進企業は補完しあう競争優位の源泉を3つ――ロングテール、ネットワーク効果、インタラクティブ・データ――持っており、それをデータの力で強化しつづけているということだ（次ページの**図1-3**参照）。

図1-3
巨大テクノロジー企業が持つデータの優位性

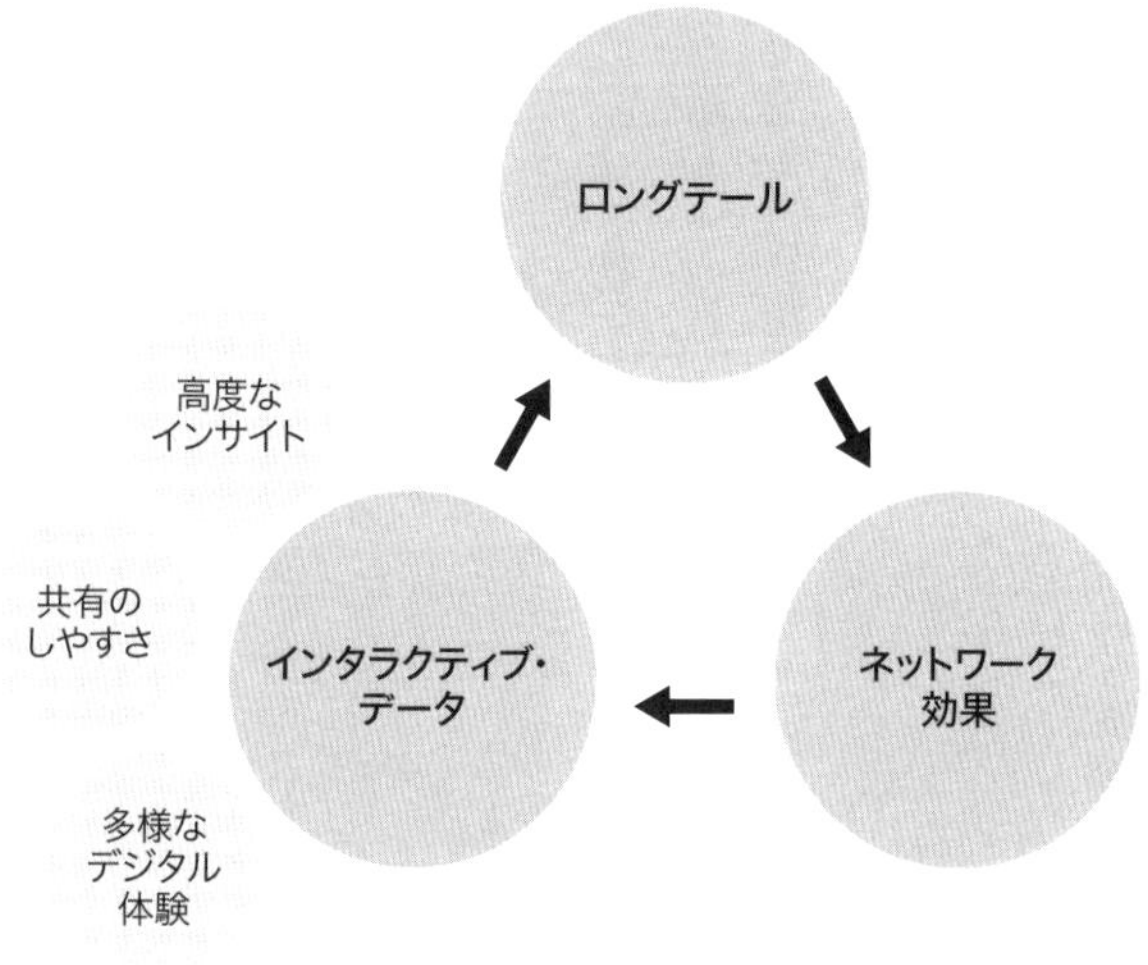

デジタル・プラットフォームで集められるインタラクティブ・データがロングテールやネットワーク効果を促し、それがプラットフォームをさらに強化する。プラットフォームの支配力が増すにつれ、ユーザーからますます大量のデータが発信されて高度なユーザーインサイトの材料となり、データ共有によって拡大するメリットを取り込みながら、魅力的なデジタル体験の提供へとつながっていく。

インタラクティブ・データは、ロングテールやネットワーク効果のメリットをも強化する。ネットフリックスやアマゾンは、ユーザーとのやり取りから得たインサイトを活用してロングテールのコンテンツから利益を上げている。

ネットフリックスはユーザーの視聴履歴に基づいて、次に観てもらえそうな映画を薦める。その多くはロングテールに属する無名の作品であり、ユーザーも薦められて初めて存在を知るような作品だ。同社のレコメンド・エンジンは、長年にわたってユーザーの好みを分析しつづけて絶大な力を蓄えてきた。同社のユーザーの視聴時間の80％以上は、そうしたお薦め作品の視聴によるものだ。[21]

アマゾンも高度なインサイトを使ってユーザーに商品を推奨しているが、やはりその多くはロングテールに属する。同社はアマゾンプライムのインタラクティブ・データからだけでなく、アレクサなどのインターフェースからもユーザーインサイトを得ている。同社も商品の推奨において圧倒的な強みを確保している。アマゾンで買われている商品の3分の1以上は、「この商品を買った人は、こんな商品も買っています」というお薦め機能による。[22]

ロングテールを強化することによって、インタラクティブ・データはネットワーク効果も強化する。ネットフリックスには大量の作品を保有する能力があり、それが映画制作者だけでなく、会員をも引き寄せる。アマゾンもロングテール商品とユーザーの嗜好のマッチングに強みがあり、多くの販売業者が集まってくる。映画制作者や販売業者が増えてアイテムも増えると、プラットフォームを訪れる視聴者や購買客も増える。ネットフリックスもアマゾンも、このようにしてネットワーク効果による優位性を強化している。

このように、データの優位性の3つの中核的源泉――ロングテール、ネットワーク効果、インタラクティブ・データ――は互いに補強しあっているのである。

従来型企業が知っておくべき3つの前提

従来型企業はデジタル先進企業から何を学ぶことができるのだろう？　プラットフォームを持っていない企業にとって、彼らが採用しているような戦略は有効なのか？　この章で得た知恵を、バリューチェーンに依拠するビジネスモデルにどう適用すればいいのか？

こうした問いについては次章以降で論じるが、ここではその議論の前提となるポイントを３つ挙げておこう。

前提1　センサーとIoTからインタラクティブ・データが生まれる

従来型企業が学ぶべき重要なことのひとつは、インタラクティブ・データという概念と、それが強力な基盤を構築するうえで果たす役割である。

大半の従来型企業には、インタラクティブ・データを収集する手段がない。顧客が自社の製品をどのように使っているかをリアルタイムで追跡するシステムを備えていない企業がほとんどだ。しかし、先進的なセンサーとＩｏＴの技術で、そのようなシステムの構築が可能になった。インタラクティブ・データを得て、従来のデータ・リソースに息を吹き込んで新たな価値を創造することができるし、顧客に関するインサイトを深めて活気あるデジタル体験を提供することもできる。

前提2　データを共有する手段を構築しなければ何も始まらない

もうひとつの重要なポイントは、データの共有に関するものだ。大半の従来型企業は、バリューチェーンの外にある組織とのあいだでデータ共有を行っていない。

従来型企業のデータの多くはリアルタイムのデータではないし、外部と共有しても差し障りのない一過性のものでもないため、そのこと自体には致し方ない面もある。しかし、センサーによってインタラクティブ・データを収集できるようになったことで、従来型企業にも他社とデータを共有できる可能性が生まれた。データ共有の方法が見つかれば、自社でデジタル・エコシステムを構築することができ、これまでよりはるかに大きな価値をデータから引き出すことができる。

前提3　従来型企業もデジタル・プラットフォーム型ビジネスモデルを構築できる

従来型企業の強みはバリューチェーンに立脚するビジネスモデルにあり、その強化のために標準化による供給サイドの規模の経済性を追求してきた。ヘンリー・フォードは「どんな色の車でも売ることができる。黒でさえあれば」と言ったが、この言葉は、長年にわたって標準化による効率に依存してきた産業全般の姿を物語ってもいる。

このような考え方に立脚するビジネスモデルは、基本的に多様性を排除するので、ロングテールやネットワーク効果の強みが生まれない。だが従来型企業も、センサー由来のインタラクティブ・データによって、バリューチェーン型ビジネスモデルを、ロングテールやネットワーク効果の強みを活かせるプラットフォーム型ビジネスモデルに変革することができる。

次章以降で、これら3点を詳しく論じる。しかしその前に、デジタル先進企業がどのようにデータの価値を引き出しているのかという、別の重要な点を把握しておく必要がある。第2章ではまず、APIと、APIがデジタル・エコシステムの土台をどのように築いているかを見てみよう。

第２章

API

データの価値を最大化する仕組み

最重要事項に躍り出たＡＰＩ

前章では、インタラクティブ・データの重要性と、それがデジタル・プラットフォームに不可欠である理由を説明した。また、デジタル先進企業がデータを活用してユーザーに対するインサイトを獲得し、効果的なデジタル体験を提供していることも説明した。

この章では、デジタル先進企業がそのような成果を実現している仕組みをさらに掘り下げる。インタラクティブ・データの力を引き出し、デジタル・エコシステムを通じてその価値を増幅させる仕組みを説明する。その仕組みの大部分は、ＡＰＩ（アプリケーション・プログラム・インターフェース）に支えられている。

従来型企業がデジタル先進企業を見習ってデータを最大限に活用したければ、ＡＰＩの重要性を理解しなければならない。バリューチェーン型ビジネスモデルをプラットフォーム型モデルに拡張したいなら、ＡＰＩを管理するために先進的なケイパビリティを身につけなければならない。デジタル・エコシステムで競争するための新たな能力を構築したければ、ＡＰＩネットワークの活用方法を学ばなければならない。

本章では、デジタル先進企業の事例を通じ、ＡＰＩがどのように機能し、どんな価値を生み出しているかを説明する。そして、従来型企業がそこから何を学べるか、従来型企業のデジタル戦略にＡＰＩがどう役立つかを明らかにする。

複数のソフトウェアの通信を可能にするＡＰＩ

ＡＰＩとは、異なるソフトウェア・プログラム間での通信を可能にするためのメカニズムだ。通信を実現するための機能やルールも提供する。ＡＰＩを利用することで、さまざまなプログラムを組み合わせたり、さまざまなソースからのデータを統合したりすることができる。データの扱い方に関して大量の指示を出すこともできる。その結果、これまで考えられなかったような次元で企業間のデータ共有とコラボレーションが進んだ。

たとえば、旅行予約の主要プラットフォームであるエクスペディアは、それぞれの分野で競合関係にある、ほぼすべての航空会社、何万ものホテル、リゾート、レンタカー会社、決済サービスのデータをＡＰＩによって統合し[1]、顧客にシームレスな旅行体験を提供している。同社のサイトを訪れた顧客は、休暇や出張のための航空券、ホテル、レンタカーなどのサービスをワンストップで予約することができる。

ＡＰＩが使われはじめたのは、ビジネスにアプリケーション・ソフトウェアが利用されるようになった80年代初頭だ。それ以後、従来型企業も社内のさまざまなプログラムの機能を統合するために、長年にわたってＡＰＩを使っている。たとえば、ＡＰＩを使って自社のＣＲＭ（顧客関係管理）プログラムと給与計算プログラムを接続し、営業担当者の成績を給与やボーナスに反映させるといった仕組みを実現している。

だが最近まで、従来型企業の多くは、ＡＰＩをＥＲＰシステムに埋め込まれた技術としかみなしていなかった。バリューチェーン内での活動に関わるデータを収集、保管、分析、管理するために使われるアプリケーション群のつなぎ役であって、ＩＴ部門の専管事項と考えていたのだ。その重要性が社内で広く共有されることもなかった。

しかし、いまやＡＰＩはビジネスの表舞台に姿を現し、経営トップが深く関与すべき事項となった。従来型企業のあいだでも、ＡＰＩが持つ広範な戦略的意義についての認識が深まっている。ＡＰＩはデジタル・エコシステムの扉を開くための鍵であり、そこでの戦略の基礎を支えるものだという理解が定着した。現代のデジタル社会で、ＡＰＩを理解せずに務まる仕事はない。デジタル先進企業のＡＰＩ活用法をひもとくことで、ＡＰＩに対する理解をさらに深めよう。

ＡＰＩの機能と開発の背景

ＡＰＩは、さまざまなデジタルサービスが共通のプログラミング言語を使ってインターネット上で通信するための構造を提供する。[2]

ＡＰＩによって通信できるようになったことで価値を高めた2つのサービスを紹介しよう。位置情報を提供するグーグル・マップと、各種のサービス施設（たとえば歯科医院やコーヒーショップ）に対するユーザーレビューを提供するイェルプだ。この2つが手を携えることで、自社サイトで所在地と利用者の評判がわかるようにしたいサービス施設に付加価値が提供される。それを可能にしているのがＡＰＩにほかならない。

図2-1
API（アプリケーション・プログラム・インターフェース）の機能

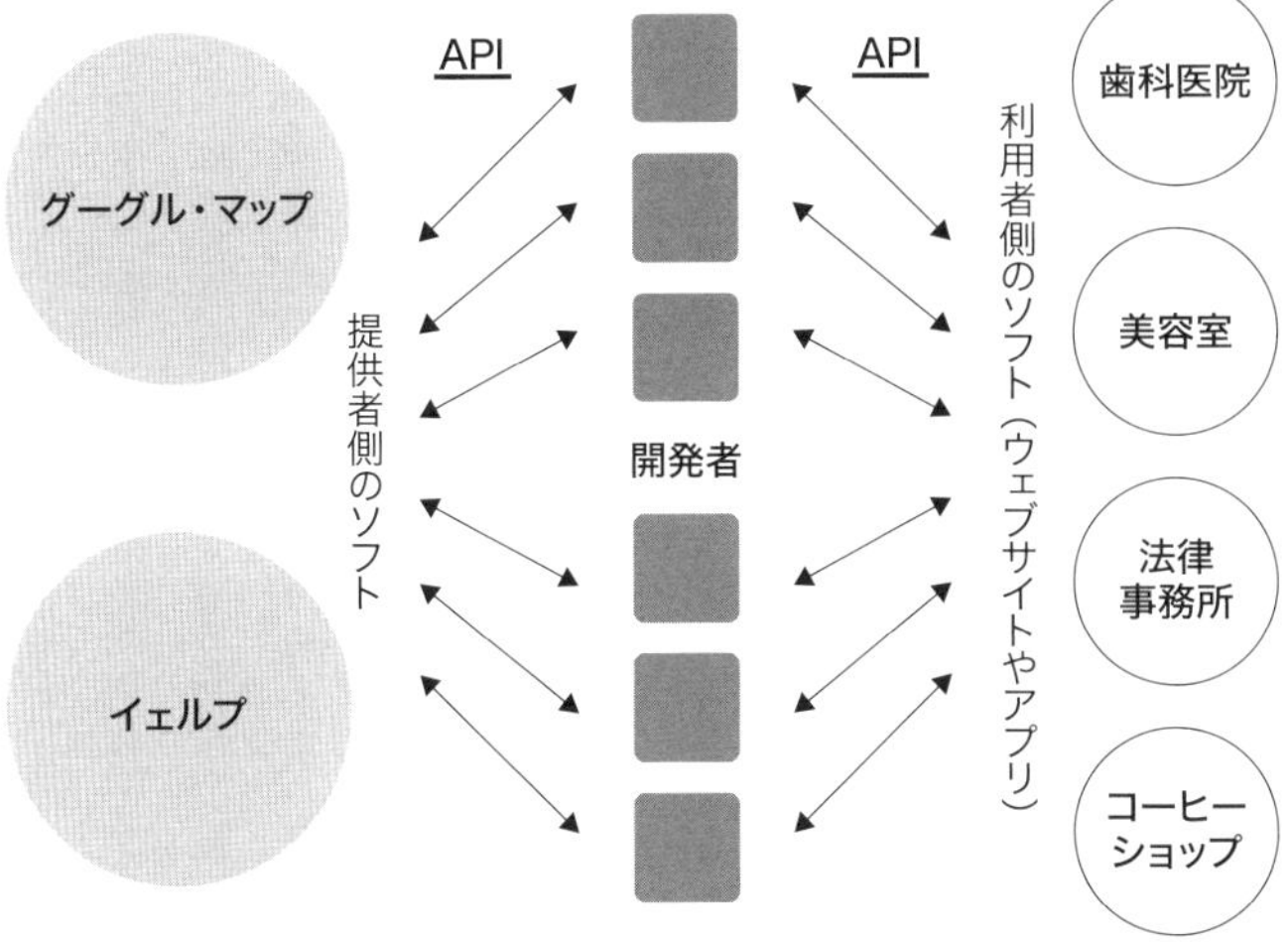

この場合、グーグル・マップとイェルプは「プロバイダー」（提供者）、歯科医院やコーヒーショップは「コンシューマー」（利用者）と位置づけられる。プロバイダー側のソフトウェアは位置情報やレビューを表示するためのデータや機能を提供し、コンシューマー側のソフトウェアはそれを利用する。その際、両者のニーズを統合しているのがＡＰＩである（**図2-1**参照）。

このような統合が大々的に進む背景には、大勢のプログラム開発者の存在がある。何百万人もの人びとがＡＰＩを使った新しい機能の開発に取り組んでいる。[3] 彼らは必要なＡＰＩを見つけることができるし、それを使って顧客に新しい機能を提供する方法も知っている。

そのおかげで、たとえばフィデリティ投資信託は、グーグル・マップの機能を使って、全米各地にある自社の拠点をウェブサイトに表示できる。複数のデジタルサービス機能を統合したウェブページをマッシュアップというが、それを可能にしているのがAPIなのである。

APIは開発者たちに、新しい機能をプログラミングするための構成要素と、ユーザー体験をカスタマイズするための柔軟性を提供する。彼らが開発した新しい機能は、フィデリティの場合のようにウェブサイトやアプリで使うことができるし、ビジネスモデルを進化させるために使うこともできる。

トゥイリオはこのようなAPIを提供するコミュニケーション・プラットフォームだ。開発者たちはトゥイリオのAPIを使って、自社に必要な音声通話、テキスト、ビデオメッセージなどの機能を開発する。

ネットショッピングとオークションの大手であるイーベイは、トゥイリオが提供するさまざまなAPIを使って、売り手と買い手のコミュニケーションを円滑にする仕組みを構築している。たとえば、買い手が商品購入のボタンを押すと売り手に通知され、売り手が承認すると自動的に集荷・配達サービスに指示が飛ぶ。この間、買い手と売り手はいつでもヘルプデスクに電話で問い合わせることができる。このようにトゥイリオのAPIには、従来の通信事業者では提供できない、コミュニケーションを最適化する柔軟性がある。

通信事業者のビジネスは基本的な通信接続プランの販売であり、イーベイやイーベイで売買を行う人びとが望むようなコミュニケーションを最適化するサービスは含まれない。トゥイリオのAPIは、型にはまったサービスしか提供できない通信事業者と、エンドユーザーに親切なコミュニケーション体験を提供したいと願うソフトウェア開発者とのあいだで、橋渡し役を務めている。

根本的な働きに即して言えば、ＡＰＩはプログラム間でデータの受け渡しを行い、デジタルサービスの機能を向上させるためのパイプの役割を果たす。デジタル先進企業がＡＰＩで競争優位を築いている方法をつぶさに分析すれば、従来型のビジネス環境でもその力を利用する方法がわかるはずだ。

企業の内と外で発揮されるAPIの能力

デジタル先進企業はＡＰＩの特性を活かし、2つの方法で価値を生み出している。

ひとつは、社内に働きかけるアプローチだ。この場合、ＡＰＩはソフトウェアを開発する際の社内の効率を高め、それがユーザーに提供するサービスの機能を強化する。ＡＰＩはデータを社内で同期させるためのパイプとして機能し、自社のデジタルサービスで生成されたデータを社内のアーカイブに蓄積し、ユーザープロファイルを精緻化してインサイトを深めるうえで効果を発揮する。

もうひとつは、外部に働きかけるアプローチだ。この場合、ＡＰＩは外部リソースを使って提供するサービスの機能を向上させるために使われる。自社が集めたデータを外部の事業者と共有するためのパイプの役割も果たす。デジタル先進企業は、ＡＰＩを使って第三者の創意工夫を取り込み、その力を借りてユーザーに提供するデジタル体験を拡張している。

ただし、後者のアプローチでは、ユーザーに提供できるデジタルな利便性が高まる一方で、広範なデータ共有にともなうプライバシーに関する懸念も高まる。注意深くそのバランスを取りながらビジネスを行わなくてはならない（プライバシーの問題については本章の後半で触れるほか、第9章で詳しく論じる）。

以下、内部向けと外部向けのアプローチについて説明しよう。

自社の製品間・サービス間でのＡＰＩ活用

内部に向けたアプローチというのは、自社の製品やサービスに対象を絞ってデジタル・プラットフォームの能力を強化しようとするものだ。そのようなＡＰＩは「プライベートＡＰＩ」と呼ばれる。[4]

グーグル

グーグルは、自社の検索エンジン機能を他の自社製品（グーグル・マップ、グーグル・フォト、グーグル・ニュース、グーグル・ドキュメントなど）で活用するために、プライベートＡＰＩを使用している。そうすることで開発コストの重複を避け、ソフトウェア開発の効率を高めている。

完成したソフトウェア・プログラムの一部は、別のソフトウェアでも利用することができる。何かを組み立てるのに、別の箱の中にあるレゴブロックを使っても問題がないのと同じように、ＡＰＩを使うことで、特定の機能（たとえば検索）を切り離したり、再利用したり、他の機能（たとえばマップ）と共有したりすることができる。そうすることでグーグルは、自社で開発した検索機能の能力を、現在と将来のさまざまな製品で活用することができる。

一方、グーグルのさまざまな製品は同社に大量のインタラクティブ・データをもたらす源泉でもある。グーグル・フォトやグーグル・ドキュメントを使っているユーザーからは、写真やドキュメントをだれと共有しているかというデータがグーグルに届く。グーグル・マップからは、ユーザーが興味を持っている場所や関係している場所についての情報が届く。グーグル・ニュースからは、閲覧者が関心を持っている話題、支持政党、その他の嗜好がグーグルに伝わる。ＡＰＩはこうしたデータをすべて統合し、指定されたリポジトリ〔データの格納庫〕に収める。

つまりＡＰＩは、グーグルがソフトウェアを設計する際の効率を高めるためだけでなく、多数のソフトウェア製品からデータを収集するのを助ける内部的なパイプとしても機能する。これによりユーザープロファイルが充実し、ユーザーインサイトが深まる。

マイクロソフト

マイクロソフトも、オフィス・スイートのサブスクリプション版であるマイクロソフト３６５において、同じような方法でＡＰＩを使用している。オフィス・スイートはワード、エクセル、パワーポイント、アウトルック、ワンノートなど世界中のユーザーに親しまれているソフトウェアを集めた製品だ。同社はさらに、シェアポイント（安全でスマートな文書共有）、ワンドライブ（クラウドベースのファイル・ホスティング・サービス）、チームズ（チャットベースの同僚間コラボ・ツール）、ヤマー（企業向けソーシャルネットワーク）などを利用している法人顧客にも３６５を提供している。

マイクロソフトもグーグルと同様、ＡＰＩによって、さまざまな製品のあいだで多くの機能を共有している。スカイプのチャット機能はチームズやヤマーでも使われており、ワード、エクセル、パワーポイントの機能はシェアポイントの重要な構成要素となっている。

やはりグーグルと同様、どの製品もユーザーからインタラクティブ・データを収集している。それによってマイクロソフトは、ユーザーがマイクロソフト365を使って何をしているかを把握している。ユーザーの会議の予定（アウトルックで）、だれが同僚か（チームズで）、どんなスキルの持ち主か（シェアポイントで）を知っている。メールのやり取りから、だれとだれがコミュニケーションを取っているか把握しているし、シェアポイントで共有されている文書の変更履歴から、だれとだれが共同作業をしているかもわかっている。

APIは、これらのアプリによって生成されたインタラクティブ・データを収集し、統合する。フェイスブック、アマゾン、グーグルが個人の消費者を相手に行っているのと同じことを、マイクロソフトは法人顧客の従業員に対して行い、ユーザープロファイルの作成に活用している。同社はこのプロファイルを「オフィス・グラフ」と呼んでいる。

マイクロソフトは2016年にリンクトインを買収した。全世界で5億人以上が登録する、プロフェッショナルのための定番SNSである。マイクロソフトはこの買収で、インタラクティブ・データへのアクセスを大幅に強化した。APIを使って、リンクトインのデータと他のマイクロソフト365製品から得たデータを統合し、オフィス・グラフのサービス価値を大きく向上させている。

さらに同社は、こうして蓄積したデータを機械学習やビジネス・インテリジェンス・プロセス（意思決定のためのデータドリブン・プロセス）と組み合わせて利用している。その結果、個別のユーザーに合わせて最適化された新しいデジタル体験が多く生み出されている。たとえば、リンクトインのニュースフィードでは、法人顧客の従業員がいま取り組んでいるプロジェクトに基づいて記事が配信される。

マイクロソフト365は、従業員が現在または将来のタスクのために接触することのできるメンターや専門家を紹介する。

マイクロソフトは、グーグルやフェイスブックと同様、ユーザープロファイルに基づくターゲティング広告も提供しており、2016年から19年にかけて70億ドル以上の広告売り上げを得ている。[5]

フェイスブック

APIは、自社製品によって収集したデータの共有を促進するだけでなく、自社以外の事業者からのデータを収集するのにも役立っている。

たとえば、フェイスブックのAPIによって、サードパーティの企業は自社のウェブサイト上にフェイスブックの「いいね！」ボタンを置くことができる。どこかの美容室がウェブサイトにこのボタンを置き、だれかがそれをクリックしてくれたら、美容室にとっては、クリックした人のフェイスブック上で店の存在を知ってもらえるというメリットがある。

フェイスブックの側も、自社のプラットフォームだけでなく、そのような場所で押される「いいね！」によってもデータを獲得できる。このように、サードパーティの企業が自社のサイトに「いいね！」ボタンを置いてくれたら、フェイスブックにとってはそこにセンサーを設置したのと同じ効果がある。フェイスブックのAPIはセンサーから送られてくるデータを自社のリポジトリに収納する。

フェイスブックは、「いいね！」ボタンがあちこちに置かれれば（APIがそれを可能にする）、多数のユーザーからインタラクティブ・データが大量に届き（APIがそれを可能にする）、それを活用してユーザーについてのインサイトを深めることができる。

自社と他社をつなぐ外向きのＡＰＩ活用

ＡＰＩを使って外部事業者のリソースを集め、自社のデジタル・プラットフォームの機能を強化するのが外部向けアプローチだ。この場合のＡＰＩは、「パブリックＡＰＩ」と呼ばれる。

このアプローチでは、デジタル先進企業はＡＰＩを通じて自社のデータを外部に公開する。そうすることで、プラットフォームの機能拡充につながる開発をアプリ開発者や外部の事業者に促すことができる。その方針の根底には、自社だけで行うより多くの組織が参加してくれたほうが革新的な発想が生まれやすいという考えがある。まさに百家争鳴、多様性は創造の母とでも言うべきアプローチだ。いくつかの事例をもとに、そのあたりの事情を見てみよう。

ツイートデック

ツイッターは当初、ユーザー・インターフェース（ＵＩ）の使い勝手が悪く、低迷した時期がある。その状況を打破するため、ツイッターはＡＰＩを開放する方針を採用し、外部の開発者たちがデータフィードに自由にアクセスすることを認めた。

サードパーティとしての開発者であるツイートデックは、開放されたＡＰＩを利用して、ツイッターのエンジン上にすぐれたＵＩを構築した。ツイートデックのダッシュボードによって、ツイートを送受信したり、他のユーザーのプロフィールを読んだりすることが簡単にできるようになった。その機能が人気を呼んでツイッターの利用者が爆発的に増え、ツイッターは２０１１年にツイートデックを買収した。

グーグル・ネスト

グーグルも、スマートサーモスタット（プログラム可能な自己学習型温度調節器）のネストのＡＰＩを外部に公開している。「ワークス・ウィズ・ネスト」と呼ばれる取り組みを展開し、[6] 製品をネストに接続して画期的なサービスを提供してくれるパートナーを探した（グーグルは２０１４年に、パロアルトに拠点を置くネストラボからネストを32億ドルで買収している）。ネストがパートナー企業の製品を動かすという一方通行ではなく、逆方向の働きかけも実現している。多くの企業が自社製品とネストを接続させる方法を見つけている〔２０２３年９月にサービス停止予定〕。

メルセデス・ベンツの車はネストと接続することで、ドライバーが帰宅するタイミングを見計らって家の室内温度を調整してくれる。ドライバーが外出するときは、ネストがそれを察知して温度設定を変更する。サムスンのロボット掃除機は主《あるじ》が外出したら掃除を始める。

ジェン・エアのオーブンは、稼働しはじめたらネストに知らせ、オーブンの熱で室内の温度が高くなってしまわないよう設定温度を下げる。ジョウボーンのリストバンドは、装着した人の動きをモニターして起床時や就寝時にネストに通知し、それに応じて室内温度を変更する。ワールプールや電力会社は、ネストと接続し、洗濯機や食洗機といった家電製品をエネルギー消費の少ない時間帯に稼働させる。

ＡＰＩが、自動車のＧＰＳデータや家電製品のＩｏＴデータなど、さまざまなソースからのデータをネストに送ると、ネストはそれを最新のツールで分析して新しいサービスを提供することができる。こうしたコラボレーションは、すべて実験から始まった。成功も失敗もあるが、少数でも大成功があれば努力は報われる。ＡＰＩはそのような実験を実施するのに役立つ。

グーグルの元ＣＥＯ兼会長のエリック・シュミットは、この発想をＵＲＬ戦略（至る所に種をまけ《ユビキティ・ファースト》、利益はついてくる《レベニュー・レイター》）と呼んだ。彼はその意味を、「注目を集める持続可能なビジネスを構築できれば、収益化するうまい方法は必ず見つけられる」と説明している。[7] ＡＰＩを遍在させることや大規模な公開に投資することで、データの提供に対するサードパーティからの関心が高まり、それによってパートナーシップが成功する確率が高まる。そうなれば利益はあとからついてくる。

ネットフリックス

ＡＰＩを開発者に公開することは、デジタルサービスの利用拡大にもつながる。ネットフリックスは２００８年にＡＰＩを公開し、会社が保有するデータを外部に提供した。開発者はネットフリックスの膨大なコンテンツカタログの閲覧や検索、ユーザー評価の読み込み、ユーザーによるビデオキュー〔簡易再生リスト〕の管理、サードパーティのアプリケーションへの動画再生ボタンの設置などができるようになった。

その結果、ネットフリックスの視聴利用数は急増した。契約者は２００８年の約９００万人から14

年には約5800万人に増え、APIが膨大な数のユーザーをサポートした。[8] 新規登録者は、任天堂のWiiコンソールからスマートフォンにいたるまで、多種多様なデジタルデバイスでコンテンツを視聴できた。

スラック

ビジネス・コミュニケーション・プラットフォームであるスラックの人気も、オープンAPI戦略によって数年で急上昇した。2009年に設立され、毎日1200万人のユーザーが利用するほどの人気を獲得し、19年には時価総額が200億ドルを超えた。[9] クリエイティブな機能性で知られており、Gメール、グーグル・ドキュメント、グーグル・カレンダーといったデジタルサービスや、トレロなどのプロジェクト管理アプリとシームレスに統合できる。

特筆すべき機能としては、社員グループがワークプレイスを設定してリアルタイム・チャットができることや、社外の人ともコラボレーションできるチャネルがつくれることなどが挙げられる。ボットがメンバーのカレンダーをクロールしてミーティングの日時を自動的に設定するという機能もある。オープンAPIのおかげで、スラックのユーザーはすぐれた機能の数々を享受している。[10]

公開と非公開の切り替え

しかし、APIを永遠に公開しつづける必要はない。戦略上の必要に応じて、非公開にすることも、公開条件を変更することもできる。ネットフリックスは現在、少数のパートナーだけを残して、外部企業に対しては2008年のころのような幅広い公開は停止している。複数のデバイスでの共通体験の提供という初期の目標を達成したあと、APIに関する方針を変更した。

ツイッターも同様に、望ましい水準のユーザー基盤を形成したのちに、APIの公開範囲を変更している。ユーザーとの関わり方に対するコントロールを強めるために、ツイッターのAPIに依拠してサービスを展開していたサードパーティとの連携を停止したのだ。

このように、プロバイダーは自社の戦略に合わせてAPIをテコのように使うことができる。したがって、コンシューマーやAPIプロバイダーのパートナーは、その点をよくふまえて、自社のビジネスモデルを構築するとき、特定のプロバイダーのAPIにどこまで依存して大丈夫なのかを慎重に見きわめなければならない。

プライバシーの問題

APIをアプリ開発者に公開することで、デジタル・プラットフォーム側は機能を大幅に向上させることができる。スマートフォンの機能が飛躍的に向上したのは、アップルのiOSとグーグルのアンドロイドが関連するAPIを公開し、それを使って開発者が膨大な数のアプリをつくったからだ。2つを合わせればほとんどのスマートフォンを支配する強力なオペレーティング・システム・プラットフォームが提供した機能によって、私たちの生活は大きく変わった。

しかし当然ながら、これらの機能はプライバシーに関する懸念を引き起こす。

感染症予防とプライバシー

COVID-19のパンデミックに際し、アップルとグーグルが行った取り組みの推移からも、この問題の難しさがうかがえる。両社は感染拡大を防ぐという困難な課題に挑むべく、アプリを活用した接触追跡サービスを立ち上げるための協力体制を整えた。[11] iOSとアンドロイドのどちらかを使っているデバイスで展開できるサービスをアプリ開発者が構築できるよう、APIを公開したのである。

その計画は次のような機能の実装をめざしていた。人と人が一定の間隔以上に接近すると、スマートフォンが感知して記録をつけはじめる。COVID-19陽性と診断された人は、その事実をスマートフォンのアプリで公衆衛生当局に通知する。すると、その人物に接近した履歴のあるすべての人に、公衆衛生当局から適切な行動（14日間の隔離など）を求めるメッセージが届く。

しかし、これを実現させるためにはユーザーの同意を得なくてはならない。自分がどこに行ってだれと会ったかを公的機関がモニターすることに対して、プライバシー面の懸念を抱く人がいるのは当然だ。実際、いまこれを書いている時点では、プライバシーに関する懸念から、米国ではこの計画は実施されていない（オーストリア、ベルギー、カナダなどでは実施されている）。[12]

プライバシー保護のための企業の責任

個人からインタラクティブ・データを収集し、それを使ってユーザープロファイルを作成するすべての企業にとって、プライバシーに関する懸念は重大な問題だ。データを収集してプロファイルを作成すれば、デジタル体験を充実させるために使えるのは間違いない。日常生活に役立つ利便性を提供することもできる。しかし、日々の行動を追跡してその人がどんな人間かを知ろうとすることは、プライバシーの侵害につながる可能性もある。

アレクサはユーザーが発する声を自動的に拾って[13]、便利なサービスを提供してくれる。食洗機が壊れたという会話を聞くと、アレクサはすぐに、修理してくれる3社を電話口に呼び出す。だが、その機能が重大な問題を招くこともある。夫婦ゲンカをしたとき、複数の離婚弁護士から電話がかかってくることを喜ぶ人がいるだろうか。フォード車のドライバーは、好みに合ったコーヒーショップを紹介してもらえるかもしれないが、それをプライバシーの侵害と思うか便利なサービスと思うかは人それぞれだ。

今日のようなデジタル社会で、最先端の利便性を提供しながら消費者のプライバシーを保護することは、企業にとってますます重要な課題となっている。各国の政府が規制を検討しており、企業も解決策を模索している。ＡＰＩはこの難問の帰趨を左右する中心的技術となる可能性がある。

重要なことは、ＡＰＩはあくまでもツールにすぎないということだ。プライバシーを侵害することなく利便性を提供するために、このツールをいかに利用すべきか？　その判断は各企業に委ねられている。企業はこの課題にどう対処すべきか？　まずできることは、自社のオープンＡＰＩを利用するサードパーティのスクリーニングを強化し、ＡＰＩの利用状況を注意深く監視することだろう。

規制当局が果たすべき役割

企業が自分のことをどこまで知っているのかを心配するユーザーに対し、アップルはユーザー本人が自分で確認できるツールを導入した。[14] 他の企業も同様の透明性を担保しようとするだろうか？ すべてのデジタル企業が真摯な姿勢でＡＰＩを利用するだろうか？ 彼らがユーザーのプライバシーを保護するために十分な予防措置をとっているか、どうすればわかるのだろう？

これらは規制当局が考えるべき問題だ。[15] 個々の消費者が単独で行動しても、問題は解決しない。インターネットとの接続を断つとか、スマートフォンのアプリを一切使わないといった方法は現実的ではない。だが大勢の声が集まれば実効性のある法整備のために政治を動かすことができる。紆余曲折の道のりになるだろうが、企業も個人も政府も、さまざまなアプローチでこの問題に取り組むべきだ。プライバシー、データセキュリティ、そしてデータ共有に関する規制などに企業がどう対応すべきかは、本書の第９章で詳しく論じる。

従来型企業が学ぶべきこと

企業は価値創造のためにＡＰＩをどう活用できるだろう？ これも、デジタル先進企業から有益な答えを学びとれる重要な問いだ。従来型企業もＡＰＩを使っていないわけではないが、デジタル先進企業を見習うことで、ＥＲＰシステムの中だけで使っているような現状（ＣＲＭソフトと給与計算ソフトとの接続など）から脱却することができる。

ＡＰＩがデジタル接続を実現できるのは、ＡＰＩが本質的にさまざまなソフトウェアユニットを接続するためのものだからだ。センサーの普及やＩｏＴの拡大で、ＡＰＩが接続できるソフトウェアは格段に増えている（センサーにもＩｏＴにつながる製品にも、ソフトウェアのコンポーネントがある）。このソフトウェア増加の恩恵を、ＡＰＩを使うことで最大限に活かすことができる。

ＡＰＩを拡張すれば、企業は新しいソフトウェアを接続できる。そうすることでデジタル・エコシステムを活性化でき、データの力を引き出す手段を増やすことができる。つまり、ＡＰＩは企業がデジタルの新しい領域で競争するための鍵なのだ。

デジタル先進企業がＡＰＩを活用するために採用しているアプローチは、内部的（プライベートＡＰＩ）であれ外部的（パブリックＡＰＩ）であれ、従来型企業にとって学ぶべき点が多い。ＡＰＩの利用を拡大するための構造をつくれば、プロダクションであれコンサンプションであれ、デジタル・エコシステム戦略を構築するうえで役立つはずだ。

インターフェースの3つのレイヤー

序章でも述べたが、プロダクション・エコシステムは、研究開発、製造、組み立て、流通など、製品の生産と販売に関わる社内の部門や活動間の連携によって形成されている。コンサンプション・エコシステムは、外部とのつながりによって形成されるもので、自社のデータソース（製品に搭載されたセンサーなど）を補完してくれる外部とのネットワークから生まれる。

図2-2
API（アプリケーション・プログラム・インターフェース）の階層

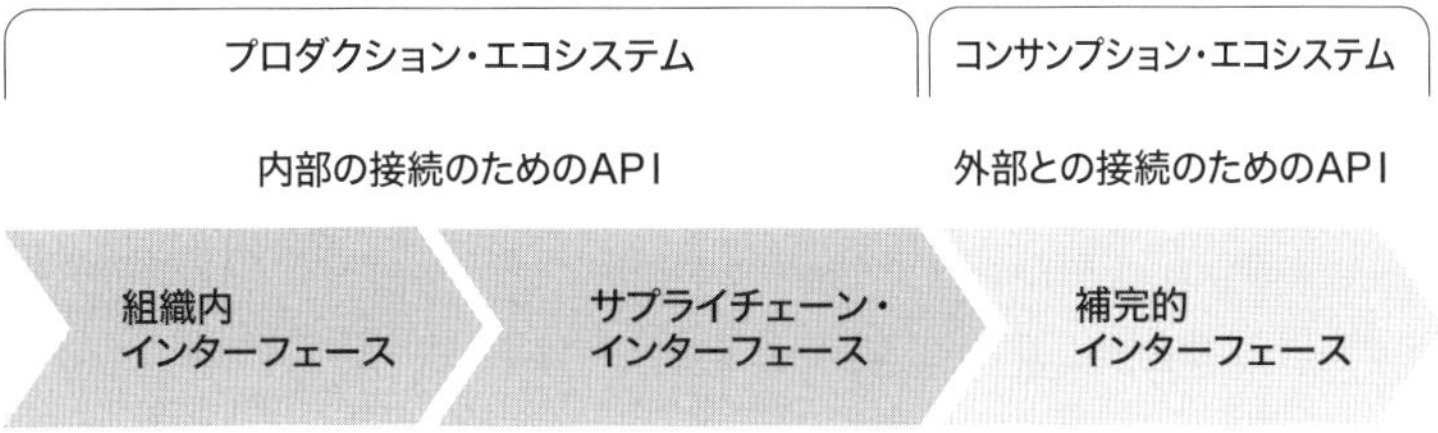

2つの違いを理解することは、従来型企業が自社のAPI利用の現状を把握し、利用拡大の方向性を発見するうえで役に立つ。APIは企業にデジタル・エコシステム戦略の土台を提供するものなのである（図2-2参照）。

プロダクション・エコシステムでは、APIの「I」に当たる「インターフェース」に2つの階層《レイヤー》がある。第1の階層は組織内インターフェースで、APIが自社のソフトウェア・プログラムやソフトウェア・ユニットを接続するときの階層だ。たとえば、CRMと給与計算をAPIで接続するというようなケースが、組織内インターフェースの一例である。

第2の階層はサプライチェーン・インターフェースだ。APIが、社外ではあるがサプライチェーンの内側にあるユニットを接続するときの階層だ。サプライヤー（または小売業者）の在庫管理ソフトと製造工場の生産管理ソフトを接続するというような場合がその一例である。

プロダクション・エコシステムでは次のことを自らに問う必要がある。

●わが社のAPIはこの2つの階層のどこにあるのか？
●わが社は何をするためにAPIを使っているのか？
●いまあるものをどうすれば拡張できるか？

コンサンプション・エコシステムでは、APIを外部に公開すると、第3の階層として補完的インターフェースが機能しはじめる。序章で、フォード車に搭載したコンピュータシステムが車両を近くのコーヒーショップに接続し、ドライバーに代わって完璧なタイミングで飲み物を注文する場面を描いた。これは補完的インターフェースの事例だ。このフォードのアプローチは、本章で論じたグーグル・ネストと共通するものがある。

製品をデジタル・プラットフォームで展開しようとする従来型企業にとって、補完的インターフェースにおけるAPIはきわめて重要で、次のことを自らに問う必要がある。

●わが社は補完的インターフェース層にAPIを持っているか？
●もし持っていないなら、どうすれば持てるか？
●APIによってどんなデジタルサービスやデジタル体験を生み出せるか？

プロダクション・エコシステムとコンサンプション・エコシステム

次章以降では、従来型企業が3つの階層のインターフェースでAPIの活用を拡大する方法を説明する。次の2点を念頭に置いて、掘り下げていきたい。

プロダクション・エコシステム

APIをプロダクション・エコシステムで活用するために、従来型企業にできることは多い。企業はAPIを使ってさまざまな活動（在庫管理、機械の生産能力管理、生産スケジュール管理など）を支えるソフトウェア間の通信を行っている。したがって、APIによってソフトウェア間の連携や相互作用を改善すれば、バリューチェーンのプロセスを再編して俊敏性《アジリティ》を高めることができる。

そのようなAPIの役割は、センサー、IoT、AIといった新しいテクノロジーの恩恵を受ける世界でも変わらない。だが、デジタルの世界では、これまでのバリューチェーンはデジタル・プロダクション・エコシステムへと進化する。そこでのAPIの役割は、スマート・ビジネスプロセス（在庫、機械生産、生産管理の最適自動管理など）の基盤を提供するという、これまでとは比較にならないほどの重要性を帯びることになる。そこでのAPIは新しいデータドリブン・サービスの土台にもなる。

コンサンプション・エコシステム

コンサンプション・エコシステムの中で自社の地位を確立するために、従来型企業は新しいAPI

を開発することができる。デジタル・エコシステムは、スマート製品を通じて新しいユーザー体験を提供する機会を企業にもたらすが、そのユーザー体験の多くは、インタラクティブ・データを共有したサードパーティによって開発される。

多くの企業にとって、コンサンプション・エコシステムは未知の領域かもしれない。自社のデータを外部と共有するために設計されたAPIを持っていないかもしれないし、APIの補完的インターフェースを機能させるために必要なサードパーティ（アプリ開発者など）と関わった経験もないかもしれない。

これらについては、従来型企業はデジタル先進企業から多くを学ぶ必要がある。バリューチェーンに基づくビジネスをデジタル・プラットフォームに拡張したければ、特にこの領域での学びが重要になる。

APIは、プロダクション・エコシステムとコンサンプション・エコシステムの両方で、新しいデジタル体験を提供するためのデータの受け渡しを可能にするメカニズムだ。デジタル・エコシステムにおいてデータの流通経路を確立するパイプの役割を果たす。

本章に続く第3章、第4章、第5章で、どうすれば従来型企業がデジタル・エコシステムで自社データの価値を引き出せるかを論じる。

第3章

デジタル・エコシステム

バリューチェーンで競う時代の終わり

従来型企業のデジタル・エコシステム

第1章と第2章では、デジタル先進企業が活用するデータが持つ爆発的なパワーを分析し、いくつか貴重な教訓を引き出した。とりわけ重要なのが、彼らがデジタル・エコシステムを活用してデータの力で市場支配力を確保しているということと、顧客に充実したデジタル体験を提供しているということだ。今日、デジタル先進企業が持っている影響力の大部分はデジタル・エコシステムにその基盤がある。

従来型企業も、デジタル・エコシステムを構築してデータの価値を倍増させることができるし、新たな価値をもたらすサービスや体験を顧客に提供することができる。そのために必要なのが、新しい戦略的思考だ。従来型企業は長年、自社が属する業界の中だけで、製品やサービスによる競争優位を確立するための戦略をとってきた。そこからデータ主導のデジタル・エコシステムへと移行するには、事業に臨む姿勢を見直す必要がある。しかも、製品や業界に由来する既存の強みを活かしながら、このシフトを進めなければならない。つまり、従来型企業は、自社のニーズに合ったデジタル・エコシステムを構築しなければならないのである。

この章では、従来型企業が構築するデジタル・エコシステムに特有の性格を説明し、もともと存在する製品中心の強みとデータ中心の新しい強みのバランスが取れたデジタル・エコシステムを構築する方法を論じる。従来型企業のニーズに合わせた新しいデジタル・エコシステムのフレームワークという、本書の核となる内容を概観するのがこの章の目的だ。

2つのシステムから成るデジタル・エコシステム

企業のデジタル・エコシステムは、プロダクション・エコシステムとコンサンプション・エコシステムという、相互に関連する2つのシステムから成る。

プロダクション・エコシステムとは、自社のバリューチェーン上にあり、データの獲得と共有を行う内部ネットワークである。コンサンプション・エコシステムとは、自社製品から得られるセンサー・データを補完してくれるサードパーティとのつながりの上にあって、データの取得と共有を行う外部ネットワークである。

2つのエコシステムを組み合わせれば、従来の強みを維持しつつ、データの新たな価値を引き出すためのさまざまな選択肢が得られる。それがデジタル競争戦略の基礎となる（89ページの**図3-1**参照）。この枠組みから、デジタル競争戦略を形成するうえでデジタル・エコシステムが果たす重要な役割が見えてくる。それがデジタル戦略を進めるための重要な最初の一歩だ。

「デジタル・エコシステム」とは何か

デジタル・エコシステムはデータの提供者《オリジネーター》と受領者《レシピエント》で構成されるネットワークだ。そのあいだでデータが共有されることによって、データの価値が増幅されるという特徴がある。それはデジタル先進企業の事例を見れば明らかだ。ウーバーでは、何百万人もの利用者、ドライバー、アプリ開発者、サードパーティがデータの提供者であり受領者でもあって、彼らがウーバーのデジタル・エコシステムを構成している。

第1章と第2章では、デジタル先進企業によるデータ活用事例を紹介した。彼らのビジネスモデルはデジタル・プラットフォームが前提であり、データの生成と共有が必須だ。デジタル・エコシステムが充実すれば、データの生成と共有も活発化し、企業の成長と繁栄を促す。デジタル先進企業は、プラットフォームを通じてデジタル・エコシステムを自分たちの自然なビジネス環境とし、そこでデータの力を増幅させ、競争力を強めた。

従来型企業の場合は違う。彼らの多くはデータではなく製品で勝負しているので、デジタル・エコシステムはあまり重視されていない。市場、顧客、販売、在庫、その他オペレーションに関する膨大なデータを持っているが、ほとんどが製品開発と競争上のポジショニングのために使われる。集められたデータは自社のバリューチェーン内で使われる。ほとんどの企業はデジタル・プラットフォームを持っていないので、データが広く外部と共有されることはないし、共有したくても簡単には共有できない。

従来型企業は、製品によって価値提案を行っているので、業界内で強みを発揮することで競争優位を得ようとする。実際、業界には製品の価値と競争力を増大させる特性がある[1]（この点については、あとで詳しく説明する）。彼らが長きにわたってデジタル・エコシステムではなく業界を主戦場と考えてきたのは、ある意味で当然だ。[2] いつも業界の中で戦略を考えているので、経営者もデジタル・エコシス

図3-1
従来型企業のデジタル・エコシステム

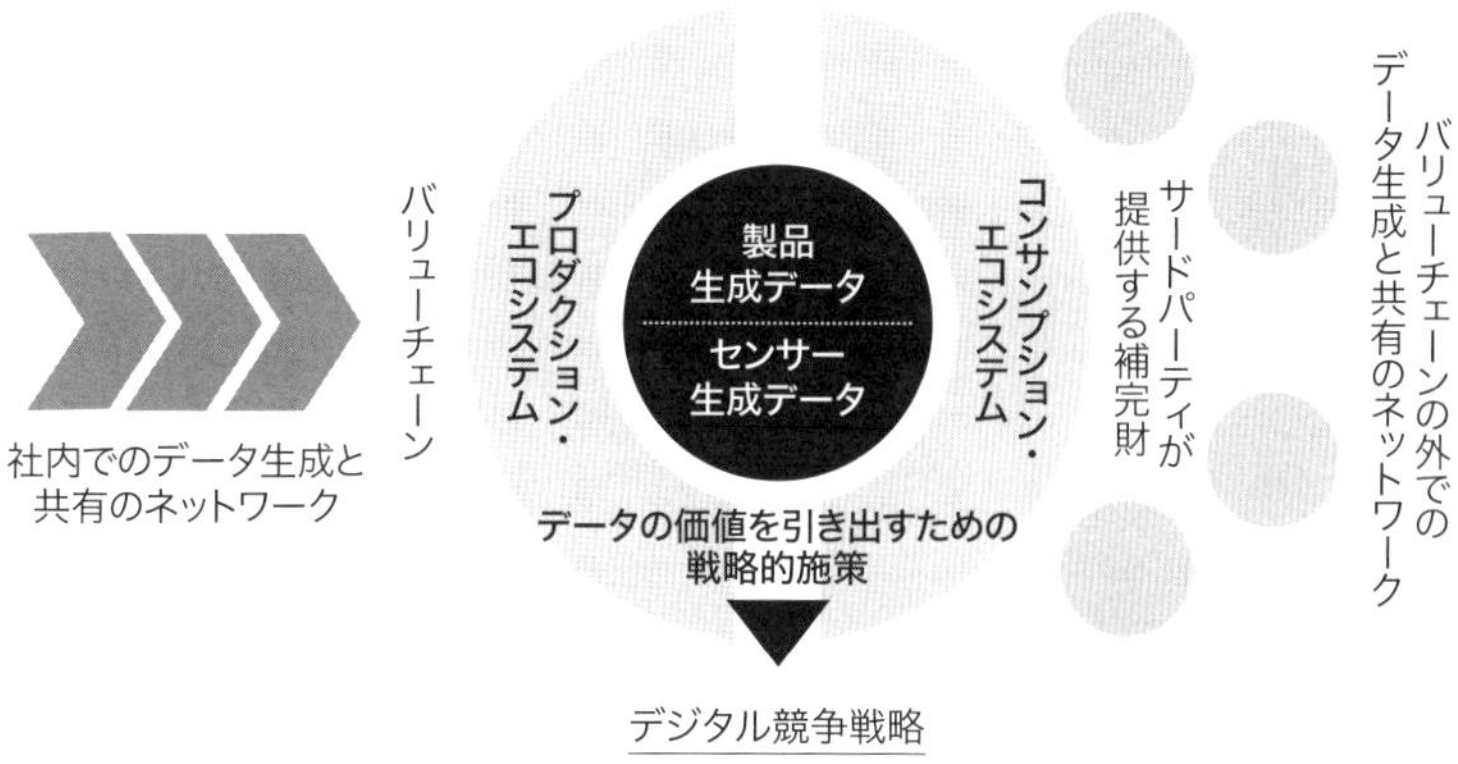

テムが自社のビジネスモデルにもたらす価値に気づいていないことがある。

従来型企業がデータを武器に加えれば、この状況は変わる。業界だけが価値創造のためのフィールドではなくなり、競争戦略の主要な柱でもなくなる。データの価値を増幅させるためにはデジタル・エコシステムが必要だ。舞台が業界からデジタル・エコシステムに変われば、データは製品と並んで、それ自体が価値を生み出すものとなる。データの役割は、たんに製品の開発や販売促進を支援することから、収益を伸ばすうえで製品と同等のものになる。

ただ、競争の場をデジタル・エコシステムに広げたとしても、業界の存在は依然として重要だ。従来型企業は、業界の価値基準（たとえば規模）が製品におよぼす力を見落としてはならない。製品は獲得したユーザーからインタラクティブ・データを集める手段だ。製品が強ければ強いほど精密なデータを集めることができる。従来型企業は業界構造を足場にしてデジタル・エコシステムを構築し、両方から強みを引き出す方法を見つけなければならない。

従来型企業のデジタル・エコシステムと、デジタル先進企業が競争の場としているエコシステムは、同じではない。共通する特徴はいくつかあるが、従来型企業のそれは、業界構造の上に構築されるため、その企業特有のニーズに合った特性がいくつかある。その特性は、従来型企業が従来の製品やビジネスモデル、業界から引き出した強みを維持しながら、デジタル・エコシステムで共有されるデータから新しい価値を引き出すのに役立つ。

従来型企業のデジタル・エコシステムが持つユニークな特性を理解するにはまず、その企業が業界から引き出している強みを知らなくてはならない。その強みはデジタル・エコシステムでも存続させなくてはならない。

「業界」とは何か

企業が業界を主要な競争環境とみなすことには合理的な理由が多くある。まず、製品を売り出すときのポジションがわかりやすく、適切な打ち手もわかりやすい。同じ顧客層に似た製品を売っているライバル企業を特定しやすく、動向も観察しやすい。サプライヤーのプールは業界他社と共通なので、見つけるのも簡単だ。業界の動向を注視していれば全体的な市場動向、機会や脅威に気づきやすい。ライバル企業と共存共栄するためのヒントを得られることもある。

このような理由から、業界は企業に強固なアイデンティティを提供する慣習として形成されてきた。

自動車メーカーは自分たちは自動車業界に属する企業だと考えているし、銀行は銀行業界の一員だと考えている。

このような実用的利便性だけでなく、事業環境イコール業界と考えることのメリットは、経済学や経営学の分野で、理論的にも実証的にも根拠のある多くの研究で示されている。多くの研究が、なぜ業界が競争のあり方や企業の業績を左右するのかを教えてくれる。[3]

SCP理論

SCP理論（構造《ストラクチャー》・遂行《コンダクト》・業績《パフォーマンス》）はそうした研究に裏づけられているパラダイムだ。[4] そのうちの「構造」は、業界に備わっている重要かつ比較的安定した属性だ。そこに属する企業の数やそれぞれの市場占有率などがその一例で、あまり変化しない。少数の企業が市場を支配していたら「集中型構造」で、多数の企業がどんぐりの背比べをしていたら「分散型構造」だ。

そのような構造面の特性は「遂行」、すなわち企業の戦略に影響をおよぼす。たとえば価格設定において、集中型構造の業界なら高い利益率で設定し、分散型構造の業界なら低い利益率で設定する可能性が高い。構造と遂行の両方が企業の「業績」に影響する。競合の少ない集中型構造の業界の企業は良好な業績を収めることが多い。たとえば、コカ・コーラとペプシコは何十年ものあいだ集中型の業界構造の恩恵を享受している。両社合わせて世界の清涼飲料市場の約70％のシェアを占めている。

分散型構造の業界でも、革新的な戦略や遂行で困難な状況を克服することはできる。ビール業界は数千の小規模醸造所から成る分散型構造だったが、バドワイザー、ハイネケン、ミラーの大手3社は、大型工場、集中的ブランディング、広範な流通網の構築によって、集中型構造の業界へと変貌させた。

マイケル・ポーターの研究もこのような考え方を裏づけている。[5] 彼の有名な「ファイブ・フォース分析」は、複雑な業界の構造を決める5つの力――バイヤーの交渉力、サプライヤーの交渉力、代替品の脅威、新規参入の脅威、業界内の競争――を特定している。

これらの力が組み合わさることで、その業界の魅力が決まり、企業がその業界で成功する確率を左右する。5つの力が有利な方向に働けば成功する可能性が高く、逆方向に働けば成功はおぼつかない。つまり、5つの力で決まる業界構造は、企業のパフォーマンスに影響を与えるということである。

業界内バリューチェーンの重要性

ファイブフォース分析は企業の「遂行」、つまり企業戦略が業績におよぼす影響についても説明している。企業は戦略的ポジショニングによって、ファイブフォースを自社に有利なものに変えることができる。ポジショニングは、どんな製品を市場に提供しているか、競合の製品と比べてどうか、といったことで決まる。このようなポジショニングは企業のバリューチェーン、すなわちサプライヤーからの調達、製造、組み立て、研究開発（R&D）、マーケティング、販売など、製品の生産と販売に関わる一連の活動を通じて実現する。[6]

たとえば、ナイキはグローバル・サプライチェーン、研究開発投資、ブランド強化、広大な小売ネットワークの運営などを通して、スポーツシューズ業界で独自のポジションを占めている。研究開発を通じてアスリートのパフォーマンスを向上させる高品質なシューズを開発し、ブランディングによってパフォーマンスと自社製品を結びつけている。そうすることで、バイヤーに対して大きな力を持つだけでなく、他社が模倣するのを難しくしている。大量の調達によってサプライヤーに対する力を強め、広告や研究開発や販売のスケールによって、競合が新規参入してくることの潜在的脅威を軽減している。

このように、製品の競争力は業界構造とバリューチェーンの両方から引き出される。業界構造は製品が成功するための有利な条件を整え、バリューチェーンはそれらの条件が有利に働くように製品をポジショニングして競争優位を築くのに役立つ。要するに、それがこれまでの競争戦略というものであり、従来型企業のビジネス環境として業界が重要な理由であった。

業界をデジタル・エコシステムに変えることは可能か？

業界とデジタル・エコシステムに共通する特性は何か？　それは、どちらもネットワークを形成していることだ。デジタル・エコシステムはデータ供給者《ジェネレーター》とデータ受領者《レシピエント》のネットワークで、データを共有することでデータの価値を増大させるのが主たる目的である。業界も、相互に依存しあう組織、活動、アセットのネットワークから成るが、[7]そこにつながる主たる目的はデータの価値を増幅することではなく、製品の価値を上げることにある。

この2つのネットワークを融合できれば、従来型企業にとって大きなメリットがある。いまの強みを維持しつつ、新たな強みをもたらすデジタル・エコシステムを構築できるからだ。その方法を知るためには、まず業界というネットワークの本質を理解しなければならない。

業界をネットワークと考える

フォードの業界ネットワークを図式化したのが図3-2だ。フォードはこの中で他社と競っている。左側は製品の生産と販売に関わるバリューチェーンで、右側はガソリンスタンド、高速道路、修理工場など、顧客が買ったあとのフォード製品をサポートする補完的組織のネットワークだ。以下、それぞれの部分について説明する。

バリューチェーン・ネットワーク

フォードのバリューチェーン・ネットワークは、さまざまな組織、活動、アセットが互いに補いあいながら形成する関係だ。同社が自動車を生産して販売できるのはこのネットワークがあるからだ。そこにはサプライヤー、製造・組立部門、研究開発部門、マーケティング部門、流通部門、販売後のサービスを提供するディーラーなどがある。フォードには約100社の主要サプライヤーと系列サプライヤーがあり、世界各地に65の製造工場がある。世界に広がる7500以上のディーラーが販売とその後のサービスを支えている。

これらのサプライヤー、工場、ディーラーには、それぞれに無数のアセットと活動があるが、それぞれの役割とインプットを同期させながら、売り上げと利益を最大化する方法で顧客に製品を提供するという共通の目標をめざしている。

図3-2
業界ネットワーク（フォードの例）

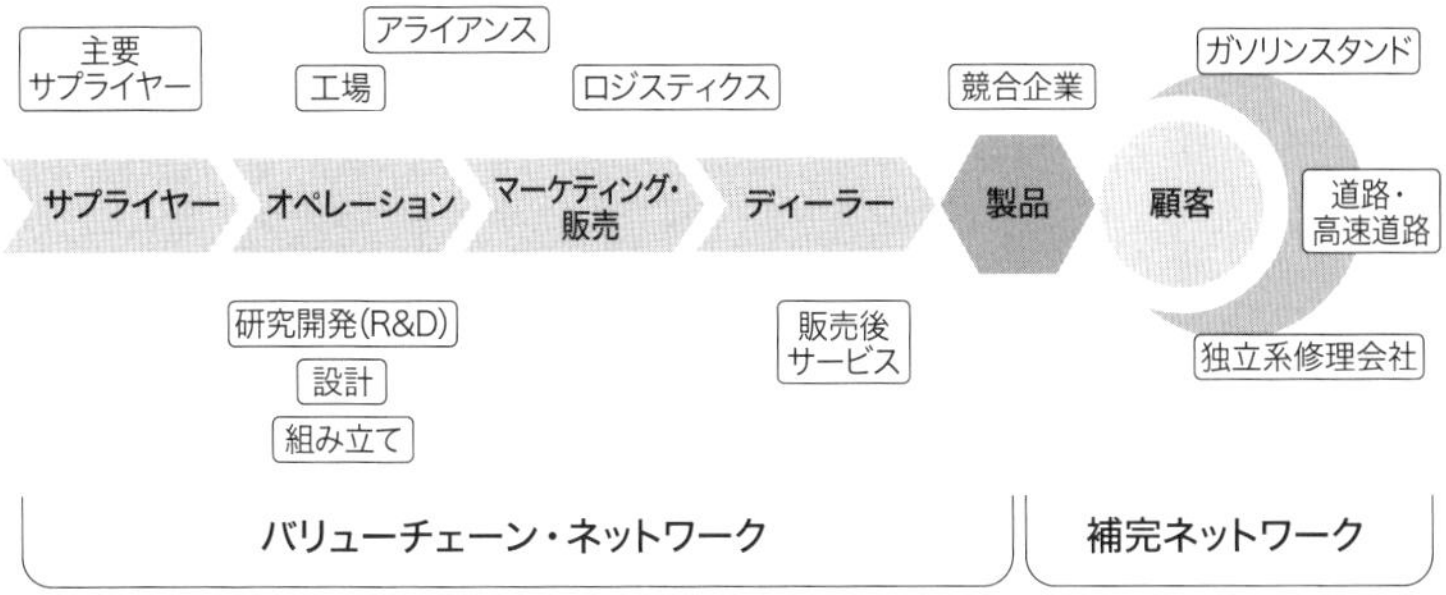

フォードは研究開発、製造、マーケティングなどの活動を強化するために、パートナー企業と提携し、バリューチェーン・ネットワークを拡張している。電気自動車、自動運転技術、輸送サービスなどの分野でフォルクスワーゲンと提携したのはその一例だ。[8]

フォードのネットワークには競合企業も含まれる。フォードの活動と競合企業のあいだにつながりができるのは、フォードが何かすれば競合企業もそれに対抗する活動をするからだ。[9] フォードが値下げすれば、通常、競合企業も値下げで対抗する。フォードが新製品を発売したり、新しい国や地域に進出したりすれば、競合企業もそれに見合う対抗措置を取る。

つまり、競争上の活動はそれぞれが独立したものではなく、相互関係の中で他に影響をおよぼし、対抗手段を誘発する。こうした動きは業界の不文律であり、主要な競合企業は均衡を維持するためにこれを暗黙のうちに理解し、それに従っている。[10]

フォードとその競合企業はグローバル市場で製品や

プレゼンスを競い、他社が動けば自分も動いて対抗手段を取るという体制を整えている。これを「多市場接触《マルチマーケット・コンタクト》」という。[11] たとえばトヨタが米国市場で値下げすれば、フォードには、トヨタにとって影響力の大きい日本市場で対抗的な値下げをするという選択肢がある。それができるのは、トヨタの米国市場でのプレゼンスとフォードの日本市場でのプレゼンスが対応しているからだ。対抗手段があれば、競合からの攻撃を事前に抑止することができる。多くの実証研究が示すように、多市場接触によって、業界の各社はそれぞれの収益性を維持できる可能性が高まる。[12]

フォードのバリューチェーンが広がれば多市場接触が起こる。フォードがバリューチェーンの活動をどこに、どのように配置するかによって、同社が製造、販売、アフターサービスの面で主要ライバルの活動にいかに対応できるかが決まる。見方を変えれば、フォードは自社製品の競争力を強化しながら競合企業のネットワークを操作しているのである。

補完ネットワーク

フォードの業界ネットワークは、バリューチェーンを越えて「補完ネットワーク」へと広がっている。自動車を生産し販売したあと、つまりフォードのバリューチェーンが終わったのち、その先にあってさまざまな機能を果たすのが補完ネットワークである。

補完ネットワークには、たとえばガソリンスタンド、道路や高速道路といったインフラが含まれる。マイダスやメイネケのような、フォードの顧客が車をメンテナンスするために使う独立系修理工場も含まれる。フォードはガソリンスタンドの設置や道路建設には関与していないし、マイダスやメイネケの経営にも加わっていないが、自社製品への需要を高めるうえで、このような補完ネットワークに助けられている。

補完ネットワークを重視しない従来型企業

フォードが属する業界は全体として、バリューチェーンと補完的組織、アセット、活動のネットワークとみなすことができる。製品を製造販売している企業は、ほぼ例外なくバリューチェーンを持っている。フォード、ボーイング、バンク・オブ・アメリカ、プログレッシブ（損害保険）のような大手従来型企業には、複雑な相補的関係が埋め込まれた巨大なバリューチェーンがある。レストランのような小さな会社でさえ、バリューチェーンの中で事業を営んでいる。

そして、ほぼすべての製品に補完ネットワークがある。電球にはソケット、配線、電気が必要だし、民間航空機には空港が必要だ。歯磨き粉には歯ブラシ、清涼飲料には冷蔵庫や氷、ローンを提供する銀行には人びとがお金を借りてでも買いたいと思う家や車が必要だ。挙げればきりがない。

従来型企業のバリューチェーンの大半は、補完ネットワークより大規模で複雑だ。彼らは補完ネットワークよりバリューチェーン・ネットワークを重視する。

ほとんどの従来型企業は、自社製品を使うために必要な補完アイテムについては、顧客の選択にまかせている。フォードの顧客は自分でガソリンスタンドを選んでいる。コピー機を買った顧客は自分でコピー用紙を調達し、電球を買った顧客はソケットのメーカー、配線工事業者、電気会社を自分で選んでいる。

ジレットのカミソリ・ホルダーと替え刃のように、企業が製品とそれを補完するアイテムをセットで販売するケースや、コルゲートの歯ブラシと歯磨き粉のように、販売は別々に行うがコ・ブランド（共同ブランド）で販売するケースはある。しかし、それは例外だ。従来型企業にとって、補完財（相補的な製品やサービス）の果たす役割はバリューチェーンに比べればはるかに小さい。補完財の重要性を認識していても、通常は自社で製造することはない。

デジタルがネットワークの役割と力学を変える

従来型企業が自社の業界ネットワークをデジタル・エコシステムに転換したら、右のような関係性の力学は様変わりする。特に補完ネットワークの役割は、先進的なデジタル接続によって大きく広がる。バリューチェーン・ネットワークも、おもな目的と推進力が変わる。

しかし、バリューチェーンも補完ネットワークも以前からあったものであり、従来型企業にとって特に新しいものではない。新しいのは、そのネットワークをデジタル・エコシステムとして利用するという点である。

そこから2つのネットワークに大きな違いが生まれる。業界ネットワークの重点は製品をサポートし、製品ポジショニングによって価値を創出することにある。一方、デジタル・エコシステムの重点は、データの生成と共有によってデータドリブン・サービス、体験、価値を生み出すことにある。

バリューチェーン・ネットワークでもデータの生成と共有は行われているかもしれないが（補完ネットワークではあまり行われていない）、その目的は、おもに業務効率を向上させるためだ。それも大事だが、デジタル・エコシステムへの転換が実現すれば、新たなデータドリブン・サービスやデジタル体験を提供することで、データを活用する意義はもっと大きくなる。

従来型企業の課題

従来型企業にとって今後の課題は、業界ネットワークに蓄えた強みを強化すると同時に、それをデジタル・エコシステムに転換して新たな強みを創出することだ。そのためには、バリューチェーンや補完ネットワークの中にあるさまざまな組織、アセット、活動を、多種多様なデータの提供者あるいは受領者にしなくてはならない。いまは埋もれているデータ生成と共有の潜在能力を、新たなデータドリブン・サービスや体験、価値の源泉に変えなくてはならない。先進的なデジタル技術がそれをサポートする。

バリューチェーンも補完財も広く浸透した概念なので、従来型企業がデジタル・エコシステムを構築するときのすぐれた基盤になる。それが強固なら、製品中心の業界ネットワークをデータ中心のデジタル・エコシステムに移行できる可能性が高まる。

従来型企業によるデジタル・エコシステムの構築

従来型企業が業界ネットワークという土台を有効に使うためには、製品の価値を高めるうえで、バリューチェーンと補完ネットワークでは果たす役割が違うことを理解しなければならない。

バリューチェーンは、企業とその製品という、供給側《サプライサイド》の強みを補強する。製品の生産と販売の効率を高めるのがバリューチェーンの役割だ。ナイキは研究開発、サプライチェーン、マーケティング、販売組織のネットワークによって、生産と販売の効率を高める。

補完ネットワークは需要側《デマンドサイド》で製品の強みを増幅させる。製品を使いやすくすることで、製品の価値を高めるのが補完ネットワークだ。たとえば電球は、電力網とソケットが広く普及したことで需要が増え、広く使われる大衆消費材になった。

このように役割が違うので、バリューチェーン・ネットワークと補完ネットワークは、デジタル・エコシステムを構築するうえでも異なる意味を持つ。バリューチェーン・ネットワークはプロダクション・エコシステム、補完ネットワークはコンサンプション・エコシステムの構築につながる。

「バリューチェーン・ネットワーク」から「プロダクション・エコシステム」へ

まず、フォードのバリューチェーンがプロダクション・エコシステムに進化した過程を見てみよう。注目すべきポイントは、バリューチェーンは商品の生産と販売に伴うタスクの相補関係によって形成されたものであって、データの生成や共有が目的ではなかったということだ。デジタル先進企業のプラットフォームと違い、バリューチェーンはデータの生成や共有が行われなくても機能する。実際、フォードのバリューチェーン・ネットワークは、現代のコンピュータやデータ技術が登場するはるか前の1900年代初頭、連絡や調整を手作業で行っていた時代から始まっている。

とは言え、データが使えるようになれば、バリューチェーンはメリットを享受する。データの役割が大きくなるにつれてメリットも大きくなる。データが何の役割も果たしていない未発達な状態から、データの役割が最大化された状態に進歩したとき、バリューチェーン・ネットワークはデジタル・プロダクション・エコシステムに転換したと言える。

次ページの**図3-3**は、フォードがこうしたネットワークに移行したことを示している。**図3-3A**は、デジタル接続のない素朴なバリューチェーンである。

図3-3Bは、ITシステムとソフトウェア駆動型のサービスが導入されたことで、バリューチェーンの中でデータの生成と共有が部分的に始まり、プロダクション・エコシステムへの転換が始まったことを示している。この段階でバリューチェーン内の業務効率が向上しはじめる。

図3-3Cは、デジタル技術（センサー、IoT、AIなど）の進化によって、プロダクション・エコシステムが充実していく過程を表している。この段階では、業務効率がさらに向上するだけでなく、製品価値と利益を拡大するデータドリブン・サービスを提供できるようになる。

この進化はさらに続き、データの役割を強化する方法を見つけることができれば、フォードはプロダクション・エコシステムをさらに充実させることができる。

バリューチェーン・ネットワークをプロダクション・エコシステムに進化させたのは各種のITサービスなので、まずITサービスが果たす役割から説明しよう。

図3-3

バリューチェーンからプロダクション・エコシステムへの進化（フォードの例）

A｜原型のバリューチェーン・ネットワーク

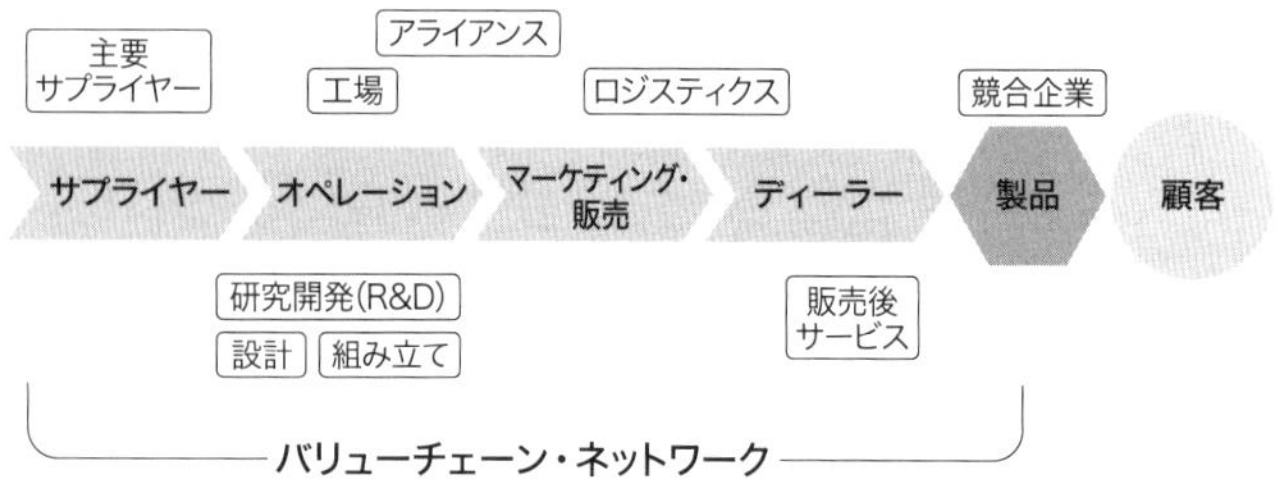

B｜従来からあるIT利用による進化

▶オペレーション効率の向上

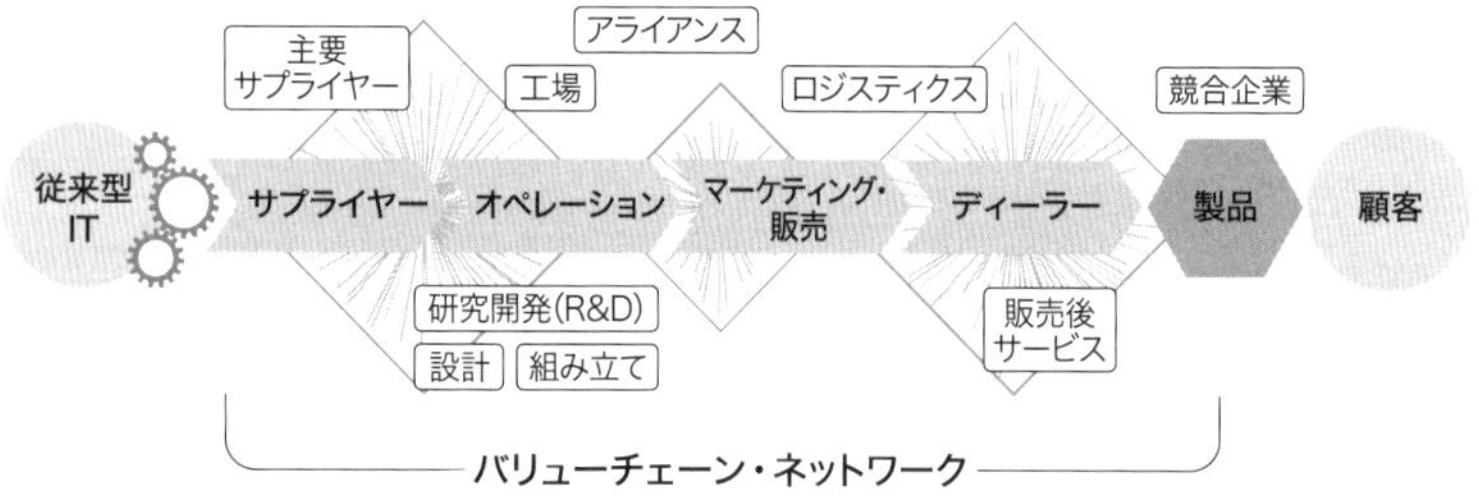

C｜最新技術の活用による進化

▶オペレーション効率の向上＋データドリブン・サービス

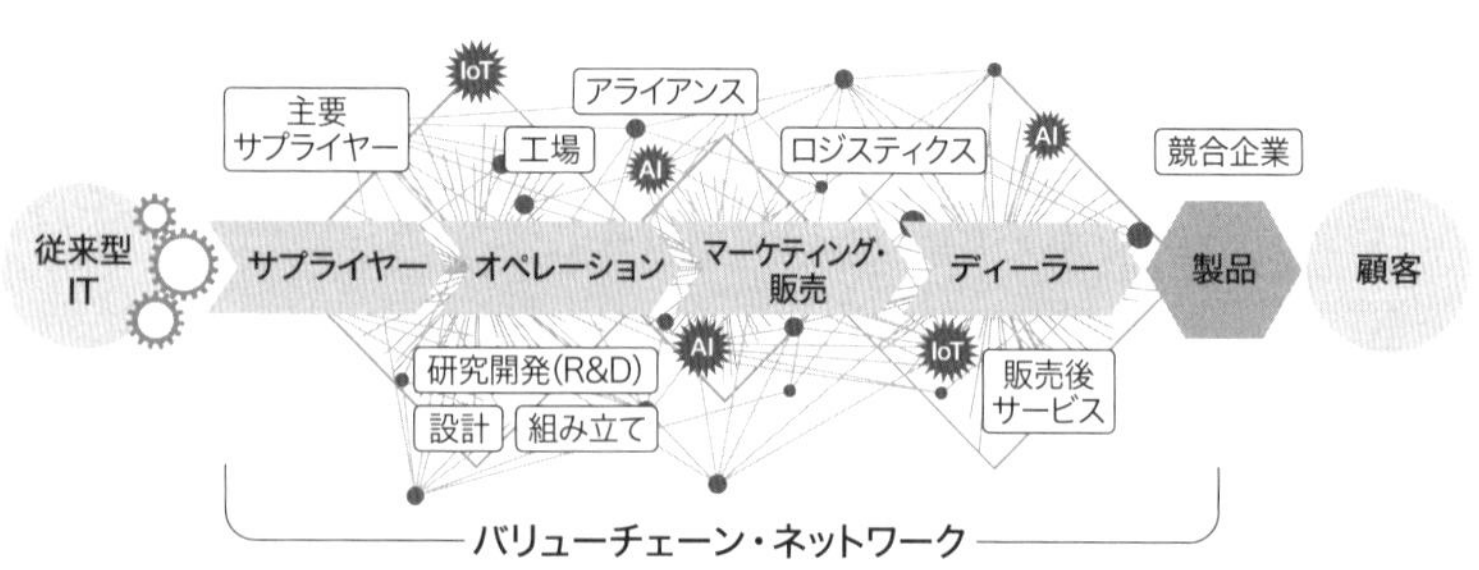

従来のITサービスの役割——プロダクション・エコシステムへの転換の始まり

1970年代以降、コンピュータやソフトウェア、ITサービスの発展に助けられ、従来型企業は多くのワークフローを自動化してバリューチェーンの効率化を図った。無理もないことだが、当初の自動化の取り組みは小規模で、範囲も限定されていた。

たとえば、かつてフォードの調達部門はITシステムで注文、入荷、在庫などを追跡していた。生産管理部門には別のシステムがあって、製造や組み立ての工程を管理していた。2つのシステムは別個のもので、ソフトウェアの種類も違っていたので、統合は難しかった。単純なデータ共有さえ、データファイルをやり取りするという手間のかかる方法で行われていた。一日の終わりに調達部門と生産管理部門がファイルを共有して数を合わせるようなことをしていた。

やがてITサービスの進歩により、自己完結型のシステムと、ばらばらに行われていたワークフローの自動化を統合できるようになった。なかでも注目すべき進化は、SAPやオラクルなどのビジネス・ソフトウェア企業のERPシステムの導入である。2000年代にかけて急速に広がったERPシステムは、部門ごとに違うソフトウェアの接続を助けた。

これによりフォードのような大企業は、さまざまなプロセスの進捗状況を統合的に把握できるようになった。キャッシュ、在庫、生産能力、ディーラーからの注文、給与支払いなど、会社全体のパフォーマンスに関わる数値をグローバル規模で把握することができるようになったのだ。

ERPは共通のデータベースを使うことで、これらの数値を継続的にアップデートしてくれる。それを可能にしたのも、異なるソフトウェア・プログラム間での通信を可能にしたAPIだ（組織内のインターフェースを受け持つAPIをプライベートAPIという）。フォードはAPIによって部門間でのデータやシステムの統合を実現した。

ERPは、バリューチェーン内でのデータ生成と共有の範囲を、サプライヤーはもちろんのこと、ときには競合企業にまで広げた。フォードは、国内の主要ライバルであるGM、クライスラーとともに、ANX（自動車産業共通ネットワーク）に加わった。これにより、ビッグスリーのいずれかと取り引きがあったサプライヤーは、標準的なITシステムを使ってビッグスリー各社と取り引きができるようになった。自動車メーカーだけでなく、サプライヤーも管理コストを削減することができた。すべてのメーカーとすべてのサプライヤーのあいだでの通信を可能にしたのは、これまたAPIだ（このような機能を果たすAPIをパブリックAPIという）。

各種ITサービスは、長年にわたってバリューチェーン内のワークフローの統合を着実に進めてきた。それはいまも続いている。最近ではクラウドも登場し、従来型企業は、必要なソフトウェアやITサービスのインフラをソフトウェア企業にアウトソーシングできるようになった。

たとえばセールスフォースはSaaS（サービスとしてのソフトウェア）を提供しており、クライアント企業は、自社が展開するサービスに必要なインフラを所有も管理もせず、自社のソフトウェアを通じて販売やマーケティングを管理できる。同様にアマゾン、マイクロソフト、グーグルが提供するIaaS（サービスとしてのインフラ）によって、従来型企業は多くのサービスをアウトソーシングしやすくなった。

たとえば、ニューバランスのようなスポーツシューズ・メーカーが、既存の販売網（アマゾンやフット・ロッカーなど）のほかに自社でもeコマース・チャネルを構築したいと考えた場合、メーカー向けにeコマースの構築と運営を行うリモートインフラを提供しているサードパーティ企業のサブスクリプション・サービスを利用することができる。

クラウドは、従来型企業のインフラ管理を簡素化し、ITシステムの柔軟性と事業目標との整合性を高める。組織全体でデータを共有する際の障壁を取り除くこともできる。ITサービスの進化で、バリューチェーン内のデータ統合が改善され、業務効率は向上する。

ところが、いまでも独自のソフトウェア言語を使い、サイロ化〔縦割りで他部門との連携がない状態〕されたデータストレージを有する古いシステムに依存しつづけている企業が少なくない。それでは効果的なデータの生成と共有はできないし、できたとしても、業務効率を向上させること以外にはほとんど役立たない。

だが、近年のさらなるデジタル技術の進化によって、従来型企業がこうした惰性を克服できる状況が生まれた。そうなれば、バリューチェーン・ネットワークをより大きな価値を生むプロダクション・エコシステムに変えることができる。ここで、そうしたデジタル技術について考察しよう。

先進デジタル技術で広がる可能性

いま、先進的なデジタル技術が続々と登場している。今後数年でさらに勢いを増し、私たちの生活を一変させる可能性が高い。たとえば、ブロックチェーン技術は、監査用の電子台帳を提供することで、金融取引や取引商品の真正性の検証に使える可能性がある。拡張現実（AR）は、倉庫や工場の作業員に次に何をするかを見せることで効率を向上させることができる。3Dプリンターを使えば現物ではなくデータで交換部品を届けられる。5Gなどの通信技術が進歩すれば、デバイス間でさらに大量かつ高速のデータ共有が進むだろう。

だが、業界ネットワークをデジタル・エコシステムに転換するうえで最大の貢献ができる技術となると、センサー、IoT、AIの3つが群を抜く。第1章と第2章でも触れたが、これらの技術によって、従来型企業もテクノロジー企業と同じようにインタラクティブ・データの生成と共有ができ、データを使ってできることの幅を広げられる。

- センサーは、アセット、製品、顧客からリアルタイムのインタラクティブ・データを収集することができる。
- IoTは、Wi-Fi、ブルートゥース、ジグビー（近距離無線通信規格）などのプロトコルを介して、さまざまな物理的アセットをインターネットに接続する。その接続性は、センサーやソフトウェア・インターフェースを持つアセットが増え、5Gテクノロジーで利用できるワイヤレス帯域幅が拡大するなどして通信能力が向上するにつれて増加する。
- AIは、統計的機械学習、ニューラルネットワーク、自然言語処理、RPA（ロボティック・プロセス・オートメーション）など、さまざまなテクノロジーにまたがる。[13] 本書で「AI」という場合、人間が見落とす可能性のあるパターンを大量のデータから認識するテクノロジーを指す。ＡＩはそのようなパターンに基づいて確率的予測を行い、意思決定に貢献する。

センサー、ＩｏＴ、ＡＩは、従来のＩＴがもたらしていた運用効率を、さらに飛躍的に向上させる。それは、製品と製品ポジショニングの強化というバリューチェーン本来の目的にも役立つ。しかし、もっと重要なのは、バリューチェーンが従来の製品中心の発想を超えられるという点だ。従来型企業はこれらのテクノロジーによって、業界ネットワークを利用して新しいデータドリブン・サービスやデジタル体験を生み出すことができる。

業務効率の向上

フォードの業務効率が、従来のＩＴサービスを使っていたときと比べて、これら3つの技術でいかに向上したかを見てみよう。

センサーは幅広くインタラクティブ・データを捉えることができる。さまざまな用途に使え、どこにでも設置でき、製品や機械にあとから組み込める。無数のセンサーをつなげば、ＩＴシステムのインフラの上に、ＩｏＴを通じてデータの生成と共有ができる膨大なネットワークを構築することができる。このように、センサーとＩｏＴによって、ＩＴシステムの能力をはるかに超えて、広範なデータの生成と共有が可能になる。

ここで重要なのは、センサー、ＩｏＴ、ＡＩは各種ＩＴシステムの機能を代替するものではないということだ。ＩＴシステムは、複雑なワークフローを自動化するという目的で、長い時間をかけて進化してきた。センサー、ＩｏＴ、ＡＩは、そのインフラの上に、データの生成と共有を行うネットワークを構築し、その働きを補完するものなのである。

この追加的ネットワークは、遍在するセンサーによって膨大なデータを生み出す。アセットに後付けされたセンサーによって、ソフトウェアやＩＴシステムの開発者が予想もしていなかった量と質のデータを生成している。

センサーには多様なデータを生成する汎用性があるため、ネットワークはさまざまな組織、アセット、活動から生成されるデータの種類をカスタマイズできる。ネットワーク内でデータを共有することにより、ＡＩが新たなインサイトを生み出すこともできる。実際、ＡＩはバリューチェーン内の問題解決につながる新たな知見を提供することによって、このネットワークに大きな力を与える。これらすべてが相まって、業務効率が向上するのである。

たとえば、フォードの組立部門のＩＴシステムが、製造部門から受け取ったドア部品に不良品が急増していることを検知したとしよう。組立部門のＩＴシステムは製造部門のＩＴシステムにアラートを発する。それと同時に、組立作業に遅れを生じさせないために、不具合のないドア部品の追加出荷を要求する。

ただし、それで組立作業の混乱という差し迫った問題は解決するが、不良品急増の根本原因や発生源に迫れるわけではない。そこで働くのが3つの技術だ。センサーとＩｏＴは、組立部門や製造部門のサイロ化したＩＴシステムを越えて、データの収集と共有の網を大きく広げ、ＡＩが広範なソースから大量のデータを取得することで、問題の根本原因を的確に特定することができるのである。

この仕組み全体によるソリューションがめざすのは、ひとつの工場での作業の中断を回避するというレベルではなく、自動車を生産するのに必要な時間全体を短縮することである。センサー、ＩｏＴ、ＡＩの力で業務効率を向上させるプロダクション・エコシステム戦略については、第4章で事例を挙げて詳しく説明する。

「予測型サービス」と「マス・カスタマイゼーション」

従来のＩＴシステムにはなく、センサー、ＩｏＴ、ＡＩによるシステムにはある、最も重要な能力は、データドリブンの製品機能やサービスを生み出す能力だ。製品にセンサーを取り付け、製品とユーザーのやり取りを追跡することによって、それができるようになる。

業務効率の向上にはコスト削減効果しかないのに対し（重要なことだが）、データドリブン・サービスは新しい収益源をもたらす。データを活用することで、企業は製品だけでは手が届かない範囲にまで市場を広げることができる。データドリブン・サービスは企業の顧客の相互作用のあり方を変え、企業そのものを変えていく。

データによって実現した製品機能によって、新しい価値と体験を顧客に提供するのがデータドリブン・サービスである。たとえば、フォードの車は自動で駐車スペースに移動し、車線内走行を助け、衝突回避のブレーキをかけてくれる。フォードはこうした機能を追加オプションとして提供し、価格と利益率を高めて利益を増やしている。

スマート製品の特徴を活かしたデータドリブン・サービスは、生成されるデータの種類、製品のタイプ、顧客のニーズに応じて、2つに大別することができる。

予測型サービス

第1のデータドリブン・サービスは「予測型サービス」だ。たとえば、フォードはセンサー・データとAIによって、エンジンや車軸、ブレーキなどの故障の可能性を検知し、事前にドライバーに警告を発することができる。

このような予測サービスを、特に保有車両のダウンタイムを縮小したいフリート顧客（レンタカー会社や警察など）にオプション販売し、新たな収益源にしている。このような予測サービスは、製品のダウンタイムがコストに直結するような利用環境では特に価値がある。

回避したい事態が発生する前に警告を出せるなら、予測サービスはさまざまな顧客に提供することができる。たとえば介護施設では、利用者の転倒や病気の可能性が高い場合にアラートを出すことで、患者の入院を事前に回避することができる。農業分野では、作物の病気や害虫の発生を予測し、大きな損害が発生する前に対策を取るよう促すことができる。

マス・カスタマイゼーション

スマート製品の特徴を活かしたデータドリブン・サービスの2つ目は「マス・カスタマイゼーション」だ。マットレスを例に取れば、ユーザーごとに異なる心拍数や呼吸、寝返りなどのデータをリアルタイムで収集し、良質の眠りが得られるように調整するというサービスである。そのような個別対応を多数のユーザーに提供するのがマス・カスタマイゼーションだ。ユーザー一人ひとりの、その夜の睡眠パターンに合わせて、マットレスが自ら形状（等高線）を変えることで実現する。

第4章では、プロダクション・エコシステムを利用して新しいデータドリブン・サービスを提供し、収益源を拡大する方法について、多くの事例を紹介する。

「補完ネットワーク」から「コンサンプション・エコシステム」へ

補完ネットワークはデジタル・エコシステムを構築するためのもうひとつの土台だ。だが従来型企業にとって、補完ネットワークはバリューチェーンより小規模で重要度も低かった。さらに、補完ネットワーク内でのデータの生成と共有については、従来型企業はITシステムをあまり使わず、アナログな方法で行っていた。

補完ネットワークは、コルゲートの歯ブラシと歯磨き粉のようなコ・ブランディングから生まれるものもあるが、ほとんどは業界の標準規格によって生まれる。ソケットの設計、電圧レベル、電気配線に規格があるから、消費者はどんな電球を買ってきても家で使うことができる。ガソリンスタンドの給油ノズルにも規格があるから、どの車も問題なく給油できる。

これまでアナログな方法でつながっていた補完ネットワークが、いま、センサーとIoTで、活気あるデジタル・コンサンプション・エコシステムへと劇的に変化している。**図3-4**（113ページ）は、フォードが従来の補完ネットワークから新しいコンサンプション・エコシステムに移行した様子を表している。

デジタル技術が確立する前、フォードの補完ネットワークには、デジタル接続されていない組織や対象がいくつかあった。ガソリンスタンド、独立したサービス提供会社（たとえば前述のマイダス）、道路や高速道路などだ（図3-4A参照）。

センサーとIoTにより、これらの補完ネットワークの参加者は、フォードのセンサー搭載車とデジタル接続され、プラットフォームを通じて同社のデジタル顧客にアクセスできるようになった。たとえば、ガソリンが切れそうな車には、最寄りのガソリンスタンドの場所が示される。ブレーキが故障しそうな車には、マイダスや同種の独立系修理会社が紹介され、メンテナンスの予約をすることができる。渋滞のアラートが発せられた車には、迂回路が提案される（図3-4B）。

どのサービスも、非デジタルな補完ネットワークをデジタルでつないだことによって生まれた。現在の車には、デジタル接続だから可能な補完ネットワークが数多く存在する。序章で紹介した、運転中のドライバーがコーヒーを注文できるシステムは、アマゾンのアレクサのようなデジタル補完ネットワークと、デジタル接続されたスターバックスや銀行のような外部事業者によって可能になった。

スターバックス以外にも接続できる小売店はいくつもある。フォードは、自社の車を補完する事業者やアセットを、たくさん見つけられるはずだ。デジタル接続された駐車場や、バス、地下鉄、電車といった交通機関とのソフトウェア・インターフェースなどもそこに含まれる（図3-4C）。

補完サービスの提供者とつながることで、フォードが提供できるデータドリブン・サービスやデジ

図3-4

補完ネットワークからコンサンプション・エコシステムへの進化（フォードの例）

A｜非デジタルの従来型補完財

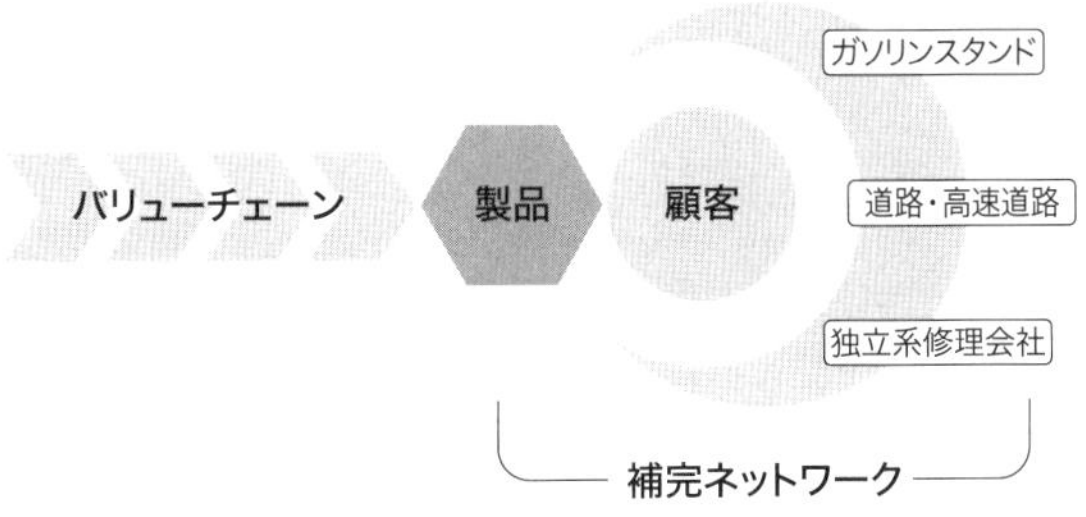

B｜デジタル接続された従来型補完財

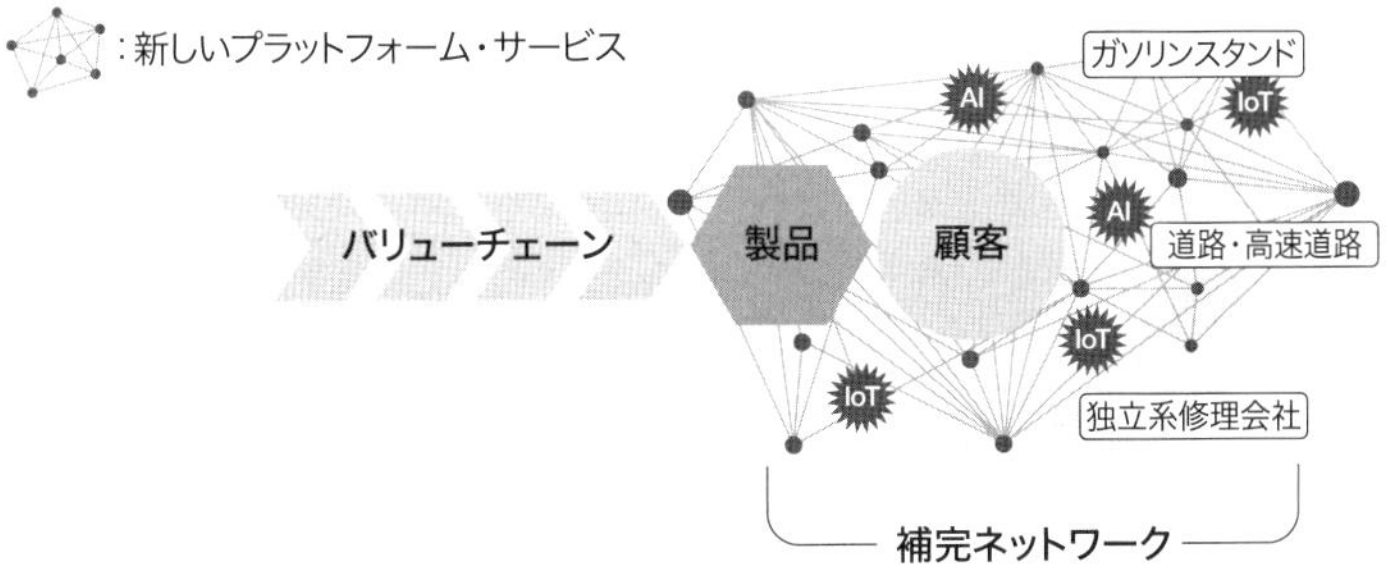

C｜デジタル接続されて拡張した新しい補完財

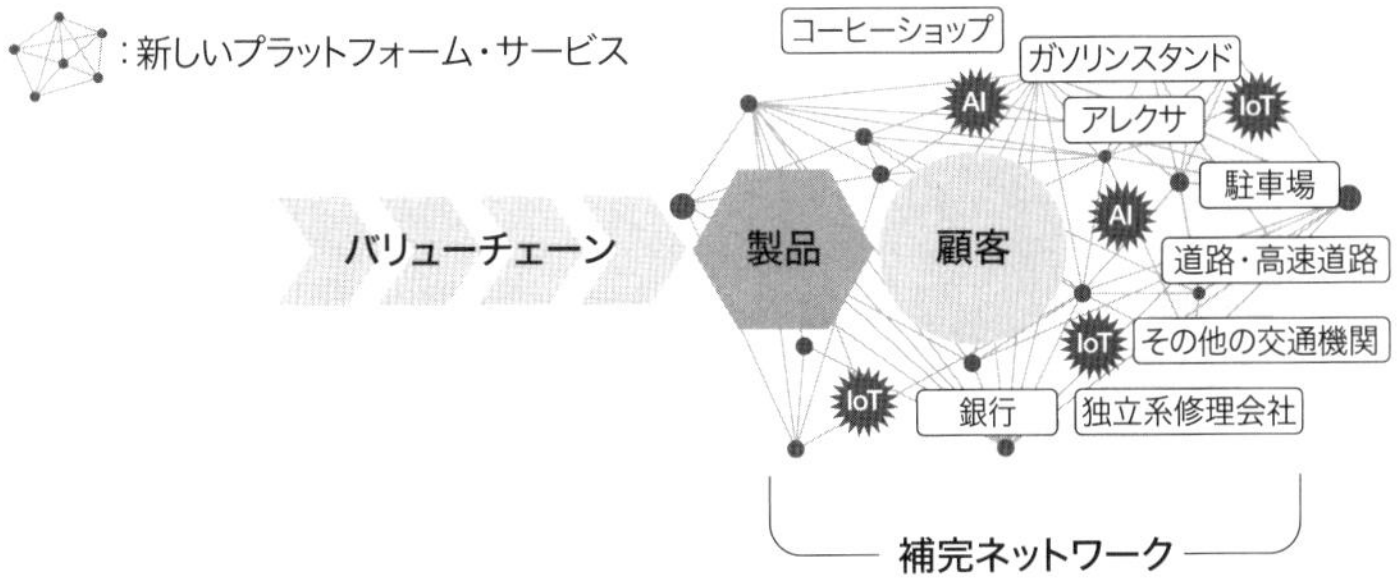

タル体験は増える。ここにコンサンプション・エコシステムの力がある。コーヒー注文サービス、販売後のタイムリーな保守点検、空き駐車場の検索、交通渋滞の回避などは、提供できるサービスと体験の一例にすぎない。

このようなサービスを提供するために、フォードはバリューチェーンをデジタル・プラットフォームに拡張する必要がある。さまざまなサードパーティ企業をデジタルで結び、それらのあいだの交換を促進しなければならない。従来型企業が新しいデータドリブン・サービスやデジタル体験を提供する方法については第5章で述べる。

プロダクション・エコシステムとコンサンプション・エコシステム――7つの相違点

プロダクション・エコシステムはバリューチェーンに立脚した方法でデータの価値を引き出すが、コンサンプション・エコシステムは、バリューチェーンの外で、「接続された」事業者を増やすことによって価値を引き出す。いずれのシステムも、データ技術とデジタル接続技術の飛躍的進歩によって実現したもので、それ以前は大多数の従来型企業にとって無縁のものだった。

プロダクション・エコシステムとコンサンプション・エコシステムはアプローチが異なるが、どちらも企業の競争領域を製品にとどめず、製品からもたらされるデータにまで拡大する。どちらも顧客との関わり方を変えるが、競争戦略を形づくる方法も、必要なケイパビリティも、提供する戦略的選択肢も異なる。

2つは違うシステムであることを理解する必要があるが、同時に、どちらもデジタル・エコシステムであって、両者のあいだには密接な関係があることを理解しなくてはならない。その点をふまえつつ、両者の違いを説明しよう。おもな違いは7つある（117ページの表3-1参照）。

相違点1 システムの基盤となるネットワーク

2つのエコシステムは、それぞれ異なるネットワークから生まれる。プロダクション・エコシステムはバリューチェーンから、コンサンプション・エコシステムは補完ネットワークから生まれる。2つのエコシステムの違いは、基盤となるネットワークの違いを反映している。両者は創造する価値が異なるし、デジタル競争戦略も異なる。

相違点2 ネットワークの参加者

バリューチェーン・ネットワークには、多くの企業や組織、アセット、活動が存在する。データの生成と共有は、先進デジタル技術が登場するはるか前から、ITサービスを使って行われていた。この確立したネットワークをベースにして、さらに充実したデータの生成と共有を実現するのがプロダクション・エコシステムである。

一方、補完ネットワークは、これまでは少数の参加者によって構成され、製品との物理的接続が可能な範囲に限定されていた。たとえば電球の場合、物理的な補完財はソケット、電気、配線だけだった。だが先進デジタル技術の登場で範囲が拡大した。たとえばスマート電球は、従来の電球よりはるかに多くの補完財とデジタルでつながっている。

序章で述べたように、留守宅で何らかの動きを感知するスマート電球にとっては、セキュリティサービスやアラーム、モバイルアプリなどが補完財となる。倉庫内の動きに関するデータを生成する場合は、ロジスティクス・サービス関連の組織、対象製品、活動が補完財となる。銃声を検出する場合は防犯カメラ、警察や消防のオペレーター、救急車などが補完財となる。このように、拡大した新しい参加者たちの中でデータの生成と共有を行うのがコンサンプション・エコシステムである。

相違点3　強化されるコンピテンシー

プロダクション・エコシステムはバリューチェーンから生まれるので、バリューチェーンの現在の競争力を強化し活性化する。その方法のひとつが、データの生成と共有の範囲を広げてオペレーションを効率化することだ。予知保全能力やマス・カスタマイズといったデータドリブン・サービスも、バリューチェーンの新たな強みとなる。

予知保全は、もともと従来型企業に備わっている販売後サービスの能力を向上させる。たとえばキャタピラーは、交換部品の在庫管理を効率化し、故障してから部品を手配するこれまでのやり方を改め、故障する前に重要なスペアパーツを手配する方法に改めた。

マス・カスタマイズも製品の機能を向上させる。GEのジェットエンジンは、状況に応じて燃料消費を抑える飛行方法をパイロットに指示することができるので、それができないエンジンより製品としてすぐれている。平均燃費を向上させることでGEは製品の機能を強化したことになる。

表3-1
プロダクション・エコシステムとコンサンプション・エコシステム

	プロダクション・エコシステム	コンサンプション・エコシステム
基盤	バリューチェーン・ネットワーク	補完ネットワーク
ネットワーク参加者	既存のアセット（機械・施設など）、企業や組織、活動間でのデータ生成と共有	新たに拡張されたアセット（機械・施設など）、企業や組織、活動間でのデータ生成と共有
使用または強化されるコンピテンシー	既存のバリューチェーン・コンピテンシー	新しいデジタル・プラットフォームでのコンピテンシー
新しいデータドリブン・サービスのためのソース	バリューチェーン内部でのコンピテンシー	外部補完者のアイデアとコンピテンシー
APIのフォーカス	内部向け	外部向け
新しい価値の範囲	意図的にバリューチェーン内部に制限	偶然の可能性に開かれ、範囲に制約がない（アプリ・エコノミーと同様）
ガバナンスの手段	既存のバリューチェーン・ガバナンス・メカニズムを活用	外部向け API に対する新たなガバナンス・メカニズムが必要

一方、コンサンプション・エコシステムは、製品の本来の機能とは別のところで新たなサービスを生み出す。スマート電球は、収集するデータを使ってホームセキュリティ、ロジスティクス、街の安全といった新しいサービスを生み出せる。いずれも照明という電球本来の機能とはかけ離れている。

このようなデータドリブン・サービスを実現するには、デジタル・プラットフォームの能力が必要になる。その能力によって競争力が決まる（これについては第5章と第8章で詳しく説明する）。

相違点4　データドリブン・サービスのソース

プロダクション・エコシステムは、バリューチェーンの中にある能力を使ってデータドリブン・サービスを顧客に提供する。たとえば、予知保全サービスは従来からあるアフターサービスを発展させたものだ。マス・カスタマイゼーションも、研究開発、製品設計、製造など、バリューチェーンに存在する既存の強みがよりどころだ。センサー・データやAIを管理するために新設された組織であっても、既存のバリューチェーンの活動に合わせ、プロセスや能力を融合させなければならない。

これと対照的に、コンサンプション・エコシステムは、新しいサービスの提供をサードパーティ企業のイノベーションに依存している。外部事業者が独創的な方法を見つけてくれれば、それが新しいサービスの主要な供給源となる（第2章では、これを「百家争鳴のアプローチ」と表現した）。ネストのサーモスタットが、車内から住居の冷暖房を自動調整したり、電力使用のオフピーク時に洗濯機を回すサービスを提供したりしているのも、自動車メーカー、家電メーカー、エネルギー会社など、多くのサードパーティ企業がネストのデータを補完する独創的な方法を発見したからだ。

相違点5　ＡＰＩのフォーカス

プロダクション・エコシステムは、プライベートＡＰＩを内部の連携のために使い、製品やデジタル顧客が発するデータをバリューチェーン内に流通させる。それによって業務効率を向上させ、予知保全やマス・カスタマイズといったデータドリブン・サービスにつなげている（第2章では、内部向けＡＰＩを、企業内インターフェースとサプライチェーン内インターフェースに分けて説明した）。

一方、コンサンプション・エコシステムは、外部の参加者を考慮したオープンＡＰＩを利用する。このエコシステムは、サードパーティ企業にデータを補完する方法――いわば相乗りする方法――を見つけてもらうことで活気が生まれる。ここから生まれるサービスは、ネットワーク参加者の数が増え、ネットワーク効果が増大するほど強力になる。オープンＡＰＩを採用することで、外部事業者にデータを補完する方法を見つけてもらえる確率が高まる（第2章で、このような外部向けＡＰＩが補完インターフェースとして活用されることを説明した）。

相違点6　生み出される価値の範囲

プロダクション・エコシステムはバリューチェーンの強みに依存し、内部的なデータ共有のためにＡＰＩを使うので、そこから生まれるのは業務効率の向上や、データドリブン・サービスが生まれるとしても内部的な強みを活かしたサービスに限られる。その活動は明確な意図をもって、計画されたターゲットと具体的な成果目標を設定したうえで進められる。

コンサンプション・エコシステムは外からのインプットと外部向けAPIを活用しているので、内部の強みを超える価値を生み出すことができる。共有データを使って新たなサービスをともに創造しようとする、多種多様なデジタル補完財に対して開かれている。このような新しい価値の創出は、多分に偶然に左右される。アプリケーション・エコノミー〔モバイルデバイス向けのアプリケーションを作成、販売、配布するビジネス〕と同様、何が人気を博すか、どのアイデアが口コミで広がるかを予測するのは難しい。

相違点7　ガバナンスの手段

プロダクション・エコシステムとコンサンプション・エコシステムではネットワークを管理するために必要なガバナンスの手段が異なる。これが最後の相違点だ。

プロダクション・エコシステムの参加者は、すでにバリューチェーンに組み込まれている。したがって、ガバナンスの手段は従来型企業がバリューチェーンを管理するために使っているものと大差はない。

社内の参加者に対するガバナンスの手段としては、社内のルールやプロセス、組織階層、指揮系統、特定の職種に対する期待などがある。サプライヤーやディーラーのような社外のパートナーに対しては、当該パートナーが生産する部品やカスタマー・リレーションの品質に対する基準や期待が、ガバナンスの手段となる。企業は参加企業と個別に契約を結ぶことでガバナンスを効かせる。このように、プロダクション・エコシステムには従来からのガバナンスの手段が引き続き有効である。

一方、コンサンプション・エコシステムには新たなガバナンスの手段が必要となる。歴史的に、従来型企業は補完ネットワークの参加者に干渉してこなかったので、プロダクション・エコシステムのような定まった慣行がない。参加者はすべてバリューチェーン外の組織なので、従来型企業が社内で使っている組織階層や指揮系統によるガバナンスも、サプライヤーやディーラーといったパートナーに対して使っている期待や慣行によるガバナンスも効かない。

たとえばフォードは、ディーラーに対してなら、修理に純正部品を使うことや、品質基準を満たすことを要請できる。だが、コンサンプション・エコシステムがフォード車のオーナーをマイダスにつないだら、そこでの修理の質を決めることはできない。ドライバーをスターバックスに接続するのと同じだ。

フォードはマイダスに対し、純正部品を使うことも、フォード基準のサービスの提供を約束することも求めることができない。ドライバーも、スターバックスのコーヒーの品質をフォードと関連づけないのと同様、マイダスの仕事ぶりをフォードと結びつけることはない。

このようなネットワーク関係はAPIで管理される。デジタル先進企業がプラットフォーム上の顧客との関係をAPIで管理しているのと同じだ。APIの利用条件や料金はソフトウェアによって管理される。ソフトウェアがデータや機能の組織間共有を自動的に差配し、取引条件を適用する。

たとえばフォードのAPIは、車が故障したら、決められたルールに基づいてドライバーに案内する修理会社を選び、契約条件に従ってその会社から自動的に課金する。条件が変わればソフトウェアの設定を変えればよい。取引量に応じて料率が変わる場合も、ソフトが自動的に適用してくれる。基本的にAPIによるガバナンスは、バリューチェーンによる従来のガバナンスより柔軟性が高い。

デジタル・エコシステムとインダストリー4・0

本章を終える前に、デジタル・エコシステムと、第四次産業革命とも呼ばれる「インダストリー4・0」のコンセプトとの関連について説明しておこう。業界ネットワークがデジタル・エコシステムに変貌していく過程は、インダストリー4・0の進化と軌を一にしているからだ。また、従来型企業が新しいデジタル・エコシステムを構築するうえで、インダストリー4・0がもたらす経済環境を理解しておくことは有益だからでもある。

インダストリー4・0とは、スマート・テクノロジーによって従来型産業が先進的産業に変貌していく進化の過程を指す。その名称と基本コンセプトは、2010年前後に登場したドイツの産業政策に由来する。2015年のダボス会議（世界経済フォーラム）で、アンゲラ・メルケル首相は、既存の業界に対してインダストリー4・0の重要性を次のように強調した。

ドイツの首相として申し上げます。ドイツ経済は好調ですが、私たちは迅速にオンラインの世界と工業生産の世界の融合を進めなければなりません。ドイツではこれをインダストリー4・0と呼んでいます。（中略）そうしなければ、デジタル領域のリーダーたちが、工業生産をも左右することになってしまうからです。私たちは自信を持ってこのレースに臨んでいます。しかし、まだ勝利を収めてはいません。[14]

「インダストリー4・0」という言葉は、産業が先進デジタル技術によって新しい時代に入ったことを感じさせる。従来型企業に対して、新しい時代に適応するための変革が必要だと指摘し、進むべき道を示唆しているようだ。インダストリー4・0の重要性を理解するには、これ以前に起こった産業史上の革新、すなわちインダストリー1・0、2・0、3・0を振り返る必要がある。

インダストリー1・0は、手工業的な生産方式から蒸気や水力を利用した機械による生産方式へと移行した時代だ。インダストリー2・0は、広範な鉄道網の発達や電信、電気の普及を指す。インダストリー3・0は、ITシステムの急速な進歩と普及により、工業分野の企業がワークフローを自動化してデータ活用ができるようになった時代だ。どれも百年に一度あるかないかの大きな変化だ。そしていま、センサー、IoT、AIなどの先進デジタル技術が、私たちの目の前で起こっているインダストリー4・0の革命を牽引している。

インダストリー1・0から3・0までの革新は、製品をつくる方法や販売する方法の根本的変化だった。機械、電気、コンピュータといったテクノロジーの発展が、それぞれの時代の中で革命的な変化をもたらした。

その歴史から、インダストリー4・0もその延長線上にあると考える向きもあるだろう。インダストリー1・0から3・0までと同様、テクノロジーの進歩を利用した、大きくはあるがバリューチェーン改革の一環とみなす考え方だ。

実際、インダストリー4・0は、スマートファクトリーや完全自動工場《ライツ・アウト・ファクトリー》など、人間による意思決定の必要を最小化するような進展と結びつけて語られることが多い。たとえば日本のロボット・メーカーのファナックは、定期メンテナンスとトラブル対応のための最小限の人員で、最大600時間連続して稼働できる工場を実現している。こうした連想から、従来型企業がプロダクション・エコシステムから恩恵を得るのが4・0だという印象を受けるかもしれない。

しかし、インダストリー4・0の影響がおよぶ範囲はプロダクション・エコシステムにとどまらない。スマート製品を通じた新しいユーザー体験の提供も4・0の範疇だ。そして、スマート製品がもたらす新しいユーザー体験はコンサンプション・エコシステムから生まれる。つまり、インダストリー4・0がもたらす価値を余すことなくつかむためには、プロダクション・エコシステムとコンサンプション・エコシステムの両方に取り組まなければならないということだ。インダストリー4・0は、これまでの産業革命と違い、オペレーションの効率向上にとどまらない新たな可能性をもたらす。

次の2つの章では、プロダクション・エコシステム（第4章）とコンサンプション・エコシステム（第5章）について詳しく述べ、従来型企業がデータの価値を引き出し、データドリブン・サービスによって新たな利益を生み出すうえで、デジタル・エコシステムが果たす役割を掘り下げる。

競争戦略の要としてのデジタル・エコシステム

この章では、プロダクション・エコシステムとコンサンプション・エコシステムを統合するデジタル・エコシステムという、本書の中心的フレームワークを提示した。デジタル戦略の実現に向けての理解が一歩進んだと思う。

デジタル・エコシステムによって、従来型企業はプロダクションとコンサンプションのエコシステムに従来とは違う方法で関わることができ、データからはるかに大きい価値を引き出すことができる。デジタル競争戦略を構築しようとする従来型企業にとって、重要な基盤となるのがデジタル・エコシステムである。

私たちはそのことをデジタル先進企業とそのプラットフォームから学んだ。その方法論を従来型企業の一般的ビジネスモデルに応用できるようにアレンジしたのが本書である。

従来型企業は製品で勝負し、業界構造やバリューチェーンによって自社の強みを引き出している。業界をネットワークとして捉えることで、事業を遂行する場をデジタル・エコシステムへと広げることができる。バリューチェーンと補完ネットワークから成る業界ネットワークは、デジタルなプロダクション・エコシステムとコンサンプション・エコシステムを構築する土台となる。

従来型企業が自社のニーズにふさわしいデジタル・エコシステムを構築することができれば、製品の強みだけでなく、データによる強みも加えることができる。従来型企業がプロダクションとコンサンプションの2つのエコシステムにどう関わるかによって、デジタル競争戦略の内容と範囲が決まる（第4章と第5章では、その点を論じる）。

序章で、競争優位の基盤を製品や業界に求めつづけるデジタル近視眼について述べたが、本章で提示したデジタル・エコシステムのフレームワークによって、従来型企業に、自社の製品や業界を越えて価値を提示する展望が開ける。

データやデジタル・エコシステムに業務効率の向上という価値しか見出せないようでは、重度のデジタル近視眼だ。従来型企業の多くは、先進デジタル技術に、昔からある問題の解決しか期待していない。新製品をもっと早く市場投入するにはどうすればいいか、製品のイノベーションで大きな利益を得るにはどうすればいいか、ダウンタイムを削減するにはどうすればいいか、グローバル・サプライチェーンの管理を強化するにはどうすればいいか、といった問題だ。

それも重要だが、そういうことのためにデータを使っても、データが持つ潜在的能力の一部しか引き出したことにならない。優先事項を変えれば、もっと大きな可能性を引き出せる。新しいデータドリブン・サービスを提供するにはどうすればいいか、収益源を製品からサービスにシフトするにはどうすればいいか、プロダクション・エコシステムを通じて新しいデータドリブン・サービスを提供するにはどうすればいいか、コンサンプション・エコシステムを通じて新しいデータドリブン・サービスを提供するにはどうすればいいか、といった課題のためにこそデータを使うべきだ。それを次章以降で考えていこう。

第４章

プロダクション・エコシステム

業務効率向上とデータドリブン・サービス

デジタル・トランスフォーメーション（DX）の4段階

本章では、プロダクション・エコシステムがデータの可能性を引き出すメカニズムを説明する。また、従来型企業がプロダクション・エコシステムを使ってデジタル戦略を構築する方法についても論じる。

図4−1は、プロダクション・エコシステムから生まれる価値を2つに大別したものだ。ひとつは、生産性向上とコスト削減という価値である。それはバリューチェーン内でのデータの生成と共有がもたらす業務効率の向上によって生まれる。もうひとつは、データドリブン・サービスの提供によって新たな収益源を生むという価値である。

ここで、序章で説明したDXの4段階を振り返ってみよう。[1] 最初の3段階はプロダクション・エコシステムの中で進展する。第4段階はコンサンプション・エコシステム（第5章）の中で起こる。

- 第1段階＝バリューチェーン内のアセットからのデータを使って、業務効率の向上をめざす。
- 第2段階＝製品や顧客からのデータを使って、業務効率の向上をめざす。
- 第3段階＝製品や顧客からのデータを使って、データドリブンで顧客に新たな価値を提供する。
- 第4段階＝コンサンプション・エコシステムへの関与を深めていく（次章で詳しく説明する）。

図4-1
プロダクション・エコシステムからデータの価値を引き出す

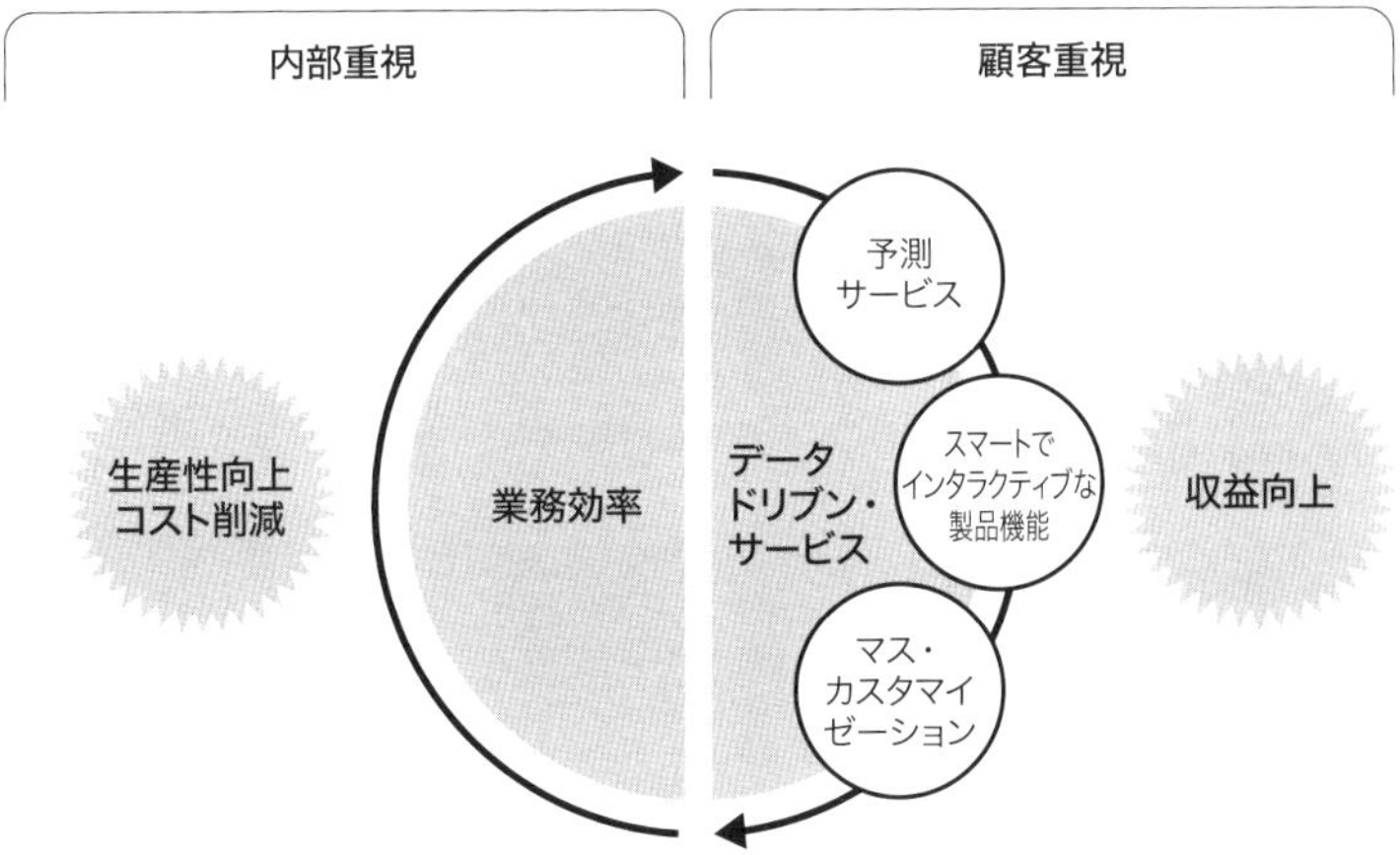

この章では最初の3つの段階を進んでいく方法を論じる。まずは第1段階と第2段階の話から始めよう。

業務効率の改善

プロダクション・エコシステムとは、最新デジタル技術によってデータの生成と共有の能力を高めたバリューチェーン・ネットワークのことである。

ITシステムは以前から使われていたが、最新のテクノロジーがその能力を大幅に向上させた。旧来のITシステムでも企業内のワークフローの自動化と統合の効果はあったので、最新技術によってプロダクション・エコシステムの業務効率がさらに向上することは言うまでもない。

ここでは、プロダクション・エコシステ

ムを利用して業務効率を高めた企業のケースを紹介する。最初の2つの事例（日用品と製薬）は、バリューチェーン内のアセットからのデータを利用したもの、3つ目の事例（土木建設機械）は、製品や顧客からのデータを利用したものである。

これらを読めば、従来型企業がプロダクション・エコシステムを業務効率向上のために利用できる方法のいくつかがわかるだろう。それぞれの方法の根底にある考え方についても触れているため、異なる状況下でも適用できるはずだ。

需要と供給のマッチングの精度を高める——日用品業界

日用品（FMCG）というのは商品回転率が高い消費財《ファスト・ムービング・コンシューマー・グッズ》（飲料、洗面用品、加工食品、化粧品、市販薬など）のことで、そのほとんどが低価格帯だ。このカテゴリーの商品の売り上げは、世界全体で2018年に10兆ドルを超えた。

主要企業としてはネスレ、P&G、ユニリーバ、ペプシコ、コカ・コーラなどがあり、いずれも複数のブランドを持つ大企業だ。世界最大の食品会社ネスレは8000以上のブランドがあり、ユニリーバのブランド数は約400だ。

各ブランドにそれぞれ何千ものアイテム（商品）があり、各アイテムには小売業者が入荷数や販売数を管理するためのSKU（最小在庫管理単位）という固有のIDが割り振られている。たとえば、P&Gは「タイド」というブランドで、液体洗剤、洗剤ジェルボール、殺菌ファブリック・スプレー、洗浄剤など複数のアイテムを展開している。各アイテムはさらに、容量、色、容器の素材といった属性によってさらに細かく分かれ、それぞれに個別のＳＫＵが割り振られる。ＳＫＵの数が膨大になるのも当然だ。

ＳＫＵを付けた膨大な数の商品が、大小さまざまな何百万という小売業者からなる複雑なネットワークを通じて世界中で販売されている。日用品メーカーにとって重要な課題は、小売業者から届くＳＫＵごとの需要と自社の流通センターからの供給をマッチングさせることだ。

日用品業界の需要と供給のマッチングに関してよく知られている問題は、「ブルウィップ効果」と呼ばれている。[2] ブルウィップ効果とは、個々の店舗で生じたわずかな需要の変化が増幅され、必要な供給量の予測が大きく外れてしまうことを言う。牛《ブル》を従わせるムチ《ウィップ》を握った手を小さく動かしただけでムチの先端が大きくしなるように、個々の店での需要の小さな変化が、サプライチェーンの上流で必要在庫量に大きな変動をもたらす可能性があるということだ。

ブルウィップ効果が生じる原因はいくつかある。メーカーが大量購入割引きを行えば、小売業者が通常の注文より多く購入することがある。運送会社の割引きも、小売業者が求めるＳＫＵの数に歪みを生じさせることがある。短期的なプロモーションに対して、小売業者が特異な反応を示すこともある。サプライチェーン全体で意思疎通がうまく行われていないと、こうしたことすべてがブルウィップ効果を生じさせる。

多数のＳＫＵを持つ企業は、需要だけでなく、供給の複雑さと不確実性にも悩まされる。その原因のひとつが、従来のサプライチェーン計画（ＳＣＰ）〔原材料から販売までの計画〕のソフトウェアでは、8〜12週間を超えると適切な在庫管理ができないということだ。

予想外の需要変動のために注文の8～10％に対応できないというのは、この業界では珍しいことではない。サプライチェーンのどこかに在庫があるのに、出荷できないということが起こる。在庫を見つけ、適切なアクションを起こして注文に間に合わせるということができないのだ。

この機会損失について、法人向けＡＩソリューションを提供するヌードル・アイの共同設立者兼社長であるラジ・ジョシは次のように述べている。「避けられない必要経費のように思われていますが、サプライチェーンの責任者がこの問題を解決するうえで、最新のデジタル技術には大きな可能性があります」

従来のＥＲＰシステムでも、需要と供給の動向について膨大な量のデータを取得することは可能だ。だが、データ活用の面では事後的な分析に終始しており、得られるのは前週、前月、前四半期の成果と課題についてのインサイトだけだ。ジョシによると、それとヌードル・アイが提供する法人向けＡＩソリューションが違うのは、ＡＩは確率論的な将来予測に役立つという点だ。

ＡＩはデータのさまざまなパターンを解釈、分析するアルゴリズムを使って、たとえば、この得意先の、この地域からの、このＳＫＵに対する注文を満たせなくなる可能性が80％ある、といったことを伝えてくる。ＡＩはＥＲＰシステムのデータに基づいて、ＳＣＰの担当者に在庫を増やして注文に備えるよう助言することもできる。逆に過剰在庫も予測できるので、生産量を減らして在庫コストを抑えるのにも役立つ。つまり、ＡＩはリスク回避によって多大な利益をもたらしてくれるということである。

ジョシによると、日用品業界では注文未対応を1ポイント改善できれば（たとえば10％から9％に引き下げられれば）、貢献利益が数百万ドル増える可能性があると言う。

研究開発の生産性を高める——製薬業界

創薬は医薬品事業の生命線だ。製薬企業の命運は新薬の開発パイプラインにかかっている。当然のことながら、製薬業界は研究開発（R&D）にかなりの投資を行っており、その額は年間収益の約17％におよぶ。[3] 航空宇宙業界は約5％、化学産業は約3％だ。マイクロソフトとグーグルのR&D投資は約12％である。製薬業界の17％というのは業界の平均で、大手企業の投資はさらに大きい。2019年のアストラゼネカのR&D投資は年間収益の約25％、イーライリリーは約22％、ロシュは21％だった。

2018年、製薬業界のR&Dへの総投資額は世界全体で1790億ドルだった。これには、薬剤や疾患の初期研究から前臨床および臨床試験段階での化合物のテストまで、あらゆる段階の費用が含まれている。このうち約560億ドルが、実験室で行われる初期の医薬品研究に投入されている。[4]

図4−2（135ページ）は、製薬会社の研究所のバリューチェーン・ネットワークを大まかに示したもので、さまざまな試験研究用品《サプライ》から始まる。含まれるのは、細胞解析・ゲノム解析・タンパク質精製などに用いるキットやアッセイ〔分析試料など〕、試薬、実験動物、実験に必要な一般的なラボ用品（化学薬品、ガラス器具、消耗品など）だ。

バリューチェーンの次の段階は、科学者がこれらの消耗品や実験装置を使って行う実験だ。そのような実験が数年にわたり、何千回も行われることで、さまざまな病気と闘うための化合物が発見され、関連する特許や出版物などの研究成果物が生まれる。

先進的な研究がアナログな装置や器具で行われている

実験装置は3つのカテゴリーに分類できる。

最初のカテゴリーは、超低温冷凍庫や培養器など、24時間稼働しつづける装置だ。超低温冷凍庫は、試薬や抗体、分析キットを摂氏マイナス20度、マイナス80度といった低温で保存するために使う。培養器は、細胞培養に必要な酸素や二酸化炭素を供給するほか、細胞を所定の温度と湿度に保つために使う。通常、24時間連続で稼働しており、途切れると実験が台なしになる可能性がある。

2つ目のカテゴリーは、必要なときだけ使う装置だ。遠心分離機は密度の異なる液体や物質を分離するときに使う。たとえば赤血球、白血球、血小板、血漿《けっしょう》などの血液成分の分離に使われる。実験用天秤《てんびん》は、重量を1ミリグラム以下のオーダーで精密に測定する必要があるときに使う。

これら2つのカテゴリーの装置の多くはアナログだ。使用結果の記録は通常、手作業で行われる。化合物の質量を測定した研究者が紙のノートに測定値をメモする、というようなことが行われている可能性がある。

3つ目のカテゴリーは、コンピュータに接続できるソフトウェアが内蔵されている装置である。一般的に、そのような装置はたんなる数値ではなくデータファイルを出力する。たとえば質量分析計(分子内部のイオンスペクトルに基づいてサンプルの分子組成を割り出す)は、微量なたんぱく質、バイオマー

図4-2
製薬研究所のバリューチェーン・ネットワーク

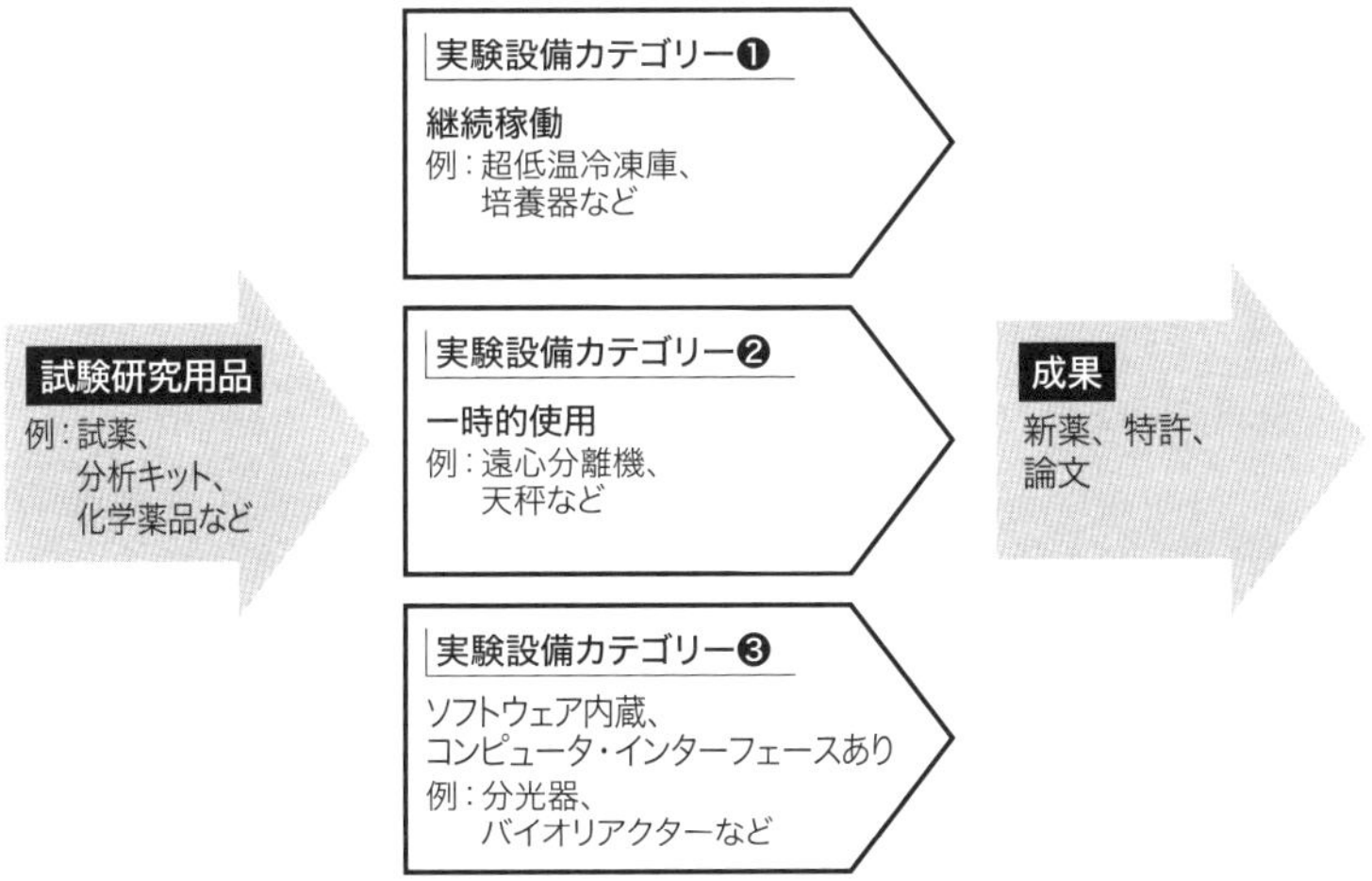

カー、薬物分子などを、複数の物質が混在する中から検出するが、検出データの解釈のためには大量のデータ分析と単調な計算が必要で、ソフトウェアが駆動するアルゴリズムなしではとうてい実行できない。

　このカテゴリーの装置はデジタルでデータを生成し記録するが、そのデータは装置自体や装置に接続されたコンピュータ内に、サイロ化された状態で他とつながることなく保持されている。複数の実験装置からのデータが簡単に共有・統合できるようにはなっていないのである。

　以上、3つのカテゴリーに分けて説明したが、製薬会社のバリューチェーン・ネットワークに存在する研究所のアナログぶりがわかったと思う。R&Dには巨額の投資が必要なので、その効率を少しでも高められたら研究所の収益は大きく改善されるはずだ。
このバリューチェーン・ネットワークをデジタルなプロダクション・エコシステムに変えるにはどうすればよいのだろう？　それによって企業はどんな恩恵を期待できるのだろう？

実験結果の奇妙なばらつき

それを考えるために、エレメンタル・マシンズのCEO兼創設者シュリーダー・イエンガーに登場してもらおう。同社は、個々ばらばらの実験装置をセンサーとIoTでネットワークにつないでいる。センサーは、研究者が実験を行っている時間帯の温度、湿度、気圧、光などの状況変数を記録するのに役立つ。なぜそのようなデータが重要なのかを、イエンガーが2人の同僚から聞いた個人的なエピソードを通して説明してくれた。

同僚たちが生物学の実験研究者《ベンチ・リサーチャー》として勤務していたとき、奇妙な現象に遭遇した。研究者ならだれもが心得ているように、実験は再現性がある場合のみ成功したとみなされる。つまり、同じ手順で実験したら同じ結果が出なくてはならない。だが、そのとき同僚たちが行っていた実験は、結果にばらつきがあった。

しかし実験を繰り返すうちに、彼らはあるパターンに気づいた。特定の曜日のみ結果がばらつき、ほかの曜日では一定していたのである。なぜなのだろう？　実験はマウスを使っていた。結果がばらつく曜日は、隣の工事現場で夜間工事が行われていた。工事の騒音と振動がマウスの夜行性パターンに影響を与えていたのである。

別々の研究所で働く2人の同僚から同じような話を聞いて、イエンガーにひらめいたことがあった。「実験室で行う実験では環境が重要だ」という事実だ。もちろん、製薬会社の研究所で行われる実験のほとんどは非常に複雑な条件下で行われている。だが温度、湿度、気圧、光（マウスの場合は音と振動のレベル）といったごく基本的な変数だけでも測定しておくと役に立つ。そのデータから、結果のばらつきの原因をある程度特定することができるからだ。

つまり、結果にばらつきがあっても、仮説が間違っていたと決めつけてすべての実験結果を捨ててしまう必要がなくなるということだ。これは生産性の大幅な向上につながる気づきだった。エレメンタル・マシンズは最近、データとデータ・コネクティビティを通じて研究所の生産性を向上させることを目的として、ライフサイエンスのグローバル企業であるパーキンエルマーと提携した。

データとデータ統合によって向上する業務効率

図4-3（139ページ）は、製薬会社の研究所のバリューチェーンがプロダクション・エコシステムに移行する過程を図示している。ラボのさまざまな装置が、センサーやＩｏＴを通じて接続されることで移行が進んでいく。特別なケースではＡＩまで活用されることもある。

細胞培養器（最初のカテゴリーに含まれる実験装置）のセンサーは、合成生物学に対応するアプリケーションによって細胞増殖が行われている環境条件を記録する。細胞を入れる発酵容器に付けたスマートラベルは、増殖に影響を与える周囲の条件（温度、湿度、CO_2濃度など）を記録し、予期せぬ変動が発生したときに研究者に警告を発する。複数の研究者が培養器を共有しているような場合、こうした変動が起きてしまうことがある。たとえば、細胞の増殖中に培養器の扉が開けられた回数は実験結果に影響を与える可能性がある。

状況をさらに複雑にしているのが、細胞増殖には数日かかることがあるうえに、増殖が成功したかどうかを判断するためのデータが揃うまでにさらに数週間かかることもあるという点だ。タイムリーなアラートを出せれば研究者の貴重な時間を有意義な活動のために確保できる。

この考えは、2つ目のカテゴリーの装置の一部にも当てはまる。たとえば、マイクログラム単位の測定を行う特殊な天秤の測定装置は、風防ドア（温度や空気の動きといった微細な変化で測定値に影響が出るのを防ぐために設置される）の開閉によって影響を受ける可能性がある。

最初のカテゴリーの装置は、物質を確実に保存するために途切れることなく稼働させることも必要だ。予期せぬ中断が生じたときにセンサーが感知し、関係する研究者に警告が発せられれば、実験計画の変更などの対応ができる。

2つ目のカテゴリーの機器は、ネットワークに接続することができれば、科学者間で実験の時間調整をするのに役立つ。たとえば遠心分離機は、実験の特定のプロトコルが完了したあとで使用する必要があるなど、時間的な制約を受ける。機器の使用スケジュールのデータがあれば、科学者はそれに合わせて実験を計画し、無駄な作業や時間のロスをなくすことができる。

3つ目のカテゴリーの装置にはデジタルデータを生成する能力があるが、生成されるデータは装置の中核機能に関するものに限られている。これにセンサーを追加すれば、柔軟に他の装置と統合することができる。たとえば、分光計によって生成されるデータは通常、試料の分光分析に限定されて

図4-3
製薬研究所のプロダクション・エコシステム

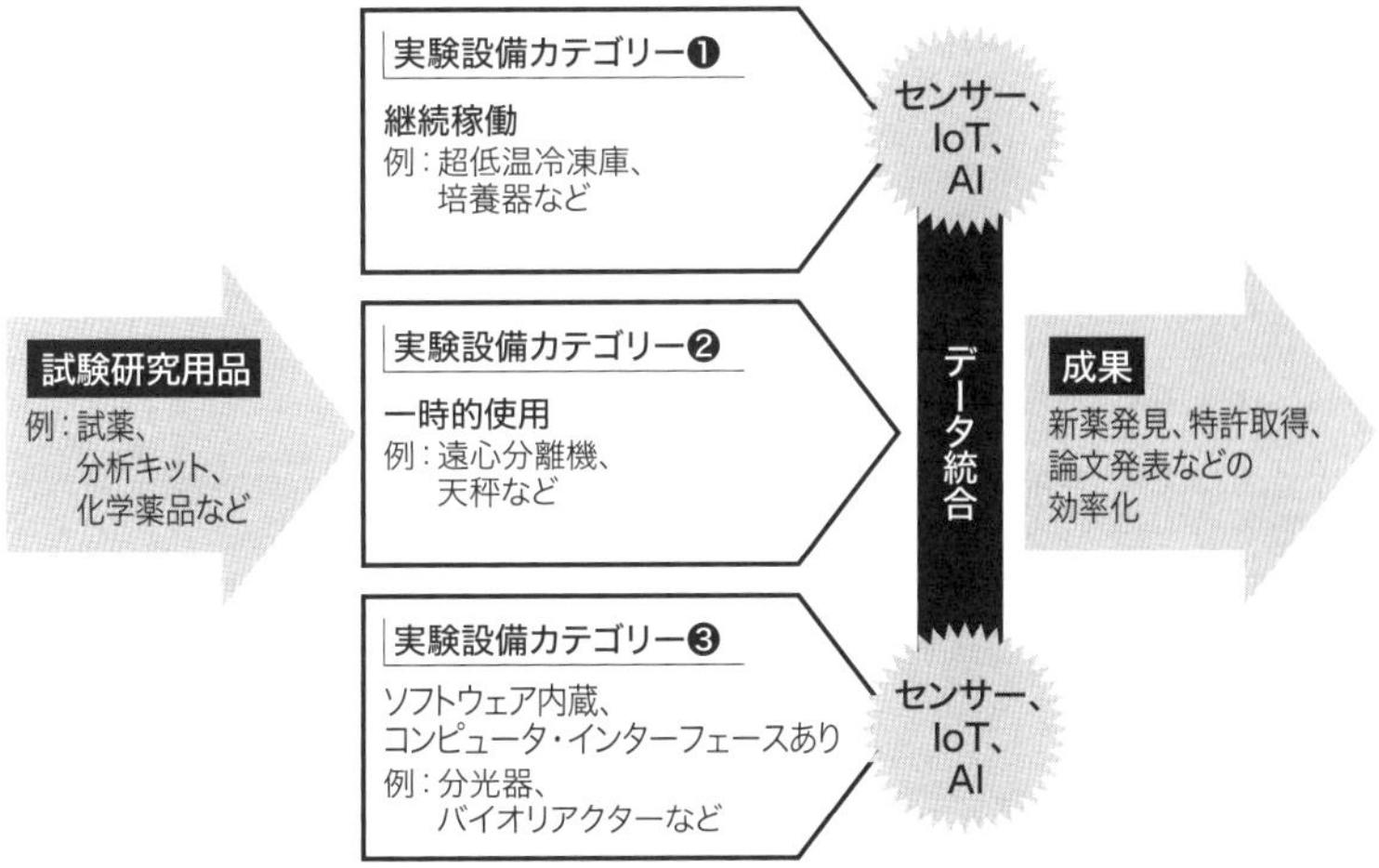

いる。そのようなデータは、研究者の実験計画やスケジュール調整には役立たないし、読み取りが行われたときの室内温度（装置の構成に影響を与える可能性がある）も考慮されていない。こうした問題も、センサーが搭載されて、ＩｏＴによって他のカテゴリーの装置に接続されれば解決する。

以上のような改善によって、実験の不確かさが抑えられ、装置の利用効率が向上する。それは研究室の業務効率の向上にほかならず、コスト削減効果がある。イエンガーによれば、大手製薬企業なら数百万ドルのコストを削減できるという。彼は「製薬会社は莫大な額を研究に費やしているが、その割には研究所はアナログだ」と言っている。最新デジタル技術によって、このようなアナログなバリューチェーンを、価値を生むプロダクション・エコシステムにつくり変えることができる。

製品やユーザーのデータを使った業務効率向上──土木建設機械

業務効率を向上させるデータは、ＥＲＰや研究開発のための機材など、企業のアセットから得られるものだけではない。埋め込んだセンサーを通じて、製品やユーザーから得られることもある。

序章で、センサーを搭載したキャタピラーのモーターグレーダーが顧客インサイトにつながるインタラクティブ・データを生成する仕組みを紹介した。同社がモーターグレーダーを設計したとき、重い土砂をならすために使われることを想定していた。ところが実際の稼働データを見ると、予想に反して、軽量の砂利をならす作業に使われていることが多かった。この発見から、キャタピラーは軽量の砂利に適したブレードの開発を決めた。安価に生産できる機械を設計したことで価格競争力が高まり、収益改善につながった。

つまり顧客からのセンサー・データによって、キャタピラーは研究開発と製品開発の生産性を高めることができた。アンケートやフォーカスグループといった従来の方法で使用データを集めていたら、設計変更にたどりつくまでに長い時間がかかり、多くのリソースを浪費したことだろう。

製品にセンサーを組み込めなくても、顧客からインタラクティブ・データを取得することはできる。P&Gやレッドブルなどの消費材メーカーは、ウェブベースのセンサーを使い、独創的なCRM（顧客関係管理）プログラムによって、顧客からデータを収集している。CRMによって顧客と潜在的顧客を自社のサイトに誘導し、サードパーティである小売業者を通じて販売された製品からは得られないデータを収集している。

P&Gの赤ちゃん用おむつブランドであるパンパースは、妊婦や若い母親に、出産や乳幼児ケアについてアドバイスを提供するCRMを実施している。レッドブルのCRMでは、「レッドブル、翼をさずける」というブランドイメージに沿って大胆なスタント動画を配信し、幅広い層の顧客獲得に成功している。両社の顧客は、さまざまなコンテンツを楽しみ、ロイヤルティプログラム（リピート顧客に対する優遇など）に参加したり、パンパースの場合は子育てに関するアンケートに答えたりするアクションを通じて、インタラクティブ・データを提供している。

集められたデータは、広告やプロモーションのマス・カスタマイゼーションやマイクロ・ターゲティングに役立つ。顧客にアピールする可能性が最も高いメッセージが、注目を集めやすい方法で、フェイスブックやグーグルなどのチャネルで拡散される。このような方法で両社は広告の効率を高めている。

製品データとユーザーデータの活用による業務効率向上の効果は、個々のアセットの有効活用というレベルを超えて、研究開発、製品開発、マーケティング、広告などのプロセスにまで広がる。

製品やユーザーからセンサー・データを得るのは、バリューチェーン上のアセットからデータを得ることより難しいので、従来型企業にとって、これによって業務効率を向上させるのは容易ではない（DXの第2段階となる）。この点については、デジタル顧客（インタラクティブ・データを提供してくれる顧客）の獲得について論じる第6章で詳しく取り上げる。

業務効率を向上させるさまざまな方法

以上でわかるように、従来型企業がプロダクション・エコシステムを利用して業務効率を向上させる方法にはさまざまなものがある。ここで紹介したケースの根底にある考え方は、どんな業界にも当てはまるし、さまざまな状況に適用できるので、どの企業も業務効率化を実現することはできる。

すべての方法をこの本でカバーすることはできないが、業務効率を改善すべき分野を特定できれば、最新のテクノロジーがソリューションを提供してくれることは間違いない。バリューチェーン上のさまざまな企業や組織《エンティティ》とアセットを接続して業務効率を向上するＩｏＴベースのソリューションを提供するサードパーティ企業（ヌードル・アイやエレメンタル・マシンズなど）はいくつかあり、従来型企業はそれを使うことができる。

業務効率の向上によるコスト削減は重要だが、プロダクション・エコシステムのメリットはそれだけではない。データドリブン・サービスという新たな収益源を創出することもできる。その例を次に紹介する。

プロダクション・エコシステムから生まれるデータドリブン・サービス

先ほど紹介したキャタピラーはアメリカを代表する機械メーカーだ。１９２５年のホルト・マニュファクチャリングとＣ・Ｌ・ベスト・トラクターの合併から始まり、いまや世界最大の建設機械メーカーである。同社のローダー、ショベルカー、ブルドーザーなど、黄色いカラーリングとCATのロゴが目印の同社の機器は、ほとんどの建設現場で活躍している。厳しい気象条件や困難な地形での酷使に耐える頑丈な機械工学製品を製造する文化が深く根づき、「ビッグ・アイアン」（大きな鉄）のニックネームで親しまれている。近年ではデジタルの世界にも進出し、データドリブンの洗練されたサービスを数多く提供している。

キャタピラーは、建設・鉱業機械、ディーゼルエンジン、天然ガスエンジン、産業用ガスタービン、ディーゼル電気機関車など、さまざまな製品の販売やサービスを提供している。製品は建設、鉱業、石油やガスの探査および抽出、発電、海運、鉄道輸送など幅広い業界で使われている。キャタピラーは以前から、製品ごとの業界ニーズに柔軟に対応する組織構造を採用していた。そのため、1990年代前半に独立採算の事業部制を導入した。各ビジネスユニット（たとえばグローバル掘削機部門）に自らの部門の収支の責任を持たせたのである。製造台数、製品設計、生産拠点、サプライヤーなどの決定もユニットごとに行われるようになった。

このような構造は1990年代のコングロマリットではごく一般的であった。当時の事業戦略は、第3章で述べたように、おもに業界の特性をにらんで立案されていた。収益の源泉は製品にあり、製品が業界の中でいかに競争力を発揮するかにあるという考え方であった。

建設機械業界に進出してきたデジタル企業

しかし、それから5年も経たないうちに、デジタル技術がキャタピラーの事業環境を変えはじめた。建設機械業界の外から、それまでとは違う業種の企業が、キャタピラーのさまざまな市場に参入してきたのだ。新規参入者は、キャタピラーと同じ機器で勝負するのではなく、データを通じて顧客に新しいサービスを提供することで攻勢をかけてきた。キャタピラーが販売したものであれ、コマツ、日立、ボルボといったキャタピラーのライバルが販売したものであれ、インタラクティブ・データを使って、ユーザーがより効果的に機器の使用と管理ができるような革新的なデジタルサービスを提供しはじめたのだ。

そんな新規参入企業の例が、トリンブルとテレトラック・ナブマンの2社だ。どちらもGPS（全地球測位システム）と携帯電話の技術ベースがあり、建設機械のブランドに関係なく、さまざまなデータドリブン・サービスを提供する能力があった。両社が提供するサービスを使えば、建機の所有者は、保有するフロントローダー、バックホー、ブルドーザー、スキッドステアなどのすべてが、建設現場のどこで動いているのかをリアルタイムで監視することができる。どのメーカーの機械でも、後付けのセンサーによって機器の稼働状況、エンジン診断、作業内容、燃費などについてリアルタイムのデータを獲得し、機器の生産性を判断することができる。

プロダクション・エコシステムから生まれるデータドリブン・サービス

そのようなデジタル能力は、キャタピラーにとって特に新しいものではなかった。実際、同社の鉱業向け製品の多くにはすでに高度なセンサーとＩｏＴ技術が搭載されており、自律走行車として作業できるように設計されていた。つまり、最新のデジタル技術はキャタピラーにとって大きな課題ではなかった。それより、その技術を特定の製品からすべての製品に拡大することが課題だった。

キャタピラーは事業部制で経営されていたが、すべての事業部が製品に高度なデジタル技術を搭載することに差し迫った必要を感じていたわけではなかった。たとえば、小型スキッドステアローダーを担当する事業部は、製品設計の観点からセンサーの追加は難しいと考えた。コストの追加に価値があると顧客を納得させることができなければ、製品は価格競争力を失うおそれがある。

しかしCEOのダグ・オベルヘルマン率いる同社の経営陣は、2010年を迎えるころには、デジタル領域で高まる顧客のニーズを満たすためには会社の文化を変えなくてはならない、と決意を固めた。このままでは「ビッグ・アイアン」の文化は持続可能ではないと判断したのだ。

その一方でキャタピラーは、大きな改革を実行するうえで、社内の主要なビジネスユニットのリーダーの同意を得ることの重要性も認識していた。各事業部のトップは重要なステークホルダーであり、ネットワークに接続された製品の投入を戦略として採用するためには、彼らを納得させる必要があった。

データドリブン・サービスから生まれる価値

キャタピラーは、ビジネスユニットのリーダーが、いつ、どこで、どのように製品をネットワークに接続するかを決めるのに使えるマトリックスを作成した。それにより、インタラクティブな製品機能を通じて顧客に提供するデータドリブン・サービスのメニューを可視化でき、提供できる価値をイメージできるようになった。当然、製品の採用を顧客に促すのにも役立った。

キャタピラーの製品のインタラクティブな機能と、それが生むデータドリブン・サービスは、設備管理、生産性、安全性、排気ガスという4つのカテゴリーに大別される。各カテゴリーの機能は、機器1台ずつでも、複数の機器の集合《フリート》でも、あるいは各地のプロジェクトをまとめた全社レベルでも効果を発揮する（**表4-1**参照）。

マトリックスの個々の枠には、インタラクティブな製品機能が記されている。ある機器がある時点で使用中か休止中かという情報はインタラクティブな製品機能だ。これにより、顧客とビジネスユニットの責任者の両方が機能を可視化し、サービスをイメージしやすくなる。各機能は顧客に対する価値提案だ。それに魅力があれば、機器の休止や稼働の理由を分析してデータドリブン・サービスとして提供することができる。

どの枠にも、インタラクティブ・サービスの機会がある。ひとつの例は、オペレーターに安全な操作を促すためのゲーミフィケーション〔ゲームの要素を取り入れて業務改善をはかること〕機能だ（**表4-1**のフリートと安全性が交差する枠）。オペレーターが行った操縦のトラッキングデータを使って安全度を採点し、スコアが高かったオペレーターはギフトカードがもらえる。キャタピラーはこのようなサービスを建設機械の所有者に勧めることができる。

このマトリックスは、各事業部の責任者が自分の部門の事業にコネクテッド製品を採用する最善の方法を知り、提供するデジタルサービスを選択するのに役立った。マネジャーによっては、小型製品（スキッドステアやバックホーなど）のデータドリブン・サービスに経済効果を認めるのは法人顧客だけだと判断するかもしれない。

表4-1
インタラクティブ製品の特徴とデータドリブン・サービス

	設備管理	生産性	安全性	排出ガス
機械	エンジンの総アイドル時間は?	運搬された資材の量(総トン)は?	アセットは安全に稼働しているか?	アセットの排気は?
集合(フリート)	メンテナンスが必要な車両機器は? メンテナンスすべき時期は?	作業に必要なアセットの数は?	オペレーターにインセンティブを提供するゲーミフィケーション	車両機器の排気を削減する方法は?
全社	予定通り進行しているプロジェクト、遅れているプロジェクトはどれか?	プロジェクト全体でいかにリソースを割り振るか?	すべての場所でいかに安全基準を維持するか?	排出量が多いプロジェクト、少ないプロジェクトはどれか? その理由は?

また、このマトリックスは、サービスの合理的なレベルを判断するのにも役立った。たとえば、スキッドステアでは継続的なリアルタイムデータの必要はなく、1日に1～2回、使用場所と累計稼働時間《サービス・メーター・アワー》に関する基本情報を提供する程度で十分に役立つ。顧客にとっては、それだけをやってくれるサービスのほうが費用対効果の面で魅力的なものになる。

キャタピラーのデジタル戦略

キャタピラーは2012年からこうした取り組みを開始した。当時、同社の製品のおよそ3分の2がコネクテッド製品として出荷されていた。15年にはすべての製品がインタラクティブな機能を標準装備していた。

この展開を促した要因としては、センサーが小型化し安価になったことと、社内にデジタルスペシャリスト・チームをつくったことが挙げられる。会社の中心部に〝デジタル・ファクトリー〟を設置し（事業部の承認のうえで）、センサーとＩｏＴを統合することの価値を社内の事業部、販売店、顧客が理解するのを助けた。重要なのは、各事業部のマネジャー、財務マネジャー、販売店、顧客など主要なステークホルダーからの賛同を得ながら取り組みを進めたことである。

また２００８年には、キャタピラーはトリンブル（前述）とジョイントベンチャーを立ち上げた。トリンブルは、ＧＰＳとＢＩＭ（建築情報モデリング）の確かな専門知識をキャタピラーに提供した。[5] ＢＩＭというのは、建設現場の地形など、場所の物理的・機能的特性をデジタル化して統合的に管理するテクノロジーだ。ジョイントベンチャーが発足した時点で、トリンブルはアセット内でのＩｏＴ接続やデータ分析の経験も積んでいた。

トリンブルのソフトウェア・アーキテクチャと戦略を担当するシニア・バイスプレジデントであり、ジョイントベンチャーで主導的役割を果たしたアヤ・プラカーシュは、「建機におけるキャタピラーの強みを補完するものとして、トリンブルのスキルと経験は理想的でした」と振り返る。トリンブルは、キャタピラーの機械に搭載される機械制御ハードウェアや、データを生成・収集するセンサーとソフトウェアを提供した。トリンブルとの提携で、キャタピラーはデジタル戦略のための多くの実装を加速させた。

予知保全サービス

間もなくキャタピラーは、センサーと接続性を備えた製品によって、専門性と収益性が高い製品メンテナンス・サービス（一般に予知保全《プレディクティブ・メンテナンス》と呼ばれる）も提供できることに気づいた。センサー・データを分析して部品の故障を予測し、不具合が発生する前に警告を出すというものだ。

　このサービスによって、顧客は機器のダウンタイムを減らすことができた。機器のダウンタイムは建設工事にとって大きなコストとなる。どんな建設工事でも複数の機械を並行して使用する。たとえば、ダンプカーで土砂を運び、ブルドーザーで平らにならす。いずれかの機器が故障すると、すべての作業が中断して時間とお金が失われる。

　そのような事態を避けるために、従来は定期メンテナンスという方法がとられていた。何時間稼働させた時点でメンテナンスを行うかは、機械の平均的な使われ方や消耗に関する過去のデータに基づいて、あらかじめ一律に設定される。

　それに対して、データドリブンの予知保全では、個々の機械や機械部品のリアルタイムの動作データを使って、1台ずつ違う適切なメンテナンスのタイミングを予測する。そんなことができるのは、機械に搭載されたセンサーのネットワークが、機械の摩耗や損傷に関するあらゆるデータを取得するからだ。集められるデータの中には地形、標高、土壌の組成と硬度、気象条件など、機械の稼働環境に関するものもある。ターボチャージャーの速度や温度、エンジンオイルの圧力など、機械部品のリアルタイムデータも取得する。そしてＡＩが、すべてのデータを集積して信頼できる予測を立てる。

　このようなデータによって、理に適ったメンテナンスのタイミングを精密に推測できる。メンテナンスの必要がないときは使い続け、故障が予想されるときは予防的にメンテナンスするという、バランスの取れた管理ができ、コストを大幅に削減することができる。大規模なプロジェクトではコスト削減効果は数百万ドルにも上る。こうした実績をふまえて2015年、キャタピラーは産業用AIとソフトウェアを扱うアップテイクと提携し、顧客への予知保全サービスの提供を開始した。[6]

アップテイクが提供するようなAIエンジンが効果を発揮するためには大量のデータが必要だ。キャタピラーとトリンブルの提携で、アップテイクのAIアルゴリズムに利用できるデータプールが拡大し、キャタピラーの予知保全サービスを支えた。

キャタピラーとの提携とは別に、トリンブルは独立ベンダーとして、コマツやボルボなど、キャタピラーの競合を含むあらゆる建機メーカーにハードウェアとソフトウェアを提供している。トリンブルの製品はさまざまなメーカーの機器に実装されているので、キャタピラーからだけではない大量のデータを集めることができ、それがアップテイクのAIエンジンとアルゴリズムを強化した。

トリンブルは、さまざまな建設現場で稼働する大量の機器に、必要なハードウェアとセンサーを搭載しただけでなく、これらの機械からアップテイクにデータ転送を促進するのに必要なAPIも用意した。もちろん、建設現場での機器の使用に関わるデータを取ることについて、トリンブルとキャタピラーは機器の所有者の了承を得なくてはならない。では所有者にとって、了承することで得られるメリットは何か？　データプールが大きくなることで予測の精度が向上し、所有する機械のダウンタイムを削減できることである。

キャタピラーの事例は、予知保全サービスを利用して建機のダウンタイムを減らすというものだが、保険会社もこのサービスによってリスクやトラブルを回避できる。たとえば、住宅に設置したセンサーで水漏れの発生を予測できれば、水道管を閉じるなどして大きな損失を防ぎ、住宅保険業者のリスクを低減できる。

何に対していくら請求するか

新たなデータドリブン・サービスは顧客に利益をもたらすのだから、価値を提供するキャタピラーのような企業が、それを販売して収益につなげたいと思うのは当然だ。

キャタピラーは複数の方法で収益化を実現している。直接的な方法は、各サービスをサブスクリプション方式で提供するというものだ。キャタピラーは、CATコネクト、マインスター、インサイトといったソリューションの提供を開始した。このソリューションを介して、顧客は多様なオプションのあるサブスクリプション・サービスから自社に合ったものを選択できる。

鉱業や発電といった特定の分野では、ユーザーの80〜90%がさまざまなデータドリブン・サービスをサブスクリプション方式で利用している。このような業界では遠隔モニタリングによってもたらされるデータの価値はわかりやすい。ただし、すべての業界で契約率が高いわけではないし、契約していても使われている機能は限られている。

キャタピラーの顧客の約70%が何らかのかたちで遠隔モニタリングサービスを利用しているが、その中には、機器が正しく稼働し、所定の場所に保管されているかどうかを一日の終わりに通知するだけというシンプルなものもある。

残りの30%は、無料で提供されるものも含めて、データ関連の機能をいっさい利用していない。毎日送られてくるデータを分析する時間がない企業や、受注案件がたっぷりあるために最新技術を取り入れる必要を感じていない企業もあるだろう。そこにどう斬り込むかは、データサービスのサブスクリプションで収益を得るための課題のひとつだ。

もちろん、収益を生み出す方法はサブスクリプションだけではない。キャタピラーは間接的な収益化の方法も発見した。

たとえば同社は、予知保全サービスを利用する顧客は、予備の部品を大量に購入する傾向があることに気づいた。なぜだろう？　予知保全サービスを利用している顧客は、機器の遠隔モニタリングのような他のサービスも併用することが多い。このサービスでは、機器が稼働していないときなどにアラートを出す。それによって稼働していない時間を減らそうとする顧客は、機器を長時間使用することになり、機器の摩耗や損傷が早まるので、交換用部品に対する需要が高まるのである。とは言え、差し引きすると予知保全は顧客のコスト削減につながる。機械のダウンタイム削減と重大事故の未然防止によるコスト削減効果は、予備部品の追加購入に要する金額よりはるかに大きいからだ。

またキャタピラーは、工事現場でアセットの遠隔監視サービスを利用する顧客は、そうでない顧客より機器を多く購入していることにも気づいた。新しいホイールローダーを追加すると生産性が向上することをデータで知らされた顧客は、追加購入してくれる可能性が高まるのだ。つまり、データは効果的な販売ツールであり、間接的に収益を上げる要因になるということだ。

キャタピラーは、このような道筋でデジタル領域へ移行した。次に、もうひとつの主要なデータドリブン・サービスであるマス・カスタマイゼーションの例を紹介しよう。

マス・カスタマイゼーション

製品のインタラクティブな機能の中には、個々の顧客またはそれぞれの使用ごとに製品の機能や動作を変えるものもある。この例として、スマートベッドを設計、製造するスリープ・ナンバーを紹介しよう。

同社は、人間の眠りのパターンは千差万別で、だれ一人同じものはないことを早くから知っていた。1980年代に入ってから、さまざまなイノベーションの成果を取り入れた「デュアル・エアテクノロジー」によって個人、そしてカップルの眠りの質を高めてきた。

スリープ・ナンバーのベッドを使う人は、自分の好みでベッドの機能を設定できる。二人で眠るユーザーは、マットレスの硬さを左右別々に調節できる。マットレスには特許取得済みの特殊なフォームと調節可能なエアテクノロジーが使われていて、ユーザーの体に合わせることができる。ユーザーは好みの柔らかさや硬さ、フィット感に基づいて、独自の設定で眠ることができる。カップルもそれぞれの好みに合った硬さのマットレスで眠ることができる。

たいていのユーザーは、いちばん快適な設定が見つかるまで、さまざまな設定を試す。設定はいつでも変更できるので、同社はユーザーに、最高に快適な設定を見つけるまでさまざまな調節を行うよう勧めている。

同社の旧モデルは空気を使ったエアベッドだった。空気というものの性質上、体の動きや体温、室温といった要因で設定が変化しつづけ、ユーザーに安定した寝心地を提供することが難しかった。だが最新モデルは、センサー・データを使って設定が自動調節され、最高の快適さを保つことができる。マットレスに内蔵されたバイオメトリック・センサーによって、ユーザーの呼吸、心拍、寝返りが記録される。その生体データはクラウドに送信され、アプリケーションに取り込まれる。アルゴリズムが眠りの質と疲労回復効果を反映する睡眠スコア（スリープＩＱスコア）を決定し、ユーザーはスマートフォンのスリープＩＱアプリでスコアを確認できる。

　スリープＩＱのアルゴリズムは、絶え間なく流入するデータに基づいて睡眠スコアを精緻化していく。利用時間の伸長につれてデータも増え、アルゴリズムはユーザーの眠りのパターンの学習を深める。眠りに関する１３０億超もの生体データに基づいて、眠りのパターンや概日《サーカディアン》リズムについてのパーソナライズされた洞察を提供し、眠りを改善するためのライフスタイルを推奨する。[7]

　今後スリープ・ナンバーは、睡眠時無呼吸症候群やむずむず脚症候群といった慢性的な睡眠障害に取り組み、ゆくゆくは心臓病や脳卒中などの問題にも挑戦したいと考えている。そのため２０２０年にメイヨークリニックとパートナーシップを結び、心血管医学に重点を置いた睡眠科学研究のための基金を設け、健康向上のために貢献する姿勢を示した。同社は、マットレス・メーカーからウェルネス・サービスを提供する企業に脱皮しようとしている。

　データは、スリープ・ナンバーがマットレスをマス・カスタマイズするのを可能にするだけではなく、新たなデータドリブンの機能を創出し、ブランドの差別化と競争優位をもたらす重要なリソースなのである。

プロダクション・エコシステムで進めるDXの最初の3段階

最新テクノロジーが従来型企業のバリューチェーン・ネットワークを強化する方法は複数ある。強化のレベルが高いほど、プロダクション・エコシステムも活性化する。プロダクション・エコシステムが活気づけば、さまざまな方法でデータから価値を引き出すことができる。

本章の冒頭でも述べたが、データから価値を引き出す方法は2つに大別される。ひとつは業務効率向上によるコスト削減、もうひとつは新しいデータドリブン・サービスによる収益の拡大だ。従来型企業は、プロダクション・エコシステムを舞台としてDXの最初の3段階を進みながら、この2つの価値を実現する。

第1段階　バリューチェーン内のデータを使った業務効率の向上

大半の企業は業務効率化の恩恵を受けるので、第1段階――バリューチェーン内のアセットからのデータを使って業務効率の向上をめざす――は必須項目だ。驚くことではないが、大部分の企業のDXの取り組みはこの段階にある。

この段階は、業務効率化が戦略的目標の大きな部分を占める企業にとっては特に大きな意味がある。たとえば石油・ガス企業は油井《ゆせい》、パイプライン、製油所を抱え、数十億ドル規模の投資が必要だ。掘削する場所や範囲の予測を間違うと、数百万ドルの損失が生じることもある。IoTデバイスやAI、その他さまざまなモデリング技術を利用して埋蔵場所を測定する精度を高めると、コストを50〜60%削減できる。

事業内容によっては製品とユーザーのあいだのインタラクティブ・データを取得するのが難しく、第1段階より先に進めないと考える企業もあるかもしれない。たとえば鉄（鉄鋼業）、アルミニウム（非鉄金属製造業）、ソーダ灰（アルカリ製造業）などの企業が該当しそうだ。だとしても、第1段階のおもな課題は、アセットからインタラクティブ・データを幅広く収集し、サイロを打ち破ってデータを共有することだ。

そのような従来型企業にとっては、以下のような戦略的な問いが役に立つだろう。

- アセットからインタラクティブ・データを捉える可能性を検討しつくしたか？
- データを共有する最適な方法を確立したか？
- 製品とユーザーのあいだのインタラクティブ・データを収集・使用して、次の段階に進むことができる創造的な方法があるか？

第2段階 製品やユーザーからのデータを使った業務効率の向上

製品によってユーザーからインタラクティブ・データを収集できる企業にとっては、第2段階で存在感を示すことは必達の目標となる。これを可能性に終わらせず実現することができれば、第1段階を超える戦略的優位をつかむことができる。

製品ユーザー間のインタラクティブ・データを収益を生むサービスに使えなければ、DXはこの第2段階で終わるが、消費財メーカーの多くはこの段階で終わっている。その場合、データはおもに広告や製品開発の効率を高めるために使われることになる。

インタラクティブ・データを提供してくれる「デジタル顧客」を獲得することが第2段階の重要な課題だ。パンパース事業でのP&Gの課題は、ウェブサイト上に、現在の顧客と見込み顧客が満足でき、積極的に関与したくなるようなコンテンツを展開することだ。それができたら、集まってくるデータを適切なデータマイニングによって広告効果の向上に役立てることができる。

このフェーズでは、以下のような問いを立てるとよい。

- どうすればデジタル顧客を見つけられるか？
- どうすれば製品にセンサーを搭載できるか？　製品にセンサーを搭載するのが難しい場合、どうすれば顧客からインタラクティブなデータを取得できるか？
- どうすればデータマイニングを強化できるか？
- どうすればインタラクティブなデータ活用を収益サービスにまで拡大し、DXを次の段階に押し上げる創造的なアイデアを生み出せるか？

第3段階 製品やユーザーからのデータを使ったデータドリブン・サービス

製品やバリューチェーンからデータドリブン・サービスを生み出せる企業は第3段階に進まなくてはならない。業務効率の向上で満足するのではなく、競争優位の源泉をデータドリブン・サービスの生成へと拡大する必要がある。

第3段階に到達するとき、企業は業務効率化のためのデータ活用と収益を生むためのデータ活用のあいだにある重要な壁を乗り越える。だが、多くの企業はその次の壁の前で立ち往生する。バリューチェーン上でのデータドリブン・サービスの創出と、デジタル・プラットフォームを通じたデータドリブン・サービスの創出とのあいだにある壁が乗り越えられないのである。

その理由のひとつは、コンサンプション・エコシステム（第5章で詳述）が十分に構築されていないことにあると思われる。家電メーカーのことを考えてみよう。食洗機にセンサーを搭載することによって、故障する前に知らせるデータドリブン・サービスを提供することはできる。だが、知らせることはできても、食洗機はそれを補完する他の製品やサービスとデジタル接続するのが難しく、デジタル・プラットフォームとして運用するのが難しい。

このような理由で、多くの企業が製品をデジタル・プラットフォームに拡張できず、第3段階に進むことができない。製品のコンサンプション・エコシステムが見えていないか、製品をデジタル・プラットフォームに展開するのはメリットよりリスクが大きいと見ているかのいずれかだ。たとえば、ペロトンやノルディックトラックは、フィットネス機器やスポーツジムのビジネスで製品をデジタル・プラットフォームに拡大したが、競合の多くにはそのような拡大は見られない。

競争力のあるデータドリブン・サービスを生み出すには、かなりの量のデータが要る。サービスを動かすアルゴリズムも、データが増えるほど精度が高まる。データが増えれば、スマート歯ブラシの歯磨きに関する報告の精度が上がるし、キャタピラーの機器のダウンタイムの予測精度も高まる。つまり、多くのデジタル顧客を獲得することで、ネットワーク効果が働いて、すぐれたサービスを提供できるようになるということだ。

デジタル顧客を獲得するためには、すぐれたサービスを確立する必要があるが、すぐれたサービスを確立するには、まずクリティカル・マスを超えるデジタル顧客を獲得しなければならない。したがって、データドリブン・サービスによるネットワーク効果の優位性を確立することが、第3段階での重要な課題である。

製品の生産と販売に依存してきた従来型企業にとって、ビジネスモデルを大きく変えてデータドリブン・サービスを新たに確立するのは容易ではない。この段階の従来型企業は次のような問いを立てるとよいだろう。

- どうすれば、すぐれたデータドリブン・サービスにつながるネットワーク効果を実現できるか？
- 多くのデジタル顧客を惹きつけるために、センサー搭載製品の価格をいくらに設定すべきか？
- どうすれば、サービスをバリューチェーンからデジタル・プラットフォームに拡大し、DXを次の段階へ進めることができるか？

頑固な問題と最新のソリューション

プロダクション・エコシステムを使って業務効率を改善するというのは、昔からあるやっかいな問題を最新のソリューションによって解くということだ。この章で取り上げた調達効率の向上、受注残の削減、研究開発の生産性向上などは、経営者にとって長年の懸案だ。このような古くからの問題に、現代のデジタル技術が新たな解決策を提供してくれる。

たとえば、産業用機器と家庭用工具のメーカーであるスタンレーブラック・アンド・デッカーは、最新のデジタル技術によって、製品ラベリングのミスを16%削減した。[8] 家電メーカーのサブゼロは、新製品を市場投入するまでの時間を20%短縮したが、それができたのは関連部門をデジタルでつないだからだと自己分析している。[9] フォードは、塗装の自動ビジョン検査システムによって、手動で行っていたときより欠陥検出率が90%も向上した。[10]

従来型企業にとって、製品導入までの時間の短縮、故障や不良品の削減、消費エネルギーの節減といった課題はおなじみのもので、取り組みやすい課題と言える。取り組みにかかる費用と効果の損得勘定もよくわかっている。多くの企業にとって、このような業務効率の向上は、プロダクション・エコシステムへの投資によって比較的簡単に実現できる最初の見返りである。

だが、プロダクション・エコシステムによって実現できることはもっとたくさんあることを忘れてはならない。

ボトムアップ・アプローチとトップダウン・アプローチ――キャタピラーとGE

データドリブン・サービスを開始することは、製品や製品市場戦略で勝負してきた従来型企業にとっては新しい試みだ。新たなケイパビリティ、新たな人材、新たなマインドセットが必要になる（この点は第8章で論じる）。リスクとリターンのトレードオフも、これまでとは違う。

データドリブン・サービスの難しいところは、それを提供する側が大量のデータを獲得するまで、顧客がメリットを感じにくいという点だ。まず利用する顧客が増えなければ、顧客にとって利用するメリットが生まれないのである（第6章参照）。数を追うには多額の投資が必要で、リスクが高く、慎重に実行しなければ従来型企業は屋台骨に傷を負ってしまうかもしれない。

その点については、独自の方法で大胆にDXへと舵を切った大手2社、米国産業を象徴するようなGEとキャタピラーを比較してみると興味深い。両社とも「ビッグ・アイアン」から「スマート・アイアン」への変革をめざしたが、方法は違っていた。

本章で述べたように、キャタピラーは、新たなデータドリブン・サービスを導入するメリットについて、分散的に経営されていた組織の全体を辛抱強く説得した。同社は表4-1（147ページ）に示したようなマトリックスを作成したうえで、主要なステークホルダーに対し、それぞれの事業と製品に応じたDXの取り組み方を決めさせた。

一方のGEは、いま振り返ると、かなりトップダウンのアプローチを取った。同社はプレディクスと命名したテクノロジーの開発に10億ドル超を投じた。これは、複数の部門にまたがる同社のアセット（ジェットエンジン、機関車、医療機器、発電用タービン）から新たなデータドリブン・サービスを生み出すための共通のインターフェースである。

GEは、さまざまなビジネスユニットや地域からソフトウェア開発のための人材を抜擢し、カリフォルニア州サン・ラモンに結集させた。全製品のデータドリブン・サービスを同じ方針で、すべてプレディクスによって推進するという考えによるものだった。ジェットエンジンが燃料節減につながる最適な飛行方法をパイロットに教えるように、機関車が運転士に適切な運転方法を指示した。発電所のタービンからのデータで予知保全サービスが実現するように、MRI機器（磁気共鳴断層撮影装置）でもそれをめざした。販売とマーケティングのスタッフに対し、業務遂行のための共通のガイドラインも定めた。

しかし、これらは実験の初期段階だった。GEもその顧客も、投資のリターンについて確信があったわけではない。GEの営業担当者もこの取り組みに懸念を抱いた。複雑な工業製品の販売なら場数を踏んでいたが、こんどはデータドリブン・サービスを売らなくてはならなくなった。GEは時代の先を行きすぎたのかもしれない。欲張りすぎ、急ぎすぎたのかもしれない。いずれにせよ、GEの計画は彼らが望んだような実を結ばなかった。

しかしGEは、DXを推進するうえでの新しいコンセプト、視点、方法論を他の産業にも広く提供した。2012年に開催された「心と機械《マインド・アンド・マシンズ》」と銘打たれた会議で、CEOのジェフ・イメルト（当時）は「インダストリアル・インターネット」への全社的コミットメントを発表し、その言葉を有名にした。

コンシューマー・インターネットがeコマース革命とスマートフォン革命を牽引していることは、だれもが知っていた。インダストリアル・インターネットが製品とアセットにも変革を促し、同じような革命を起こすという考えが、イメルトの言葉で明確に提示されたのだった。

「デジタル・ツイン」という概念の普及にも、GEが大きな役割を果たしている。これは、製品からのインタラクティブ・データをストリーミングすることによって、物理的アセットをデジタル上で表現することを意味する言葉だ。

従来型企業にとって、データドリブン・サービスを開始するのは業務効率化よりはるかに難しい。だが、メリットもはるかに大きいものになるだろう。従来型企業がデジタル・ケイパビリティを構築して大きなメリットを享受する方法は、第8章で述べる。その前にまず第5章で、デジタル・エコシステムのもうひとつの側面——コンサンプション・エコシステム——について説明しよう。

第５章

コンサンプション・エコシステム

プラットフォーム展開の４つの選択肢

バリューチェーンの上に構築されるエコシステム

従来型企業のプロダクション・エコシステムは、基本的にバリューチェーン・ネットワークの上に構築される。バリューチェーンに属する企業や組織、アセット〔施設や設備、製品など〕、そして活動からデータが生まれ、共有されれば、それがプロダクション・エコシステムにほかならない。

ほとんどの従来型企業には確立したバリューチェーンがある。ITシステムによってバリューチェーンの中でデータを生成・共有もしている。したがって、最新のデジタル技術を使ってプロダクション・エコシステムを構築するというのは、これまでの自然な延長線上にあるように思えるかもしれない。

一方、コンサンプション・エコシステムは補完ネットワークの上に構築される。デジタル接続されたサードパーティの企業や組織、アセット、活動が製品データの価値を補完することで出現する。ほぼすべての製品に、それを補完する何かがあるが、従来のビジネスモデルでは、それが重要な役割を果たすことはめったになかった。最近まで、ほとんどデジタル接続さえされていなかった。

従来型企業は、製品を補完するものが接続されてコンサンプション・エコシステムが形成されていく過程を、自分ではコントロールしていない。それは自社の主体的な取り組みによってではなく、外で起こっているデジタル化の力によって形成されていく過程だ。

最新のデジタル技術によって、すべての企業のまわりをデジタル接続された多くの企業や組織とアセットが取り囲み、従来型製品が生成するデータを補完している。

このような傾向は最近のものなので、従来型企業は、コンサンプション・エコシステムがもたらす機会の多くをまだ認識していないかもしれない。実際、バリューチェーンに慣れ親しんでいるため、生産サイドで生まれる機会にばかり目を向け、消費サイドにある機会を見逃すのが今日の企業が陥るデジタル近視眼である。

従来型企業がコンサンプション・エコシステムを構築するためには、バリューチェーンをデジタル・プラットフォームに拡張しなくてはならない。このプラットフォームがさまざまな企業や組織、アセット、活動のあいだでのデータ交換を促し、製品生成データを補完する。それがやがてデータドリブン・サービスを生むコンサンプション・エコシステムへとつながるのである。

電球メーカーが動作感知電灯を使ってホームセキュリティ・サービスを始めるためには、デジタル・プラットフォームが必要だ。それがなければ警報を発することができないし、スマートフォンなどとデータのやり取りをすることもできない。コンサンプション・エコシステムは、さまざまな補完財間のデータ交換を実現するデジタル・プラットフォームがなければ成り立たない。そこがプロダクション・エコシステムとの重要な違いである。

従来型企業がプラットフォームを構築する方法

従来型企業のほとんどは、デジタル・プラットフォーム上で活動していない。それは彼らにとって未体験の領域だ。そのため、自社のまわりに出現したコンサンプション・エコシステムから機会が生まれることに気づいて、その恩恵にあずかろうとしても容易ではない。

現行のビジネスモデルの重要な転換につながることなので、疑問も湧く。自分たちは何を構築しようとしているのか？ 自分たちのデジタル・プラットフォームとデジタル先進企業のそれを比較すると、何が同じで、何が違うのか？

もちろん似ている点はある。どちらのプラットフォームのビジネスモデルも、参加者間のデータ交換に依存している。だが重要な違いもある。従来型企業のプラットフォームは、製品から生成されるデータによって形づくられるので、製品と製品生成データに縛られる。[1] この制約があることがデジタル先進企業のプラットフォームとの大きな違いだ。

デジタル先進企業のプラットフォームの出発点

デジタル先進企業のデジタル・プラットフォームは、まずインターネットを通じて得たデータによって市場のニーズを察知し、そのニーズを満たすための革新的なアイデアを生むところから始まっている。それがユーザーをプラットフォームに惹きつけ、データの生成と共有によって価値を生むビジネスモデルにつながっている。

フェイスブックやネットフリックスなど、第1章で挙げた多くの例からわかるように、デジタル先進企業の基本的な発想は、データを活用して、物理的な接触を介さず交換できる価値を創造することだった。その道筋ができたあとは、ビジネスはデジタル・プラットフォームの上で円滑に進んだ。ウーバーやエアビーアンドビーも、データとインターネットを活用したアセットシェアリングというアイデアで事業を始めた。彼らのビジネスもデジタル・プラットフォーム上で進められている。

どのプラットフォームも、満たされていないニーズを満たし、創造的なアイデアを活用することを目的として、何のベースもない白紙の状態からスタートした。

従来型企業のプラットフォームの出発点

だが従来型企業にとって、製品と連携するデジタル・プラットフォーム（以下、製品連携プラットフォーム）は白紙の上に描ける絵ではない。ビジネスアイデア自体も、プラットフォームのユーザーも、製品と製品生成データに依存している。つまり、製品と連携するデータは新たな市場機会を開くが、同時に機会の範囲を制限するものでもある。言い換えれば、製品とユーザーのインタラクティブ・データが製品連携プラットフォームの範囲《スコープ》と実現可能性を決めるということである。

製品とユーザー間のトランザクション・データが製品連携プラットフォームの起点なので、デジタル・プラットフォームへの移行を検討している従来型企業は、いくつかの問いを避けて通ることができない。

- 自社の製品と製品生成データは、デジタル・プラットフォームを展開するのに適しているか？
- どうすれば、製品とユーザーのトランザクション・データがビジネスとして成立するデジタル・プラットフォームにつながるかどうかを評価できるか？
- どうすれば、製品生成データから製品連携プラットフォームを構築することができるか？

- 構築するデジタル・プラットフォームは製品のタイプによって異なるのか？
- どうすれば、自社が構築するプラットフォームを決定することができるか？
- どうすれば、デジタル・プラットフォームを使って競争することができるか？

これらの問いに答えることができれば、従来型企業は自社のコンサンプション・エコシステムの中で価値を創造する方法について示唆が得られるだろう。本章では、製品連携プラットフォームの分析に役立つ枠組みを示しながら、右の問いの答えを考える。[2]

まずは、製品連携プラットフォームの構成要素から見ていこう。

製品連携プラットフォーム

図5-1は製品連携プラットフォームの主要な構成要素を示している。このプラットフォームには必須の構成要素が４つある。

①センサーを搭載した製品。

②インタラクティブ・データ――センサーを搭載した製品とユーザーのあいだで生成される。

③プラットフォーム・ユーザー――製品の直接的ユーザー（スマート歯ブラシのユーザーなど）と、直接的ユーザーが生成するインタラクティブ・データを補完するデータを生成するユーザー（歯科医な

図5-1
製品連携デジタル・プラットフォームの構成

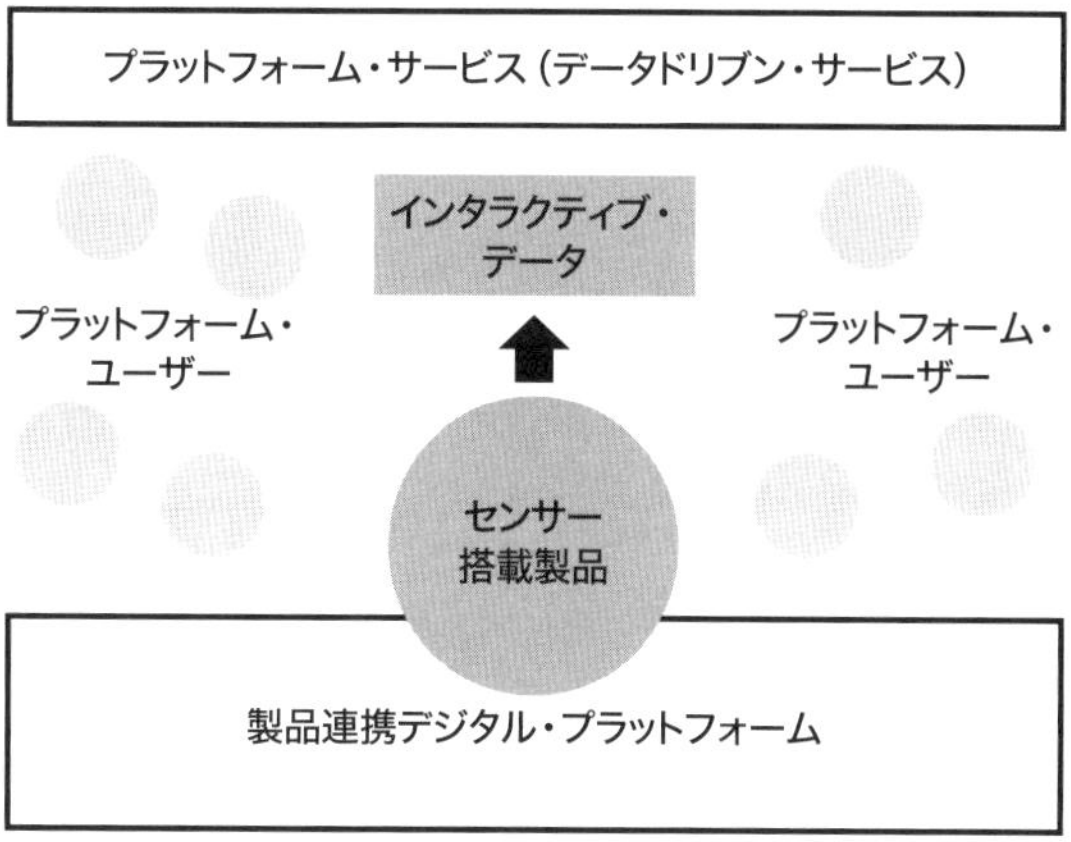

ど）。

④プラットフォーム・サービス——プラットフォームの全参加者がデータを共有し活用することから生まれる。

あらゆる製品にセンサーが付く時代

センサーとセンサー搭載製品は、製品連携プラットフォームの基礎なので、まずこれから説明しよう。

ショットを分析できるテニスラケット

テニスのラファエル・ナダルは、２００４年から、トップブランドのひとつであるバボラのラケットを使っている。２０１２年に、センサー内蔵型のコネクテッド・ラケットを紹介された。[3]このラケットを使って練習することで、ナダルは自分のショットを分析してプレーの状態を把握し、試合に備えることができた。

彼のコーチで叔父にあたるトニー・ナダルによると、ナダルは試合中のショットの7割がフォアハンド、3割がバックハンドだと勝率が高まるという。[4] スマートラケットを使えば、練習試合でのフォアとバックの割合を把握できる。ほかにもトップスピンやスライスの回転数、サーブの速度、ラケットフェースのどこでヒットしているか、ポイントが決まるまでのラリー数なども測定できる。データはセンサーからスマートフォンに送信され、コートサイドで確認、分析できる。

国際テニス連盟は2013年、センサー搭載ラケットを試合で使用することを認めた。公式戦において、選手とラケットとボールが生成するインタラクティブ・データを収集できるよう、ルールを改正したのだ。

いまやコネクテッド・ラケットは、ナダルのような一流プロだけではなく、あらゆるテニス愛好者が使っている。これがあれば、自分のベストショットをナダルのショットと比較することさえできる。[5] ナダルの練習中のデータの一部が、バボラのユーザーに公開されているからだ。現在、ヘッド、ヨネックス、ウイルソン、プリンスといった複数のトップ・メーカーがコネクテッド・ラケットを販売している。

ソニーやゼップ・ラボは、どんなテニスラケットにも取り付けられ、単独で機能するスマート・センサーを販売している。小型の電子チップで、ラケットグリップの底面や、ラケットフェースの振動止めの位置に取り付けられる。リストバンド型のものもあって、ユーザーにコネクテッド・ラケットの楽しさを提供している。

センサー付きの飲み薬

センサーを付けられるのはラケットだけではない。服用薬に体内摂取可能なセンサーを組み込むこともできる。FDA（米国食品医薬品局）は2017年11月、摂取可能なセンサーを内蔵した初の薬剤を承認した。[6]

大塚製薬のデジタル薬、エビリファイ・マイサイトは、統合失調症や双極性障害、鬱病といった精神疾患の治療薬だ。その錠剤にはイベントマーカー（IEM）と呼ばれる直径1ミリのセンサーが組み込まれている。錠剤が体内に入ってセンサーが胃液に触れると、センサー内の化学物質が反応してシグナルを発し、これが患者の皮膚に貼り付けたブルートゥース対応のシグナル検出器へと送られ、データをスマートフォンで確認できる。

このデータは患者の服薬状況の管理に役立つ。精神疾患のある患者は規則正しい服薬が難しい。このデジタル薬は服薬状況をモニターし、行動面での症状をチェックできるので、患者の健康管理をサポートする家族や医師にとっては助けになる。

視聴者が観ている番組がわかるテレビ

電子チップや人体摂取可能な素材だけでなく、ソフトウェアもセンサーとして機能する。その一例が、テレビ番組のレコメンド・エンジンや視聴履歴アプリを開発したサンバTVのセンサーだ。同社はソニーやTCL、シャープなどのテレビ・メーカーに、視聴者が何を観ているかがわかるセンサーを提供している。

自動コンテンツ認識（ACR）技術を使うには、ソフトウェアベースのアルゴリズムをテレビにインストールする必要がある。このソフトは放送されるすべての映像のフィンガープリント（映像を一意に識別する固有の数値やパターン）を解析する。フィンガープリントはデータベース内のソース映像と照合され、視聴されていた番組が何であったかを識別する。

こうしてサンバTVやテレビ・メーカーはユーザーの視聴データを収集し、テレビ向けコンテンツプロバイダー（たとえばNBCやABCなどの放送局）に番組の人気に関するデータを提供する。そのデータは、広告主（たとえばトヨタやコカ・コーラなど）にとっても、どこに住んでいるどんな世帯がどの番組を観ているかがわかり、効果的なCMを打つのに役立つ。

サンバTVのセンサーの事例は、従来型企業が自社製品にソフトウェアセンサーの機能を追加する方法についてヒントを与えてくれる。

センサーとしてのスマートフォン・アプリ

現在、ソフトウェアベースのセンサーの圧倒的大多数は、スマートフォン・アプリとして提供されている。たとえば、ほとんどの銀行が、オンラインバンキングや小切手の預け入れなどの機能を持つアプリを提供している。これらのアプリはユーザーの購買履歴や支出傾向などの情報を収集するセンサーとしても機能している。

ゲーム会社も、ソフトウェアベースのセンサーを使ってユーザーからインタラクティブ・データを収集している。データから、ユーザーが左利きか右利きか、好みの戦略は何かといったことがわかり、新たなゲーム機能やコンテンツを開発する際の参考にすることができる。

センサー・データからプラットフォーム・サービスへの移行

センサー搭載製品は製品とユーザーのあいだで一意《ユニーク》のインタラクティブ・データを生成する。そのデータはコンサンプション・エコシステムを構成するサードパーティの企業や組織、アセット、活動のあいだで交換される。そのためには、企業や組織、アセット、活動が製品連携プラットフォームのユーザーとして登録《オンボード》されていなくてはならない。さまざまなユーザーを接続し、データ交換を促すことで、製品連携プラットフォームは新たなデータドリブン・サービスを提供することができる。

テニスラケットのメーカーは、センサー付きラケットのデータを使って、レベルの近いプレーヤーが集まって試合を楽しむためのグループづくりを手伝えるし、スキルに応じたコーチを紹介することもできる。プレーヤーやコーチは、ラケットに装着されたセンサーが生成したデータを補完するので、ラケットという製品のコンサンプション・エコシステムの一部ということになる。彼らはラケット・ユーザーのテニス関連のニーズに応えることができる。プレーヤーやコーチが製品連携プラットフォームに参加したとき、彼らはプラットフォームのユーザーとなる。テニスラケットのメーカーはユーザー間のデータを統合することによって、グループづくりやコーチの紹介といったデータドリブン・サービスを提供することができる。

同様に、ビデオゲーム・メーカーはユーザーのインタラクティブ・データから、対戦相手やチームメイトのマッチングサービスを提供し、ゲームの魅力を高めることができる。デジタル薬のエビリファイ・マイサイトも、データによって患者や家族、医師の連携を良くすることができる。

銀行も顧客のアプリからセンサー・データを収集し、消費パターン、信用度、ライフスタイル、あるいは何を欲しがっているかというインサイトを得ることができる。[7] このようなデータを使って（もちろん同意を得たうえで）、顧客と顧客の購入意欲を高めるような割引を提供する事業者との取り引きを仲介することができる。これによって銀行は、従来の銀行サービスの枠を広げ、購買体験まで提供できるようになる。

どれも基本パターンは同じだ。一連のプロセスは、センサー搭載製品がインタラクティブ・データを集めるところから始まる。集められたデータが補完財（製品やサービス）を呼び込み、コンサンプション・エコシステムが形成される。補完財の提供者は、プラットフォームに加わることで、いわばそのユーザーとなる。製品連携プラットフォームでユーザー間のデータ共有が進み、データドリブン・サービスが生まれる。コンサンプション・エコシステムの範囲が広がれば広がるほど、補完財の数もユーザーの数も増える。以上のようなプロセスによって、製品連携プラットフォームとそのサービスの範囲が広がっていく。

センサーの能力が広がり、どこにでも置けるようになったことで、あらゆる種類の企業がセンサー搭載製品を導入し、それが生成するデータの補完財を見つけ、製品連携プラットフォームを構築し、新たなデータドリブン・サービスを提供できるようになった。

どんな製品でもプラットフォームになれるのだろうか？　その答えは、その製品の製品連携プラットフォームが、ビジネスとして成り立つサービスを提供できるかどうかにかかっている。そして、提供できるかどうかは製品生成データの内容で決まる。

次に述べるように、製品生成データの3つの属性が、製品連携プラットフォームの基本的なビジネスモデルに大きな影響を与える。

センサー・データの3つの属性

当然ながら、製品の使用から生まれるインタラクティブ・データは、製品の用途と密接に関連している。データは製品の用途や性質を反映し、製品を使う際の接点で生まれる。

歯ブラシはユーザーの歯に接するものであり、そこから生まれるデータはデンタルケアに関するものだ。そのデータは、歯科医師や歯科保険会社といった補完的な企業や組織を呼び込む。

マットレスは睡眠中のユーザーの体に触れ、収集されるセンサー・データは、睡眠中の心拍数や呼吸パターン、寝返りなど、ユーザーの睡眠状態に関するものだ。この場合の最もわかりやすい補完財は、睡眠の質を向上させる調光機能付きの照明や心地よい音楽だろう。睡眠の専門家も、睡眠時無呼吸症候群などの改善につながる補完サービスを提供することができる。

掘削機から得られるセンサー・データは、機械が建設現場で何をしているかを伝える。そのデータはいろいろな目的に使えるが、なんといっても同じ現場でその掘削機と連携して働いている他の機器にとって大きな意味がある。

このように、製品とユーザーのやり取りは、製品搭載センサーがどんなデータを生成するかだけでなく、どんな補完財を呼び込むか、どんなプラットフォーム・サービスを生み出すかという大枠を決定づける。つまりセンサー・データは、プラットフォーム・サービスの商用化に大きな影響をおよぼす。

製品連携プラットフォームをビジネスとして成功させるためには、そこから生まれるサービスに強い市場ポテンシャルがあり、強力なデジタル経験を提供するためにプラットフォーム上での自由なデータ共有が実現している必要がある。

その要件が満たされているかどうかを評価するうえで鍵を握るのが、センサー・データの3つの属性だ。センサー・データは、製品のタイプや、製品とユーザーのインターフェースによってさまざまに異なるが、次の3つの属性によって把握するとわかりやすい。

①スコープ——プラットフォーム・サービスの市場での可能性に影響をおよぼす。
②ユニークネス——競合企業の影響力を限定的な範囲に封じ込める。
③コントロール——製品連携プラットフォームのデータを、プラットフォーム・ユーザー間でいかに制約なく《シームレス》共有でき、有意義なデジタル経験を実現できるかを決定づける。

属性1 スコープ

センサー・データがカバーするスコープ〔影響範囲〕から、企業はその製品連携プラットフォームから生み出せるサービスの価値を推定することができる。

センサー・データの価値を推定する

スマート・テニスラケットのメーカーなら、グループやコーチのマッチングサービスからどれくらいの収益が得られるかという切り口で、サービスの価値を推定することができる。マットレス・メーカーなら、睡眠データを寝室のアイテム（照明や音楽など）に接続して睡眠の質を向上させるプラットフォーム・サービスのサブスクリプション化というかたちで収益の可能性を探れる。

キャタピラーのような企業なら、別の角度から収益の規模を見積もれる。建設現場では、工事のやり直しだけで毎年数十億ドルも無駄になっているので[8]、センサー・データに基づいて業務を最適化してコストを削減できれば、その額は数百万ドルにもなり得る。キャタピラーはその額に基づいて収益の規模を推定できるだろう。

センサー・データのスコープは新製品の事業規模と似ている。従来型企業は新製品の事業規模なら推定できる。市場のニーズ、潜在顧客のプロファイル、シェアを競うことになる市場規模を評価する方法を知っているからだ。その点では、センサー・データのスコープも新製品のスコープと似ている。違うのは、推定する対象が製品ではなくプラットフォーム・サービスだという点である。

センサー・データのスコープとネットワーク効果

センサー・データのスコープは、そのデータが生み出すネットワーク効果によって異なる。なぜなら、センサー・データによって製品連携プラットフォームに参加してくれる可能性のあるユーザーの種類や数が決まり、ネットワーク効果の大きさが決まるからだ。センサー・データが引き寄せるユーザーの種類によって、プラットフォームが提供するサービスは、直接ネットワーク効果か間接ネットワーク効果、あるいはその両方の効果を生む。

第2章で述べたが、直接的効果は、ユーザーが自分と同じ属性の他のユーザー、すなわちプラットフォーム上の同じ場所にいるユーザーからもたらされる価値のことだ。フェイスブック上で友だちとつながることで得られるメリットなどがこれに当たる。間接的効果は、属性の異なる他のユーザー、すなわちプラットフォームの別の場所にいるユーザーから受け取る価値のことだ。リンクトインを利用しているビジネスパーソンが、プラットフォーム上に採用担当者が増えることで転職の機会も増える、といったケースがこれに当たる。

たとえば、スマート歯ブラシのセンサー・データとつながる製品連携プラットフォームは、他のスマート歯ブラシのユーザーや、補完的サービスを提供してくれるサードパーティ（歯科医師など）を呼び込める。その結果、ユーザーはタイムリーな治療が受けられ、より良い口腔衛生を実現できる。

このような製品連携プラットフォームでは、間接ネットワーク効果のメリットが得られる。プラットフォーム上で歯科医師が増えると、スマート歯ブラシのユーザーにとって潜在的なメリットが増えるし、その逆も然りだ。また、ユーザー数が増えてデータが蓄積され、アルゴリズムがより精緻になれば、直接ネットワーク効果も得られることになる。

スマート・テニスラケットのセンサー・データは、ユーザーをプラットフォームに招き入れ、プレー仲間や対戦相手のマッチングを提供するが、そこには直接ネットワーク効果が働いている。プレーヤーが増えれば増えるほど、最適なマッチングの可能性が高まり、プレーヤー自身が享受する価値も高まるからだ。このプラットフォームが、プレーヤーではなく補完財（コーチなど）を招き入れれば、間接ネットワーク効果も生まれる。補完財が増えるほど、ネットワーク効果は直接的なものも間接的なものも大きくなる。ネットワーク効果はプラットフォーム・サービスの潜在的価値を高めるので、センサー・データのスコープの重要な側面と言うことができる。

属性2 ユニークネス

センサー・データは、他のタイプの製品では簡単には利用できないものなら、ユニークネスがあると言える。逆に、別のタイプの製品でも利用できるならユニークネスがあるとは言えない。

スマート歯ブラシのセンサー・データは、歯ブラシと歯の接触から生じる。そのデータは、歯ブラシ以外には利用できないのでユニークネスがあると言える。歯ブラシのセンサー・データを利用できるのは他のセンサー付き歯ブラシ、つまり既知の競合製品だけだ。したがってオーラルBの競合は、フィリップスやその他の歯ブラシ・メーカーに限定されることになる。

一方、スマート電球のセンサー・データ（動作感知データ）は、スマート電球メーカーでなくても利用することができる。サーモスタット、火災警報器、セキュリティ・カメラなど、同じ部屋の中にある電球以外のスマート製品でも利用できるので、それらのスマート製品が同じプラットフォーム・サービスの顧客を奪い合う競合になる可能性がある。言い換えれば、ユニークネスという強みのないセンサー・データには業界の外からライバルが現れる可能性があるということだ。

さらに、センサーには製品に後付けできるという性質があるため、思ってもいなかった競合を呼び寄せることがある。第4章で取り上げたキャタピラーのケースでは、建設機械メーカーの前にソフトウェア、通信、GPSの業界から新しいライバル（トリンブルやテレトラック・ナブマンなど）が現れたことを紹介した。これらのライバルは、建機にセンサーを取り付け、キャタピラーの顧客に対してキャタピラーと同様の建設機械管理サービスを提供することができる。

第7章では、同種のデータにアクセスできる競合他社をデジタル競合と位置づけて分析したうえで、それが従来型企業のデジタル競争戦略におよぼす影響と対処法を論じる。

巨大デジタル企業がこの種のセンサー・データにアクセスできるなら、手ごわい競争相手になる。彼らは有利な地点に立っており、従来型企業が集めようとしている多様なデータにアクセスできる。たとえば、アリババとテンセントは、多目的《オムニバス》プラットフォームとアプリを通じて、平均的な中国の消費者の消費習慣、信用履歴、ローン要件に関する豊富なデータを収集している。それは中国の一般的な銀行が自行のアプリベースのセンサーから取得できるものよりはるかに豊富だ。[9] そのおかげで、アリババとテンセントは、顧客にローンを提供する際に、従来の銀行より競争力がある。

ここでのポイントは、センサー・データのユニークネスは製品連携プラットフォームのサービスの競争力に影響を与えるということだ。データに他では得られないユニークネスがあればあるほど、そのプラットフォームが成功する可能性が高まる。

属性3 コントロール

センサー・データのコントロールとは、製品メーカーがセンサー・データを、ほかからの制約を受けることなく、ユーザーや補完企業と自由に共有できるかどうかという属性だ。

仲介者の存在

製品メーカーとユーザーのあいだに仲介者がいる場合、データ利用は制約を受ける可能性が高い。仲介者がメーカーに対し、ユーザーと直接にデータを共有することを認めないからだ。

GEのスマート機関車のセンサー・データを例に使って説明しよう。たとえば機関車の到着時刻というデータは、共有することで、貨物の荷送人《におくりにん》と荷受人《にうけにん》の便宜をはじめ、さまざまなプラットフォーム・サービスのために活かすことができる。

GEのプラットフォームを使えば、貨物の荷送人と荷受人の双方に、貨物の正確な所在や到着予定時刻をリアルタイムで明示することができる。出荷や受領のタイミングに合わせた請求書発行や代金回収サービスも可能だ。所要時間と運賃の組み合わせを提示して、ニーズに適したルートを選択できるサービスも可能だ。商品が移動中でも到着日時や目的地を変更することもできる。プラットフォームにトラック運送会社などの最終配送業者を加えることができれば、顧客のロジスティクスをさらに幅広くサポートできる。

だが、荷送人と荷受人はGEの直接の顧客ではない。GEの顧客は鉄道会社だ。GEと荷送人・荷受人のあいだには鉄道会社という仲介者がいる。鉄道会社は、GEと荷送人・荷受人のあいだのデータ共有を制限する。機関車の所有者は鉄道会社であり、そこで共有されるデータも鉄道会社のものだからだ。このように仲介者は、製品メーカーがセンサー・データをプラットフォーム・ユーザーと共有するのを妨げることがある。

プライバシーの問題

プライバシーの問題は、外部との自由なデータ共有を制限するもうひとつの重要な要因だ。たとえばヘルスケア分野の製品は、たとえ仲介者のいない直接の顧客であっても、当人がセンサー・データをプライバシーに関わる機微なものと判断したらデータ共有を認めないかもしれない。アボットのフリースタイルリブレ〔血糖の変動を継続的に自己測定できる携帯装置〕のユーザーは、データの流出や保険会社によって自分に不利なかたちで使用されることなどを警戒して、リアルタイムの血糖値データを補完的組織と共有することを制限するかもしれない。

さらに、データの無制限な共有に歯止めをかける規制もある。たとえば、ヘルスケア関連データの一部は、病院間での自由な共有が禁じられている。銀行も顧客の金融データを自由に共有することは禁止されている。このような規制で、多くのプラットフォーム・サービスの範囲が制限される可能性がある。データのプライバシーと規制の問題については第9章で詳述する。

3つの属性のまとめ

データの属性を要約すると以下のようになる。

- Ⓐセンサー・データの3つの属性――スコープ（影響範囲）、ユニークネス、コントロール――は、製品連携プラットフォームとその上で展開されるサービスがビジネスとして成り立つかどうかを左右する重要な要素である。
- Ⓑセンサー・データの3つの属性は、従来型企業が自社の製品をプラットフォームに拡張するかどうかを評価するうえでも、デジタル・プラットフォームを構築する最適な方法を決定するうえでも、役に立つ観点である。

言い換えれば、3つの属性から見たセンサー・データの内容に最もよくマッチする方法を選べば、データの可能性を最大限に活かして、製品をプラットフォームとして展開することができる。

次に、センサー・データの内容に応じた製品連携プラットフォームのあり方を、4つの類型に分けて紹介しよう。

プラットフォーム展開——4つのアプローチ

いま述べたセンサー・データの3つの属性をふまえて、製品連携プラットフォームをどのように構築していけばよいか。4つのアプローチを示したのが図5-2だ。図の水平方向はセンサー・データのスコープとユニークネスの程度を、垂直方向はコントロールの程度を反映している。

製品連携プラットフォームで勝負するためには、センサーを備えた製品が最低1個あればよい。ただし、図の左下の枠からもわかるように、その条件を満たす製品がすべて自前のプラットフォームで競うわけではなく、他のプラットフォームのサプライヤーになるという方法もある。

それ以外の3つの枠は、企業が自前のプラットフォームを構築して他社と競うものだが、性質の違いによって、自社完結型、共同運営型、許可提供型にアプローチが分かれる。中央の丸い部分は、複数の要素がミックスされたハイブリッド型のアプローチである。それぞれについて紹介していこう。

アプローチ1　自社完結型プラットフォーム

センサー・データがスコープ、ユニークネス、コントロールのすべての属性で強い製品に適したアプローチが自社完結型プラットフォーム（Full Tethered Platforms）だ。このようなセンサー・データを持つ企業は、自社独自のプラットフォームを運用し、ユーザーを直接招き入れ、ユーザー間のデータ共有を自らの権限で促進することができる。

図5-2
製品連携デジタル・プラットフォームの4パターン

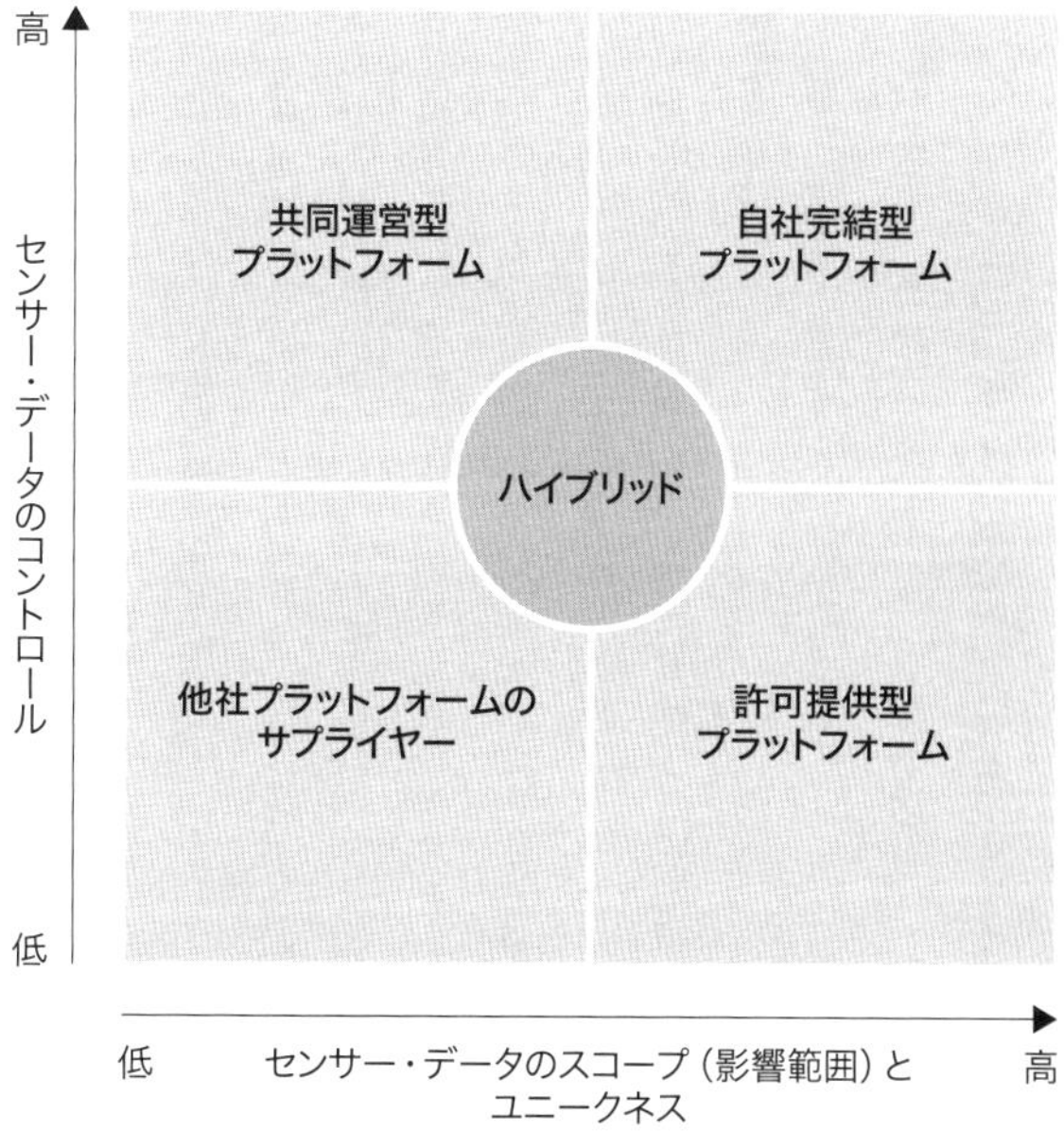

ベクトン・ディッキンソン

医療機器の製造と販売を手がける医療テクノロジー企業ベクトン・ディッキンソン（BD）を例に取って考えてみよう。同社は注射針、注射器、静脈カテーテル、インスリン注射器、局所麻酔注射器、麻酔トレイなどが代表的な製品だが、最近では個別の製品に加えて、デバイスを接続することでデータドリブン・サービスにも事業の範囲を広げている。

この展開を推進するため、BDはいくつか大きな買収を行った。そのひとつが、2014年に約120億ドルで買収したケアフュージョンだ。この買収で、BDは複数のスマート製品とソフトウェア技術を獲得した。その中にはアラリスのスマート点滴ポンプ、ピクシスのナース・ステーション用自動投薬システム、薬剤保管や調剤を自動化するロワ・システムが含まれる。この3つの製品やシステムが一体となって、ひとつの製品連携プラットフォームが形成された。

その仕組みを理解するため、まずベッドサイド点滴ポンプ、ナース・ステーション、病院薬剤部の基本的な機能を確認しておこう。

ベッドサイド点滴ポンプは、点滴静注バッグや注射器から、薬剤や輸液をあらかじめ定められた速度と頻度で投与するための医療機器だ。医師が患者に必要な薬剤や輸液を処方し、ナースステーションの看護スタッフがその正確な実施を管理する。ナース・ステーションは一般的に診療フロアや回復室の中央に配置されており、薬剤部から供給された薬剤や輸液を保管している。

薬剤師は医師の処方に従って薬を調合する。たとえば8時間ごとにアモキシシリン500ミリグラムを静脈内投与するという処方なら、薬剤師は10ミリリットルの水溶液にアモキシシリン500ミリグラムを混ぜ、静脈内輸液バッグに入れる。看護師はこのバッグを所定数受け取ってナース・ステーションで保管し、投薬時に患者のベッドサイド点滴ポンプに取り付けて投与する。

ベッドサイド点滴ポンプという製品にとって、患者、輸液バッグから投与される薬剤、ナース・ステーション、薬剤部などのすべてが補完財であり、治療のために連携させなければならない重要な構成要素となる。これらがデジタル連携されたものが点滴ポンプのコンサンプション・エコシステムである。点滴ポンプが、このエコシステム上の補完財のあいだでのデータ共有を促すなら、点滴ポンプは製品連携プラットフォームの機能を果たすことになる。

アラリス・スマート点滴ポンプ

以上をふまえて、BDのアラリス・スマート点滴ポンプが、自社完結型プラットフォームとして機能する様子を見てみよう。患者が、ピクシスやロワの機能とともに、アラリスの補完財あるいはユーザーとしてデジタル接続されると、プラットフォームができあがる。

そこでのアラリスの役割は何か。スマート点滴ポンプであるアラリスは、一般的なベッドサイド点滴ポンプに新たな機能を加えたものだ。そのひとつが患者管理鎮痛法（PCA）だ。一般に、鎮痛法とは手術後の痛みを緩和するために入院中の患者に処方されるもので、モルヒネや他の医療用麻薬が用いられる。PCAでは、患者が痛みを緩和したいときに規定の量の鎮痛剤を自己投与できる。その際、点滴ポンプは投与の間隔を監視し、制御を行う。

同時に、アラリスは患者の呼吸やCO_2レベルをモニターする。鎮痛剤として用いられる医療用麻薬は呼吸機能を低下させることがあり、注意深く監視しないと呼吸不全に陥ることがあるからだ。つまりアラリスは、PCAの機能が使われているあいだ、患者の呼吸やCO2レベルに関するリアルタイムのセンサー・データを収集しているのである。

リアルタイムの呼吸状態やCO2レベルといったセンサー・データは、アラリスを自社完結型プラットフォームとして機能させるのに適した属性を有している。

まず、このセンサー・データのスコープは、BDのプラットフォーム・サービスが提供する価値に照らして、必要な広さがあると評価できる。一例として、アラリスは、鎮痛剤を投与した患者に呼吸不全が起こることを予測すると看護スタッフに危険を知らせることができ、病院は直ちに必要な処置を施すことができる。その事象はナース・ステーションのピクシスに自動的に記録される。その後、同じ患者に類似の投薬が処方されたら、ピクシスは見落とし防止のためのアラートを発する。すべての投薬の詳細は薬剤部のロワ・システムに登録され、同じ患者に同じ処方が過剰に出たら同じくアラートを発する。このプラットフォーム・サービスは、医療処置のためのタイムリーなアラートと投薬ミスの防止という価値を生んでいる。

スコープの広さに加え、患者の呼吸状態と呼気のCO2レベルをリアルタイムで測定して投薬管理に接続する機能も、アラリス（および他の競合するスマートポンプ）だけのもので、ユニークネスの点でもすぐれている。呼吸状態と呼気のCO2レベルを記録するモニターならほかにもあるかもしれないが、それを鎮痛薬の投与に結び付けてくれるものはない。それができるのはスマート点滴ポンプだけだ。この機能により、看護師と医師は正確かつ迅速に医療介入することができる。

ピクシスとロワもBDが所有しているので、アラリスにはBDのシステム上でのデータ共有にほとんど制約や障壁がない。

スコープ、ユニークネス、そしてデータ共有のコントロールという、センサー・データの3つの属性のすべてにすぐれているアラリスは、自社完結型の製品連携プラットフォームとして機能することができる。

注射器やカテーテルなど、昔からの製品にもセンサーを搭載できる。とは言え、このような製品からセンサー・データを得て、それをプラットフォームに発展させ、スマート点滴ポンプのようにデータドリブン・サービスを提供するのは難しい。それに対し、アラリスが収集するセンサー・データは、PCAのために使う呼吸状態やCO_2レベルのデータだけではない。アラリスはほかにも数多くのセンサー・データを取得し、ピクシスとロワには、そのデータを別のところで補完する多くの機能がある。たとえば、スマート点滴ポンプからの薬剤投与状況のデータに基づいて、ピクシスは薬剤の在庫がなくなる前に補充指示を出し、ロワがその供給方法を指示する。このようなデータ共有によって、病院は患者一人ひとりについてシームレスな投薬管理ができる。

患者の呼吸状態やCO_2レベルにしても、ここで説明した以外の補完財があるかもしれない。言い換えれば、スマート点滴ポンプは、BDの従来型製品よりはるかに強力なコンサンプション・エコシステムを持っている。ケア・フュージョンを買収し、製品ラインナップを注射器やカテーテルからベッドサイド点滴ポンプにまで拡大したことで、BDは新たなデータドリブン・サービスを武器にデジタル領域へと進出したのである。

アプローチ2　他社プラットフォームのサプライヤー

他社プラットフォームのサプライヤー（Supplier to Platforms）というアプローチは、図5-2からもわかるように、自社完結型プラットフォームの対極に位置する。自社完結型が、3つの属性のすべてで強いセンサー・データのためのものであるのに対し、他社プラットフォームのサプライヤーはそれらが弱いデータのための選択肢である。

このオプションの製品にも、もちろんセンサーが搭載されているが、そこからのデータだけで実行可能なプラットフォーム・サービスを生み出せる可能性は低い。これといった補完財が付かないので、コンサンプション・エコシステムは形成されても強いものにはならない。独自のプラットフォーム・サービスを生み出そうとしても大きな障壁に直面する可能性があり、プラットフォームとして機能できない可能性がある。

だが、他のデジタル・プラットフォームのサプライヤーとして機能することはできる。他のプラットフォームに加わり、そこでのデータ接続を自らのために使う方法を見つけるということだ。

いまでは電子レンジや洗濯機、乾燥機といった家電製品の多くはセンサー付きで、アマゾンのアレクサやグーグル・ホームなどのデジタル・プラットフォームと連携している[10]。ユーザーは音声コマンドで家電を起動することができる。声に出して命令するだけで、電子レンジで調理し、食洗機で皿を洗い、乾燥機付き洗濯機で服を洗い、蛇口を開いてボウルに水を入れることができる。

これらの家電製品や装置にはセンサーが付いているが、製品間でデータを共有して独自のデジタル・プラットフォームを構築するだけの力はない。アレクサやグーグル・ホームなど、別のプラットフォームに依存するかたちで、持っている機能を他の家電の機能と連携させている。

アプローチ3　共同運営型プラットフォーム

データ共有のコントロールの面ではすぐれているが、スコープとユニークネスが不十分な製品センサー・データに適しているのが共同運営型プラットフォーム（Collaborative Tethered Platforms）だ。このタイプのプラットフォームでは、スマート製品は独自にデータ交換を行いつつ、他のプラットフォームの支援も受けて、意図したサービスをフルに提供することができる。

言い換えるとこのアプローチは、スマート製品を他社のプラットフォームに対する完全なサプライヤー（アプローチ2）の状態から、自社完結型プラットフォーム（アプローチ1）へと押し上げるものだ。ただし、自社完結型プラットフォームになったとしても、ねらい通りのサービスを提供するためには他社のプラットフォームとの連携は必要である。

ワールプールの新製品であるスマート冷蔵庫、スマート調理オーブン、スマート電子レンジは、このアプローチを採用しているプラットフォームの一例だ。これらの製品はレシピ・アプリのヤムリー[11]を通じてデータを共有している。そして、ワールプールの製品を使って料理をする人に、スマートな調理関連サービスを、アマゾンのアレクサを介したスマートホーム機能の一環として提供している。

仕組みはこうだ[12]。ワールプールの冷蔵庫と調理オーブンは、ヤムリーを通じてデータを交換する。まず、ユーザーがきょうは何の料理をつくるか決めると、冷蔵庫が料理に使える食材をヤムリーに知らせる。足りない食材があれば、アレクサがアマゾンに注文する。ヤムリーはユーザーが選んだメニューに従って、調理の手順を教える。オーブンは適切な設定を自動で行い、余熱、ベイク、直火焼きなどを必要に応じて使い分ける。アレクサはつねに待機しており、ユーザーが「火を止めて」とか「温度を上げて」などと話しかければ、調理器具をそのように動かしてくれる。

自社の冷蔵庫とオーブン、レンジを連携させ、ヤムリーを通してレシピを提供することで、ワールプールはアレクサのたんなるサプライヤー以上の存在となっている。ワールプールの製品は、料理のサポートというサービスに必要なデータ共有を促進している。

ここでひとつポイントになるのが、オーブンはもともと冷蔵庫の補完財だということだ。冷蔵庫の中にあるものを調理するのがオーブンだ。従来、この2つの家電はデジタル連携されていなかった。それをワールプールは、ヤムリーを通して連携させたということになる。

ワールプールはさらに、アレクサと共同で、フルスペックの料理サポートというプラットフォーム・サービスを提供している。たとえば、冷蔵庫にストックする食材の配達手配にアレクサとアマゾンを利用している。もしかしたら自社単独でもできるかもしれないが、そうするとアマゾンと競合することになる。アマゾンにはワールプールと同種のデータが、アマゾン・ダッシュ〔ネット注文サービス〕からも、あるいは冷蔵庫への食材の補充をアレクサに頼む他社メーカーのユーザーからも入ってくるので、競合ではなく共同を選んだと考えられる。

ワールプールは、自社のプラットフォームの範囲を必要なデータ共有の一部に限定することで、アマゾンと正面から競合することを避けている。ワールプールは、料理サポートサービスを統合する自社のデータのスコープが、アレクサの広範なスマートホーム・サービスに比べると限定的であることも認識している。そこでベストな方策は、自社のスマート冷蔵庫やオーブンなどを使った共同運営型プラットフォームということになる。

このアプローチは、フェイスブック（ソーシャルネットワーク・プラットフォーム）と連携しているスポティファイ（音楽ストリーミング・プラットフォーム）やジンガ（ゲーム・プラットフォーム）も採用している。スポティファイはフェイスブックが構築した幅広いネットワークを利用して自社のサービスのスコープを広げている。ジンガも同じ方法で、ユーザーにフェイスブックでゲームの対戦相手を見つけてもらうことでサービスの範囲を広げている。いずれもフェイスブックと直接に競合することを避けている。

一方でフェイスブックは、スポティファイとジンガを自社のプラットフォームに加えることで、間接ネットワーク効果の拡大というメリットを得ている。料理のサポートというニッチなサービスを提供するワールプールを、自社の幅広いホームサービスのプラットフォームに迎え入れたアレクサにも同様のことが言える。

アプローチ4　許可提供型プラットフォーム

センサー・データのスコープとユニークネスはすぐれているが、補完財や潜在的なプラットフォーム・ユーザー間でのデータ共有に制約がある製品に適しているのが許可提供型プラットフォーム（Enabled Tethered Platforms）だ。

ここで例に挙げるのは、消費者や中小企業、税務専門家向けの事業・会計管理ソフトウェアを手がける大手企業インテュイットだ[13]。インテュイットはソフトウェア製品の会社としてスタートし、当初はパッケージ・ソフトウェアとして販売していたが、その後SaaS〔サービスとしてのソフトウェア〕として提供するようになった。インテュイットの製品のひとつであるクイックブックスは、給与計算、請求、支払いといった中小企業の経理業務をサポートするもので、ソフトウェアはセンサーとしても機能し、売掛金、請求、在庫、運転資金などのインタラクティブ・データを収集する。

このデータがさまざまな補完財を呼び込む。支払い先となる業者、代金回収の相手となる顧客、在庫を補充してくれるサプライヤー、短期融資をしてくれる金融機関などだ。クイックブックスはこれらを連携し、決済の簡便化、適切なタイミングでの代金回収、在庫補充、安定した運転資金の維持など、顧客向けサービスを提供するプラットフォームとして機能している。

このプラットフォームは、クイックブックスという製品に連携され、そこから生まれるデータに縛られるので製品連携プラットフォームということになるが、以下に述べるような特徴から、そのプラットフォームは許可提供型プラットフォームに分類される。

インテュイットは顧客《クライアント》が自分でプラットフォームを管理することを許可している。顧客は自分のニーズに応じてプラットフォーム・ユーザー（業者、顧客、融資会社など）を選択し、プラットフォーム機能の一部を自由に共有することができる。

重要なのは、プラットフォーム・ユーザーとしてだれを迎え入れ、どのデータを共有するかを決めるのがインテュイットではなく、インテュイットの顧客だという点だ。データを所有しているのは顧客であり、インテュイットが自分の許可を得ずに第三者とデータを共有してしまうことを嫌うかもしれない。

許可提供型プラットフォームを選択したことで、インテュイットはクイックブックスを、顧客がデータ共有の相手を選べるプラットフォームに拡張することができた。インテュイットは顧客に、プラットフォームを独自に管理できるソフトウェアやクラウド、AIのインフラを提供している。

許可提供型プラットフォームは、製品生成データを顧客の顧客と共有する必要があるB2B（企業間取引）企業の多くに適したアプローチだ。先ほど紹介したGEの機関車は、まさにこのカテゴリーに当てはまる。GEの機関車は、スコープ（荷送人と荷受人のマッチングから生まれる価値）とユニークネス（正確な到着予定時刻）にすぐれたセンサー・データを生成する。

だが、そのデータの所有者はGEの顧客（鉄道会社）であり、データを共有すべき相手はGEの顧客の顧客（貨物の荷送人と荷受人）だ。このような関係のため、GEのデータに対するコントロールは制限され、機関車をデジタル・プラットフォームに拡張したければ、許可提供型プラットフォームが最適な選択肢となる。

ハイブリッド型アプローチ

ここまで紹介してきた製品連携プラットフォームの4つのタイプは、それぞれがそのまま戦略的な選択肢になる。しかし製品によっては、選択肢を複数組み合わせて採用し、強みや弱みのバランスを取りながら製品連携プラットフォームを適宜調整する方法が適していることもある。

GEの機関車であれば、一部の顧客とは合意に基づいて自社完結型プラットフォームを運用できるかもしれないし、他の顧客とは許可提供型プラットフォームを運用できるかもしれない。ワールプールは、洗濯機や乾燥機などではアレクサのサプライヤーだが、冷蔵庫やオーブン、レンジはアレクサと共同運営型プラットフォームを構築している。

ハイブリッド型アプローチを使うことで、さまざまなアプローチを試したり、状況や目標に応じてアプローチを戦略的に移行したりすることもやりやすくなる。

表5-1に、アプローチ別に製品連携プラットフォームの特徴をまとめた。

製品連携プラットフォームのための3つの戦略ポイント

コンサンプション・エコシステムは、従来型企業に、新たなデータドリブン・サービスによって戦略的展望を広げるチャンスをもたらす。このエコシステムにあっては、製品生成データは製品のパートナーとなり、新たな価値提供や収益源を生む方法を共同で生み出すリソースとなる。

本章では、従来型企業がそれを実現するための具体的な方法を考えた。その取り組みには、製品に連携したプラットフォームという土台が必要だ。それがあってはじめて、戦略的範囲を製品からデータドリブン・サービスへと広げ、コンサンプション・エコシステムでの新しい機会をつかむことができる。

会社として製品連携プラットフォームの構築にどう取り組んでいくかを検討する際に、次の3つの

表5-1
製品連携デジタル・プラットフォームの特徴

	他社プラットフォームのサプライヤー	共同運営型プラットフォーム	許可提供型プラットフォーム	自社完結型プラットフォーム	ハイブリッド型プラットフォーム
基本的な方法	他社のプラットフォームにサプライヤーとして参加	大規模または強力な他社のプラットフォームでサブ・プラットフォームを運用	顧客に代わってプラットフォームを運用	プラットフォームを自社で直接運用	複数のタイプのプラットフォームの組み合わせ
例	アレクサやグーグル・ホームと連携するデルタ・フォーセット(配管器具メーカー)	自社製冷蔵庫やオーブン、レンジのユーザーに、アマゾンのアレクサを通じて調理サポートを提供するワールプール	自社の会計プラットフォームを通じて、顧客に銀行やサプライヤーとのデータ共有を許可するインテュイット	ベクトン・ディッキンソンはアラリスポンプを自社完結型プラットフォームとして運用し、高性能で安全な医療サービスを提供	ワールプールはアレクサのサプライヤーであり、同時にアレクサ上でサブ・プラットフォームを運用
プラットフォームの所有	まだプラットフォームを所有していない	製品メーカーの所有だが、強力なプラットフォーム所有者と共有	製品メーカーの顧客	製品メーカーの完全所有	製品メーカーおよび共有
センサー・データの所有	親プラットフォームに譲渡	製品メーカー	製品メーカーの顧客	製品メーカー	製品メーカーおよび共有

問いが戦略思考の感度を高めるうえで役に立つ。

戦略ポイント1

自社のセンサー戦略は何か？

センサーから生まれるデータは、製品連携プラットフォームの商業的可能性とその競争力を支えている。センサー・データの3つの属性――スコープ、ユニークネス、コントロール――は、そのデータによって製品に何ができるかを決定づける重要な要素だ。

この3つの属性は、製品の特性や中心的機能、製品とユーザーの接点によってかなりの程度まで決まる。だがユーザー・インターフェース（UI）に関連する技術も進歩しており、製品からさまざまなセンサー・データを取得することが可能だ。その場合、ユーザーとの接点は必ずしも製品の中心的機能に縛られる必要はない。

ルンバがその好例だ。ルンバはアイロボットのロボット掃除機で、本来の機能は床を掃除することだ。ルンバに搭載されたセンサーが障害物を感知し、ぶつからないようにルンバをナビゲートすることで、効率的に掃除ができる。

そのルンバのセンサーが改良され、床を走査《スキャン》してネズミのフンやシロアリ、カビも検出できるようになったら、ルンバとユーザーの接点は掃除を越えて広がるだろう。そんなセンサー・データがあれば、アイロボットは製品連携プラットフォームを構築し、ユーザーを害虫駆除業者や住宅建築業者とつないで害虫やカビの問題を解決するサービスを提供することができる。

そうなればアイロボットの戦略は、ロボット掃除機の単品売りから、害虫やカビから家を守るためのサポートをするデータドリブンのプラットフォーム・サービスへと進化する。アイロボットは現在、アレクサのプラットフォームのサプライヤーだが（ユーザーはアレクサを通した音声命令でルンバを起動できる）、役割を広げてプラットフォームになろうとしている。[14] 新たなセンサーを加えることで、アイロボットは共同運営型プラットフォームに進化し、害虫やカビから家を守るサービスをアレクサのホームサービス・プラットフォームで提供することができる。

戦略ポイント2　どうすればプラットフォームにユーザーを呼び込めるか？

センサー・データを基盤として商業的に成立する製品連携プラットフォームを構築できるかどうかは、センサー・データの3つの属性――スコープ、ユニークネス、コントロール――によって推定することができる。しかし、可能性の議論を超えて、それを現実にするためには、プラットフォーム・ユーザーを呼び込む必要がある。

まずはじめに、センサーを搭載した製品を使ってくれて、他の補完財やプラットフォーム・ユーザーと共有できるデータを生成してくれる顧客をつかまえなくてはならない。第6章では、このような顧客をデジタル顧客と定義し、従来型企業がデジタル顧客をつかまえる方法を述べる。デジタル顧客が製品のインタラクティブ・データを生成するようになったら、次はそのデータを補完する企業や組織、つまり他のプラットフォーム・ユーザーを呼び込む段階へと進む。

寝具メーカーのテンピュール・シーリーは、睡眠中のユーザーの心拍数や呼吸パターン、いびきなどを検出するセンサーを搭載したマットレスを発表した。同社はまず、既存のマーケティングや販売チャネルを使って顧客にアプローチし、センサーを搭載した新商品を売ろうとするかもしれない。[15]また、すでに販売したマットレスにセンサーを後付けしようとするかもしれない。

次の段階は、プラットフォーム・ユーザーの特定、特にマットレス生成データを補完して睡眠体験の向上に寄与してくれるユーザーの特定だ。そのようなユーザーとしては、睡眠体験をサポートする調光機能付きスマート照明やスマート音楽プレーヤーの事業者などが考えられる。ユーザーの睡眠障害をモニターする睡眠時無呼吸症候群の専門家も考えられる。

デジタル先進企業は以前から、プラットフォーム・ユーザーを呼び込む戦略に磨きをかけてきた。[16]特にオープンAPIを駆使した戦略で大きな成果を収めた[17]（第2章参照）。オープンAPIはアプリケーションの開発者を呼び込み、開発者の責任でお互いを補完し、プラットフォームの顧客に役立つサードパーティの企業や組織を見つけさせる。[18]

デジタル先進企業は、プラットフォーム・ユーザーを呼び込み、そこから利益を得る価格戦略の先駆けでもある。すでに見たように、フェイスブックは主要なユーザーには無料でアクセスさせて、広告主やアプリ開発者から利益を得ている。

従来型企業も同様に、一部のユーザーにはお金を払ってでも参加してもらい、他のユーザーから収益を得るという方法を使うことができる。ただし、この方法にはかなりの初期費用が必要で、粘り強い継続が求められる。第6章では、このベストプラクティスに沿った方法をいくつか紹介する。

戦略ポイント3

最適な製品連携プラットフォーム戦略は何か？

最後に企業は、センサー・データやプラットフォーム・ユーザーを使って自社に競争優位をもたらすデータドリブン・サービスを生み出すための、最善の方法を見きわめなくてはならない。センサー・データやプラットフォーム・ユーザー、あるいは提供するサービスの強みを評価するだけでなく、自社が持っている従来型製品の強みを活かしてプラットフォームを強化する方法を考えることも大切だ。

たとえばスポーツシューズ・メーカーの場合、製品連携プラットフォームとして勝負する最適なアプローチを見つけるためには、2つのステップがある。最初のステップは、製品生成データの属性を評価し、意図するプラットフォーム・サービスとその商業的な可能性を考えることだ。

まず、ランニングシューズのセンサー・データの3つの属性を評価してみよう。ランニングに関するセンサー・データは、ランナーを他のランナーやアスレチックトレーナーと引き合わせることができ、その商業的価値を考えるとスコープの面ですぐれている。ユニークネスは、アップルやガーミン、フィットビットなど同種のデータにアクセスできる潜在的な競合企業があるので、中程度というところだろう。コントロールについては、スニーカーユーザーの大半が付加価値を感じるサービスのためなら自分のデータを進んで共有すると仮定すれば、高いかもしれない。

以上をもとに総合的に判断して、シューズ・メーカーは、ランナーを他のランナーやアスレチックトレーナーとつなぐプラットフォーム・サービスという価値提案がさらなる検討に値すると判断するかもしれない。そうなれば、自社に最もふさわしい製品連携プラットフォーム戦略を構築したいと思うだろう。

ここで、2つ目のステップに進む必要がある。このステップでは、自社の強みや主力製品の競争的ポジショニングを考える。ナイキのようなマーケットリーダーは、スポーツや健康関連のフィットネスサービスを中心としたビジネスで圧倒的なブランド力と事業規模を前面に押し出せる。ナイキにとっては、自社完結型製品連携プラットフォームが最適な選択肢だと思われる。

一方、2番手の企業には、計画しているプラットフォーム・サービスでの潜在的な競合企業の脅威が深刻に思えるかもしれない。その場合は共同プラットフォームが正解かもしれない。あるいはハイブリッド型アプローチを試すこともできる。もっと小規模な企業なら、有力なスポーツ関連プラットフォームのサプライヤーとなるのが賢明だろう。

コンサンプション・エコシステムから新たな価値を生み出す――DXの最終段階

コンサンプション・エコシステムから価値を引き出すには、現行のビジネスモデルから大きく舵を切る必要がある。その難しさと呼応するように、コンサンプション・エコシステムに関わるデジタルトランスフォーメーション（DX）の取り組みも困難なものになる。したがって、これはDXの第4段階、最も高度な挑戦となる。

従来型企業が業務効率化を重視してプロダクション・エコシステムに取り組むのは、DXの第1段階あるいは第2段階だ。製品や顧客からのデータを使ってデータドリブン・サービスを提供するのが第3段階だ。それとは異なり、コンサンプション・エコシステムからの価値創出は、新たなデータドリブンのプラットフォーム・サービスから生まれる。そのためには、DXの第4段階に到達する必要がある。

第4段階に到達することは、自社の製品がコンサンプション・エコシステムの脅威に直面している企業にとって戦略的に重要な意味がある。そのような状況でプロダクション・エコシステム内にとどまる企業の製品はコモディティ化するリスクを冒すことになる。すでに述べたように、スマート電球が新しいプラットフォーム・サービスを数多く生み出すいま、部屋を明るくするだけの電球は存在価値を失う。

第4段階のおもな課題のひとつは、デジタル・プラットフォームを走らせつづける方法を学ぶことだ。そのためには、センサー・データを補完してくれるサードパーティを引き寄せ、APIを通して彼らからのインプットを利用する必要がある。

その際、従来型企業にとっては以下の戦略的な問いが有益な示唆を与えてくれる。

- わが社のコンサンプション・エコシステムは、どのようなものになるか?
- わが社の製品のセンサー・データにとって、おもなデジタル補完財は何か?
- わが社のAPIを、デジタル補完財にアクセスされやすいものにし、彼らからのインプットを新たな顧客体験につなげるにはどうすればよいか?

コンサンプション・エコシステムの構築に取り組む企業は、新たな責任を引き受けることになる。デジタル顧客を獲得し（センサー・データを生成するために）、新たなデジタル競合企業と競争し（センサー・データのユニークネスを維持するために）、新たなデジタル・ケイパビリティを身につける（製品連携プラットフォームを維持するために）という責務である。それを次の章で論じよう。

第６章

デジタル顧客

ネットワークを構築する６つの戦略ポイント

デジタル競争戦略の出発点――顧客をデジタルでつなぐ

デジタル経済では、企業価値を向上させるドライバーはデータとデジタル・エコシステムである。これまでの章で、従来型企業はどうすればデジタル・エコシステムを構築でき、デジタル経済に参加できるかということを見てきた。

デジタル・エコシステムによって、企業は業務効率を高められるだけでなく、新たな価値を提供するサービスを生むことができる。従来型企業がデータ活用によってデジタル競争戦略を遂行するうえで、業務効率と新たな価値提供は最も重要な鍵を握っていると言える。

デジタル競争戦略の鍵を握る4つのデジタル・イネーブラー（29ページ参照）のうち、ここまで3つの章（第3章、第4章、第5章）ではデジタル・エコシステムについて見てきた。ここからの章では、残り3つのイネーブラー、すなわちデジタル顧客（本章）、デジタル競合企業（第7章）、デジタル・ケイパビリティ（第8章）について論じる。

まず本章では、デジタル顧客の役割とその戦略的意味を掘り下げる。

デジタル顧客とは何か

「デジタル顧客《カスタマー》」とは、センサーを搭載した製品のユーザーであり、したがって、製品ユーザー間のインタラクティブ・データを企業に提供してくれる顧客のことだ。インタラクティブ・データは顧客についてのインサイト（洞察）をもたらし、顧客にユニークなデジタル体験を提供するための土台となる。

プロダクション・エコシステムでは、デジタル顧客は業務の効率化を助けてくれる存在だ。インタラクティブなスマート製品の機能を開発するうえでの鍵にもなるし、ニーズ予測に基づいてマス・カスタマイズされたサービスを開発するうえでの牽引役にもなる。コンサンプション・エコシステムでは、主たるデジタル顧客はおもに製品連携プラットフォームのユーザーだ。その存在は、他のプラットフォームのユーザーを引き寄せる土台にもなる。

アマゾンやフェイスブック、グーグルなどのテクノロジー企業の場合は、顧客はすべてデジタル顧客だ。すべての顧客が、各社のデジタル・プラットフォームを使うたびにインタラクティブ・データを提供している。他方、センサーを搭載していない製品を売っている企業の場合、顧客はすべて非デジタル顧客で、インタラクティブ・データを提供してくれる顧客はいない。本章では、従来型企業が現在の顧客をデジタル顧客に変えようとするときに直面する、従来型企業ならではの戦略的な課題について述べる。もちろん、その課題を克服するための方法も提案する。

俯瞰的な表現をすれば、本章はデジタル顧客という概念を通じて、従来型企業に対し、製品とユーザーのやり取りから生まれるデータを集めるためのフレームワークを示す。多くの企業は、この種のデータ収集をこれまで体験したことがない。だが、このデータがなければ、現行の製品機能に基づく顧客体験をデータドリブン・サービスに基づくデジタル体験へと拡大することはできない。

デジタル顧客から収集したインタラクティブ・データは、データに基づく新しいサービスを提供し、価値提供の範囲を広げるための強力な道具になる（そのことは第3章、第4章、第5章で述べた）。それができるのは、センサーが圧倒的に入手しやすくなって、ジェットエンジンから医療機器、スポーツ用品、銀行のサービスにいたるまで、ありとあらゆるものに搭載できるようになったからだ。

第5章ではセンサー・データについて詳しく述べたが、この章では、従来型企業がセンサーを製品に搭載して活用する方法を紹介しよう。センサーこそが、企業がデジタル顧客を呼び込むためのベースになるからだ。

進む製品へのセンサー搭載

いまやセンサーは至るところで使われ、あらゆる製品に搭載できる可能性が開けつつある。とは言え、それにどの程度の魅力を感じるかは企業によって異なる。製品によってもセンサーを搭載することの向き不向きがある。テニスラケットのほうがソフトドリンクの缶よりもセンサーを搭載しやすいだろう。このような違いがあるため、センサーの導入に当たっては、創造力を発揮して多種多様なセンサーの性能を最大限に活かす必要がある。

センサーによって可能になるビジネスについて、従来型企業は視野を広げることが重要だ。センサー搭載の製品は、その製品の主要な用途からのみインタラクティブ・データを生成すると思われがちだ。たとえば、テニスラケットのセンサーはテニスに関するデータを集めるもの、歯ブラシのセンサーは歯科衛生に関するデータを提供するもの、という思い込みがある。

だが、センサーはさまざまな用途に使うことができ、あらゆる種類のデータを収集することができる。そうした汎用性を活かし、製品本来の使用目的とは異なるインタラクティブ・データの収集もできる。第5章では、ロボット掃除機にカビやシロアリ、ネズミのフンを検出できるようなセンサーを装備することで広がる可能性について述べた。センサーを自由な視点で捉えれば、現行のビジネスモデルを拡大できるヒントが見えてくる。

センサー技術の進歩はとどまることを知らないので、選択肢もますます広がりつつある。ナノテクノロジーを活用したセンサー[1]が発達すると、食品安全面の監視（食材が腐ったり傷んだりしていないかを感知する）、癌の早期発見（腫瘍の発生や肥大化を感知する）など、実現できることの限界を大きく押し広げることになるだろう。

センサー技術の進歩と応用範囲の拡大は、あらゆる産業の将来に影響をおよぼす。企業はその動向をしっかり把握しておかなくてはならない。このような技術の動向を追うことは戦略策定に不可欠な要素であることを理解しておく必要がある。

これからの製品開発においては、センサーを製品にいかに搭載するかが中心的な重要性を帯びる。ということは、製品の機能だけでなく、データの機能も視野に入れたイノベーションをめざす必要があるということだ。データの機能を充実させなくては、顧客を惹きつけてセンサー搭載の製品を使ってもらうことも、デジタル顧客になってもらうこともできない。

センサーは目的ではなく、目的達成の手段だ。製品にセンサーを搭載する目的は、製品とユーザーのインタラクティブ・データを収集することにある。デジタル顧客を獲得しないかぎり、その目的を果たすことはできない。

デジタル顧客と従来型顧客――スマート吸入器の例

一見しただけでは、デジタル顧客と従来型顧客（従来型企業の製品を使っている非デジタル顧客）の違いはわからない。実際、同じ個人や企業が、デジタル顧客であり従来型顧客でもあるということは少なくない。

たとえば、ナイキの一般的なシューズを履いている従来型顧客は、センサー付きシューズを履いているときはデジタル顧客になる。この顧客は2種類のシューズを買って、交互に履いているのかもしれない。同様に、ブリティッシュ・エアウェイズがGEの従来型ジェットエンジンを搭載した機体を飛ばせば従来型顧客のままだし、センサー付きエンジンを搭載した機体を運航すればデジタル顧客になる。[2]

そこで次の問いが生まれる。なぜデジタル顧客と従来型顧客を区別しなくてはならないのか？

スマート吸入器

デジタル顧客を従来型顧客と区別する理由を理解するため、アストラゼネカやグラクソ・スミスクライン、ノバルティスといった製薬会社が採用しているスマート吸入器の例を考えてみよう。吸入器とは、薬剤を肺や気道に、ミストやスプレーのかたちで直接吸入させる機器を指す。一般的には慢性

図6-1
標準的な吸入器

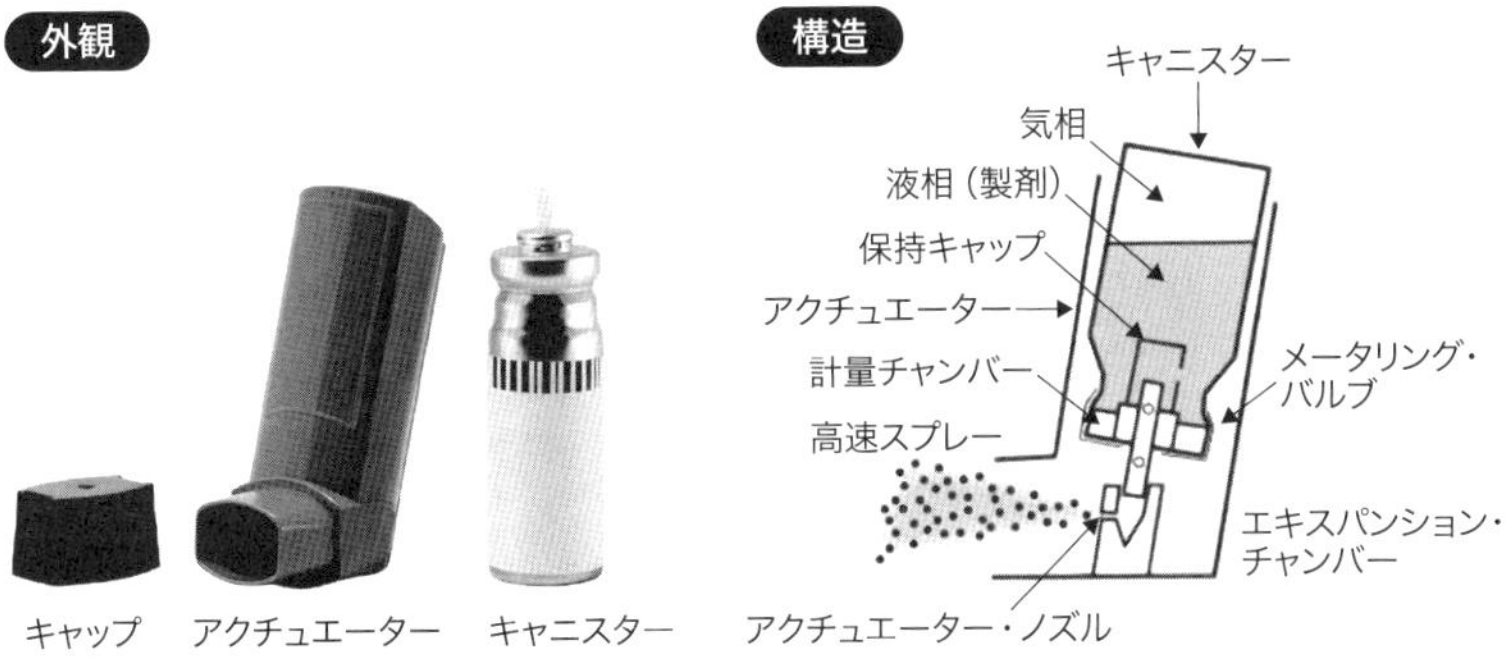

出所：Personal Air Quality Systems Pvt. Ltd.

閉塞性肺疾患（COPD）や喘《ぜん》息《そく》などの呼吸器疾患に対して使われている。

標準的な製品は、薬剤が入っているキャニスター（容器）と、吸入器が正しい量の薬剤を圧力放出できるようにするプラスチック製のアクチュエーターとキャップで構成されている（**図6-1**参照）。患者は吸入器の先端を口に入れ、容器を押して薬剤を吸入する。このような標準的な製品のユーザーは従来型顧客である。

一方、スマート吸入器には、プラスチック製のアクチュエーター上に、各種データを収集してスマートフォンやウェアラブル・デバイスとブルートゥース接続で通信できる電子チップのセンサーが付いている（次ページの**図6-2**参照）。薬剤を吸入するときの使い方は、これまでの吸入器とまったく同じだが、スマート吸入器のユーザーはデジタル顧客となる。

現在、多くのスマート吸入器が普及した背景には、製薬会社とテクノロジー企業のコラボレーショ

図6-2
スマート吸入器

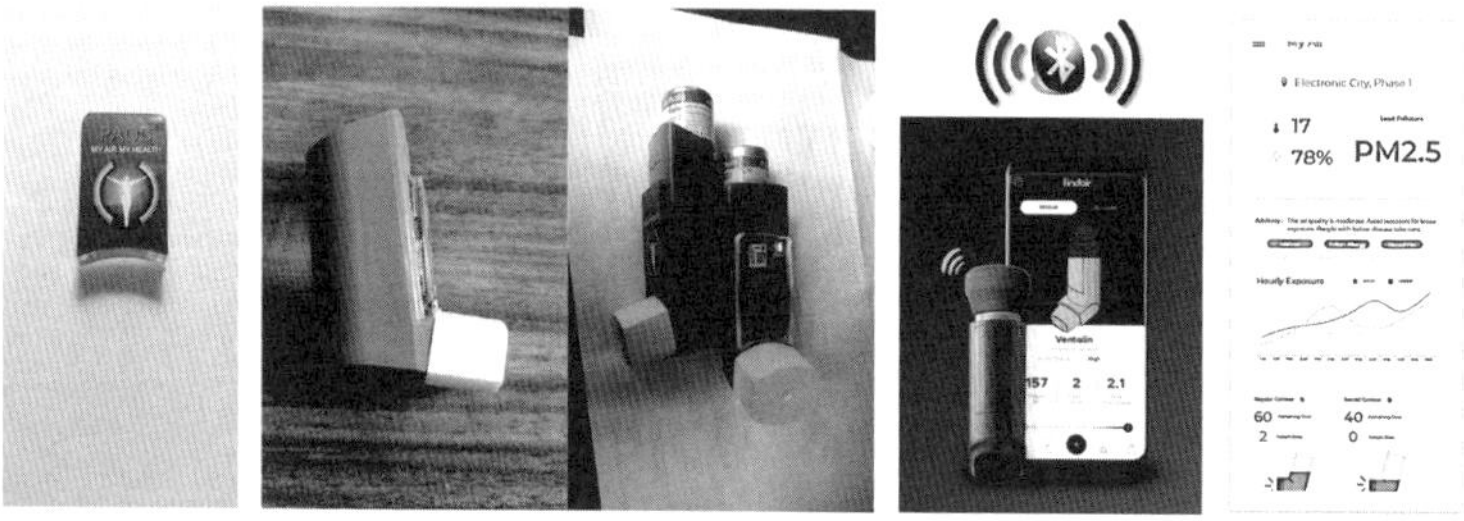

センサー　センサー付き吸入器　ブルートゥースとスマートフォン　ユーザーに提供されるデータ

出所：Personal Air Quality Systems Pvt. Ltd.

ンがある。補完しあえる強みを持つ両者が協力することで、シナジー効果が生まれている。製薬会社には特許医薬品や強いブランド力、確立した顧客基盤があり、テクノロジー企業には、センサー技術のノウハウやセンサー・データの分析スキルがある。アストラゼネカはアドヘリウムと、グラクソ・スミスクラインはプロペラ・ヘルスと、ノバルティスはクアルコム・ライフと提携している。[3]

標準的吸入器

炎症性気管支疾患である喘息の治療に、標準的な吸入器はどのように使われるか。米国疾病予防管理センター（CDC）によると、米国だけで喘息患者は2500万人、小児のほぼ12人に1人が喘息患者と推定される。[4] 全世界の喘息患者は3億3900万人を超える。[5]

一般的な症状は、喘鳴《ぜんめい》〔狭くなった気管を通る空気でのどが笛のように鳴る状態〕や息切れ、咳《せき》、胸苦しさ、発声困難などだ。気道の炎症や腫れに加え、気道周辺の筋肉の収縮によって気道が狭くなることで生じる。症状が激化すると、発作や呼吸困難に陥ることもある。喘息を悪化させる要因は、ほこりや花粉、ペットの鱗屑《りんせつ》〔皮膚から剥がれ落ちた角質層〕、カビといった、患者が吸い込む空気中のさまざまなアレルゲンや汚染物質だ。

治療には通常2種類の薬剤が処方される（完治は困難とされている）。薬剤は2種類の標準的な吸入器で投薬する。ひとつは副腎皮質ステロイドで、炎症を抑えて気道の腫れを防止するために定期的に服用する。予防もしくは長期管理薬として処方されるものである。

もう一方の薬剤である気管支拡張薬は、急性喘息発作を起こした場合に、副腎皮質ステロイドだけでは十分にコントロールできない筋肉の収縮を和らげるためのレスキュー薬として処方される。患者は通常この2種類の薬剤を持っている。ひとつは毎日使用するもの、もうひとつは発作を起こした場合に使うもの（救急用吸入器）だ。標準的な吸入器にはプラスチック製容器に機械式カウンターが付いており、患者はアナログデータで吸入回数と容器の残量がわかる。

スマート吸入器の基本的機能と先進的機能

一方、スマート吸入器は患者が吸入するたびにインタラクティブ・データを生成する。吸入日時、吸入量、肺に達した薬剤の量（口内に放出された量ではなく）などを記録する。センサーは、容器が薬剤を放出した際の吸入器の角度も収集し、最適な角度で容器が保持されていなかった場合は、薬剤が十分に肺に吸入されていないと判断する。センサーは吸入器の保管場所も追跡する。これらのデータがすべてスマートフォンのアプリに送られる。

スマート吸入器は環境データを収集してそれを使うこともできる。室内では、カビやイエダニを検出できるIoTデバイスにAPIを通じてアクセスすることでそれが可能となる。そのようなIoTデバイスのひとつがフーボットだ。[6] ユーザーが外出中（ユーザーが位置情報の追跡を許可している場合）、スマートセンサーは他のソースから、ユーザーがいまいる位置と関連づけられたリアルタイムの環境データ（花粉や湿度、汚染の状況、喘息発作の原因となる刺激物など）を取得することができる。

スマート吸入器は、このようなデータを通じて幅広い機能をデジタル顧客に提供できる。スマート吸入器用センサーを製造するバンガロール（インド）のスタートアップ、パーソナル・エア・クオリティ・システムズ（PAQS）[7]の創業者でマネージングディレクターのA・ヴァイドゥヤネイサンは、こうした機能を基本的なものと先進的なものに分けて説明する。

基本的機能には、予防的服用の監視、服用リマインド、救急用吸入器の使用日時と頻度の記録、外出時の携帯リマインド（特に救急用吸入器）、救急用吸入器の保管場所通知（発作時）などだ。この機能のメリットは、投薬計画を患者に順守させ、喘息をコントロールできることだ。複数の研究から、スマート吸入器は緊急時投薬を必要とする事態を減らすことが明らかになっている。[8] また、患者に救急用吸入器を携行するようリマインドする機能は直接の救命にもつながる。

一方、先進的機能は、多数の患者から集めたアーカイブデータを詳細に分析することで実現する。既知の刺激物（ほこり、花粉、カビなど）を検出して急性発作を予測する、患者ごとに発作を引き起こしやすい刺激物を把握してきめ細かい予測を行う、薬剤の有効性を追跡して医師が薬剤の用量を微調整することを助ける、といった機能が該当する。

基本的な考え方は、アマゾンとネットフリックスがデータソースを利用して、取り扱い商品の中から個々のユーザーが興味を持ちそうなものを予測するのと同じだ（第1章・第2章参照）。アマゾンとネットフリックスは、アルゴリズムとＡＩでユーザーの行動と購入の可能性のあいだに相関関係を見出し、予測している。スマート吸入器も同じで、データアーカイブを検索して、救急用吸入器の使用と各環境要因とのあいだの相関関係を見出し、喘息発作の予測を行っている。

スマート吸入器の将来

現在、市場に出ているスマート吸入器の大半は基本的機能のものだ。２０１４年に発表されているが、まだ採用の初期段階にある。普及率は吸入器市場の１％にも満たない。[9] スマート吸入器の現在の市場規模は約３４００万ドルと推定されるが、２０２５年までには15億ドルに成長すると目されている（吸入器全体の市場は約220億ドル）。[10] 各メーカーが製品の機能を高めてスマート吸入器のポテンシャルを最大限に活かせば、力強い成長が期待できるはずだ。

先進的機能を提供するスマート吸入器は、遠からず不可欠なものになるだろう。使いつづけるほど、患者によって異なる喘息発作の要因を学習するし、最新のアナリティクスとＡＩも駆使して患者に合わせた発作の予測と予防の精度を高めていくからだ。

しかし、それを確実にするには膨大なデータが必要不可欠だ。デジタル顧客がアドバンス機能のメリットを享受するには、大勢のデジタル顧客が提供するデータが必要だ。

膨大なセンサー・データが必要であることの例として、キンサ・ヘルスが提供するＩｏＴ体温計のケースを見てみよう。[11] この体温計は全ユーザーの体温を追跡し、複数の人が発熱している地域を検出できる。この機能によって、ＣＯＶＩＤ-19などの感染症のホットスポットについて迅速なアラートを発することができる。

しかし個々のデジタル顧客にとってのメリットは、周辺ないし地理的関連のある地域の人びとの大半がＩｏＴ体温計を使うようになって初めて現実のものになる。使用が広がるほどデータドリブンの優位性が可視化され、さらに多くのデジタル顧客が集まってくることが期待できる。

データドリブン・サービスの性質から、デジタル顧客を奪いあう競争は勝者総取りの結果になる可能性がある。この点は従来型顧客の場合とは明らかに異なる。デジタル顧客は既存の業界の製品（たとえば体温計）の市場を変える可能性がある。従来型企業は、従来型顧客を念頭に置いた現在の顧客獲得戦略を考え直さなければ、デジタル顧客を獲得することはできない。

デジタル顧客を獲得するための6つの戦略ポイント

デジタル顧客と従来型顧客では、購入する製品や生成するデータが根本的に異なる。従来型顧客は製品を購入するだけで、製品の使用状況を知らせるインタラクティブ・データを提供してくれない。一方、デジタル顧客はセンサー搭載製品を購入し、インタラクティブ・データを生み出し、メーカーがそのデータにアクセスすることを認める。この根本的な違いの意味を、従来型企業はよく知っておくべきだ。

センサー搭載製品の設計、生産、マーケティング、販売は、従来型企業にとって通常の活動ではない。従来型顧客にとっても、センサー付きの製品を使うのは当然のことではない。従来型企業がデジタル顧客を獲得するには、あらゆる活動を変える必要がある。同様に、従来型顧客をデジタル顧客に変えるためには、製品に対する期待を、使い慣れた標準的製品に対する期待とは違うものに変えてもらわなくてはならない。そのためには、新しいデジタル機能の価値に魅力がなければならず、提供される新たなメリットは説得力のあるものでなければならない。

デジタル顧客にとってのセンサー搭載製品の価値は、製品の普及とともに拡大する。それはネットワーク効果が生まれるからだ。従来型企業も、デジタル顧客によって生まれるネットワーク効果から、新たなかたちでメリットを得ることができる。ただし、従来型企業がそのメリットを得るには、顧客に対して従来とは違う価値を提供しなくてはならない。そのためには長年親しんできたバリューチェーンから新たなデジタル・エコシステムへと足場を移さなくてはならないし、収益や利益を生むための前提条件も変更する必要がある。

表6-1（221ページ）にデジタル顧客と従来型顧客の重要な違いと、そこから導かれる戦略的意義を示した。以下はそのポイントの解説である。

ポイント1　ビジネスプロセス——現行の業務プロセスを一新する

従来型企業が顧客にセンサー搭載製品を購入してもらうためには、新たな製品設計のプロセスが必要になる。スマート吸入器のケースでは、製薬会社はテクノロジー企業と提携した。すべての企業にそれほど大がかりな取り組みは必要ないかもしれないが、どの企業も、自社製品からインタラクティブ・データを生成する方法を理解し、現行の製品にセンサーを組み込む新たなケイパビリティを獲得しなければならない。

センサー・データをデジタルサービスのために使うには、新たなプロセスが必要になる。スマート吸入器の場合は、センサー・データをユーザーのプロファイルに落とし込むためのAPIの構築や、種々の環境トリガーに基づいて喘息発作のリスクを精緻に特定するAIの開発、新たなデジタルサービスの開発と管理などが挙げられる。第3章、第4章、第5章では、従来型企業がこの種のプロセスを構築して有効なサービスを生み出すための方法を述べた。デジタル・ケイパビリティを扱う第8章で、これをさらに掘り下げる。

デジタル顧客は、研究開発や製品開発、マーケティング、販売、アフターサービスなど、現行の多くの業務に大きな影響をおよぼす。第4章では、キャタピラーが自社のデジタル顧客から得たデータを用いて、費用対効果の高いモーターグレーダーを開発したことに触れた。同社は、自社のデジタル顧客から提供されるインタラクティブ・データの内容をふまえ、研究開発と製品開発のプロセスを変更しなければならなかった。

同様に、従来型企業はデジタル顧客に対するマーケティングや販売、アフターサービスのプロセスを変えなければならない。デジタルサービスによって新たな価値とメリットを提供しなくてはならないからだ。

表6-1

従来型顧客とデジタル顧客の相違点とその戦略的意義

活動カテゴリー	従来型顧客	デジタル顧客	デジタル顧客の戦略的意義
購入	標準的な製品を購入、使用する	センサーを備えた製品を購入、使用する	現行のビジネスプロセスを変革する
顧客に提供される基本的な価値	標準的な製品機能	標準的な製品機能とインタラクティブ・データによって実現する機能の両方	新たなデジタルサービスのメリットを確立する
顧客基盤が拡大したときのメーカーのメリット	規模の経済性	規模の経済性とネットワーク効果	戦略的思考を、規模の経済からネットワーク効果へと拡大する
製品の普及拡大によって顧客に提供される価値	標準的な製品機能によるメリットは変わらない	データの機能によるメリットが高まる	将来のメリットに対する信頼性が確立する
顧客への価値提案	バリューチェーンの活動によって製品の機能を提供する	バリューチェーンによって引き続き標準的な製品の機能を提供する。同時にデジタル・エコシステムによって顧客のメリットを高めるデータの機能を提供する	現行のビジネスモデルを変え、デジタル・エコシステムに取り組む
収益および利益の創出	バリューチェーンのビジネスモデルに沿った価格戦略	価格戦略は場合によってプラットフォームのビジネスモデルに対応させる必要がある	収益と利益創出についての考えが変わる

ポイント2 価値提案——新たなベネフィットをいかに提示するか

従来型顧客は、日ごろ使っている標準的製品の機能に慣れている。標準的製品の機能とは、その製品の中心的な価値にほかならない。吸入器の場合、それは投薬効果ということになる。一方、スマート吸入器のデジタル機能は、服用のリマインドや喘息発作の予防アラートなど、標準的製品とは異なる価値を提供する。デジタル機能のメリット、ひいては製品の新たな価値を創出するには、従来型企業はこれまで以上の努力をする必要がある。

スマート吸入器のメーカーのひとつ、グラクソ・スミスクラインは、スマート吸入器が患者に治療計画を守らせ、喘息をコントロールする効果があるというエビデンスを確立するための研究に資金を提供している。[12] スマート吸入器のデジタル機能と医学的効果（スマート吸入器は喘息治療に役立つ）を結びつけるためだ。そのエビデンスがあれば、メーカーは保険会社や医師から、スマート吸入器を患者に推奨するためのお墨付きを得られる。

メーカーは、保険会社や医師を巻き込んだプッシュ型提案だけでなく、患者に自らその製品に興味を持ってもらえるようなプル型提案も行うことができる。その一例が、救急用吸入器が持っている特別なデジタル機能（服用モニタリングや携行リマインドなど）の認知度を高めるための啓蒙活動だ。デジタル機能のメリットを潜在的デジタル顧客に伝えるときは、コミュニケーション方法を十分に工夫し、新たな価値提案を最大限のインパクトで伝えなければならない。

ポイント3

競争優位の源泉——規模の経済からネットワーク効果へ

デジタルサービスのメリットはセンサー搭載製品の普及とともに拡大する。すなわち、デジタル・プラットフォームが拡大すればネットワーク効果が生まれる。競合他社より多くのデジタル顧客を獲得すると、相対的にデータソースもデータ解析力も強くなる。それが他社よりすぐれたデジタル機能をもたらし、その優位性がさらに多くのデジタル顧客を呼び込むのだ。

これに対し従来型製品の場合は、顧客基盤が拡大すると規模の経済による優位性が生まれる。製品の製造単価が低下するのもそのひとつだ。標準的吸入器の販売数が増えれば、製品開発、製造、マーケティングなどの固定費部分を、大量に販売された吸入器に分散することができ、単位原価が低下して利益が上がる。

ここで意識に留めておきたいのは、規模の経済の効果は、デジタル顧客の増加によっても生じるということだ。標準製品でもスマート製品でも、使われている部品は大して変わらない。違いはスマート吸入器にはセンサーが搭載されているという点だけだ。したがって、デジタル顧客基盤が拡大すれば、スマート製品も単位原価が下がる。そのうえネットワーク効果も生まれる。

第1章で触れたように、データやソフトウェアによるデータ共有は、物理的な製品では不可能な方法で数百万人もの顧客を結びつける。これこそが、ネットフリックスがビデオコンテンツの巨大サプライヤーになった方法だ。ネットワークとセンサーを介して企業と結びついたデジタル顧客から、企業は、規模の経済とネットワーク効果の両方の優位性を獲得することができるのである。

まさにこの点が重要で、従来型企業は、規模こそが競争優位であるという長年の前提を変えなくてはならない。ネットワーク効果は、規模の経済と同様に重要な役割を果たす。競争優位の源泉は、規模の経済からネットワーク効果へと転換したのだ。従来型企業はそのように発想を転換し、デジタル顧客に新たな価値提供をするためにビジネスモデルを変革しなければならない。

ポイント4 メリットの保証——将来の成果をいま約束する

従来型企業の場合、標準的な製品が提供する基本的価値は、製品がどんなに広く普及しても変わらない。たとえば吸入器の場合、薬効はユーザー数が増えても減っても変わらない。しかし、スマート吸入器のデジタル機能がもたらす価値は、製品の普及とともに高まる。喘息発作の予測もユーザーが増えるほど正確性が増す。この点においてデジタルサービスにとって重要なことは、デジタル機能の効果が実証される以前に、提供する価値のメリットを潜在顧客に納得してもらう必要があるということだ。

その方法として「成果反映型販売」(outcome-based sales) という考え方がある。GEがジェットエンジン、機関車、タービンなどの分野でセンサー搭載製品を売り出したとき、製品が提供するデータドリブン・サービスの信頼性を保証するために採用したのがこの方法だった。

GEは、製品が生成するセンサー・データを使って燃費の改善や業務効率向上、故障の予防によるダウンタイムの削減といったメリットを顧客に提供しようとしていた。そのようなメリットは、実際に使って結果が出るまではただのセールストークだ。使ってくれる顧客が増えて十分な量のデータが蓄積されなければ実現はおぼつかない。しかしGEは、多くの顧客がセンサー搭載製品を採用し、アクセスできるデータが増えれば、顧客に約束したメリットは実現できるだけでなく、拡大させていけると確信していた。

その確信を背景に、GEは取引条件を変更して、製品の代金と、製品の使用に付随するデータドリブン・サービスの利用料を別々に請求した。センサー搭載製品そのものは割引価格で販売したが、デジタルサービスによる燃費の改善や業務効率化で節約できたコストの一定割合を成功報酬として請求することで、それを上回る利益を得ようとしたのだ。メリットの実現によって対価が発生するという立て付けなので、「成果反映型販売」と位置づけることができる。

残念ながら、このGEの方法は、さまざまな理由で苦戦した。その事実は否定できない。だが、いま振り返って、同社の施策はもっと評価されてしかるべきだと言いたい。実際、第4章で指摘したように、GEの先駆者としての取り組みは、「インダストリアル・インターネット」や「デジタル・ツイン」のような数多くの有用なコンセプトを明確にし、体系化するのに役立った。成果に基づく販売もそのようなコンセプトのひとつだ。

ポイント5　ビジネスモデル――デジタル・エコシステム構築に取り組む

スマート製品をデジタル顧客に提供するとき、従来型企業にはどんな変化が起こるだろう？

デジタル顧客に提供されるスマート製品は2つの部分に分かれる。ひとつはセンサーを搭載した製品という基礎部分、もうひとつはセンサー・データから生まれるデータドリブン・サービスだ。

製品がスマートになっても基礎部分に大きな変化はない。現行のバリューチェーンと規模の経済は依然として重要であり、有効性が失われるわけでもない。メーカーが製品を顧客に提供するにはバリューチェーンが必要だ。だが、バリューチェーンだけではデジタルサービスを提供することはできない。データを有効活用し、ネットワーク効果を引き出すためには、デジタル・エコシステムが必要となる。

スマート吸入器のメーカーがデジタルサービス（救急用吸入器の追跡や顧客への服用リマインドなど）を提供するには、センサー・データを内部で流通させるプロダクション・エコシステムが必要だ。加えて、喘息の環境トリガー（湿度、カビ、汚染、花粉など）に関するリアルタイムデータを提供する機関などを含むコンサンプション・エコシステムも必要だ。

プロダクション・エコシステムとコンサンプション・エコシステムを組み合わせることによって、吸入器のセンサー・データの価値が増幅する。ユーザーとデータソース（利用にともなって蓄積されるさまざまなデータや、喘息のトリガーとなる環境関連データなど）が増えるほどデータの価値が向上し、ネットワーク効果のメリットが高まる。従来型製品がバリューチェーンの規模の経済で強化されるように、スマート製品のデータサービスは、デジタル・エコシステムのネットワーク効果によって強化される。

コンサンプション・エコシステムを構築するには、前章で述べたように、バリューチェーンをデジタル・プラットフォームに拡張する必要がある。スマート吸入器なら、ユーザーがカビや花粉に接近したときに警告を発するためには、各種のデータソース（リアルタイムの顧客の位置情報や大気環境情報など）とデータの共有ができるプラットフォームが必要だ。

デジタル・プラットフォームで顧客にサービスを提供したければ、企業は利益を生み出す現在の方法を変えなくてはならない。

ポイント6 収益化——利益が生まれる場所に対する新しい発想

従来型顧客が相手のビジネスでは、損益分岐点が収益や利益率を左右する。損益分岐点は、収支が均衡して利益も損失も出ない販売数のことだ。

損益分岐点分析の基本的な変数は、固定費、変動費、製品が生み出す貢献利益である。損益分岐点はFC＝Q（P－VC）の式で表される。ここでFCは固定費、Qは販売個数、Pは価格、VCは変動費である。価格から変動費を差し引くと製品の貢献利益が得られる。固定費と変動費は一般に、製品の中身と製造のために使う技術で決まる。

以上の構造を前提条件として従来型企業は、販売量と貢献利益（市場動向で変わる）を増大させて固定費を上回る利益を生み出すような価格戦略を実行する。

一方、デジタル・プラットフォームでは、固定費の回収は、重要ではあるがおもな目的ではない。目的はむしろ、プラットフォームを普及させてネットワーク効果を生み出すことだ。まさにグーグルのエリック・シュミットのURL戦略である（74ページ参照）。

実際、多くのデジタル先進企業が中核となるプラットフォーム・サービスを無料で提供し、ネットワーク効果の構築という長期目標を追求している。そのような企業は、自社のサービスの〝向こう側〟にいる別のユーザーから利益を得ようとする。フェイス

FC＝Q（P－VC）
固定費 ＝販売個数 ×（価格－変動費）
＝販売個数 × 貢献利益

ブックもグーグルも、自社のサービスの直接のユーザーからではなく、広告主から収益の大部分を得ている。

これは、デジタル顧客を取り込もうとする従来型企業にとって何を意味するのだろう？　製品を無料で配るのは現実的ではない。従来型顧客に有料で買ってもらっていたように、デジタル顧客にも製品の料金は払ってもらえばよい。考慮すべきことは、センサー搭載製品の価格をいくらに設定し、データドリブン・サービスの価格をいくらに設定するかということだ。

ここで、テレビ番組のレコメンドエンジンや視聴履歴追跡アプリを開発したサンバTVのことを思い出してみよう（第5章参照）。サンバTVはテレビ・メーカーにセンサーを提供し、メーカーが従来型顧客をデジタル顧客に変える後押しをしている。

興味深いのは、サンバTVはメーカーにセンサー使用料を請求するのではなく、メーカーにお金を払ってテレビにセンサーを搭載させてもらっているということだ。その費用をまかなうため、サンバTVはセンサーから得たデータ（だれがどの番組を見ているかなど）を放送局や広告主に提供することで収益を上げている。

テレビ・メーカーは、サンバTVから受けた利益を、テレビの割引き販売で顧客（テレビ所有者）に還元している。その目的は、センサー搭載スマートテレビの普及、すなわち従来型顧客をデジタル顧客に変えることと、視聴データの使用を顧客に許可してもらうことだ。普及を進めることでメーカーは、テレビ番組のレコメンドサービス（ネットフリックスが行っているサービスと同様のもの）を強化し、自社ブランドにネットワーク効果を持たせようとしている。

顧客は製品の割引きに加えて、メーカーから提供されるデータドリブン・サービスからもメリットが期待できる。しかし、そのメリットの規模はデータ量次第であり、現実化するまでに時間がかかる可能性もある。したがって、センサー付きテレビの普及を加速させ、デジタル顧客を呼び込むための即効性のある施策は割引き販売ということになる。

このアプローチはうまく機能している。サンバTVの共同創業者でありCEOのアシュウィン・ナヴィンによると、世界では3000万台以上のテレビに同社のセンサーが装備されているという（同社は2008年に設立され、2011年に最初のセンサーを販売した）。現在のスマートテレビには、ほぼすべて何らかのセンサー機能がある、とナヴィンは言う。

スマート吸入器のメーカーは、これとは対照的な価格戦略を選んだ。これまでのところ、センサー付き吸入器に対して割増価格を設定している。彼らは、自社のデジタルサービスを付加価値とみなしており、これに顧客が追加料金を払ってくれると見込んでいる。しかしこのアプローチの結果、スマート吸入器の普及率は低い。スマート吸入器の登場は2014年だが、その普及率はいまだに1％未満にとどまっている。

実際にメリットが得られた時点で初めて料金を請求するというやり方は、従来型顧客になじみのないデジタルサービスを試してもらう動機づけになるし、ニワトリが先か卵が先かという状況を回避する方法のひとつだ。

メーカーが約束通りのメリットを提供するためには、まず従来型顧客をデジタル顧客に変えなければならない。従来型顧客がデジタル顧客になる決心をするには、まず実際のメリットを確認する必要がある。このような状況では、事後的な成果に基づく販売という方法は双方に利益がある。

デジタルサービスに約束通りの効果がなければ、顧客は料金を払わなくてもよい。約束通りの効果があれば顧客はメリットを得、メーカーは報酬を受け取る。成果反映型販売において、従来型企業が行っていることは、契約時点での販売価格を割り引くというコストを賭け金として、顧客をデジタル顧客に変えることで得られるインタラクティブ・データによって約束通りの成果を提供する、という賭けだ。

成果反映型販売は、企業と個人のあいだの取り引き（B2C）より企業間取り引き（B2B）に向いている。B2Cビジネスの場合、従来型企業は、製品の普及に弾みをつけるための創造的な〝割引き方法〟を見つけるところから始めなくてはならない。

デジタル顧客を相手にするビジネスでは、固定費の回収と、ネットワーク効果を生み出すためのセンサー搭載製品の普及という、一見相反する施策のバランスを取らなくてはならない。将来のネットワーク効果を強化しながら、現時点での収益も増大させるような、創造的なデジタル顧客との関わり方を見つけなければならない。つまり、デジタル顧客を獲得することの戦略的意義を、あらゆる角度から真剣に考えなければならないということである。

デジタル顧客とネットワーク効果

デジタル顧客はインタラクティブ・データの重要なソースだ。デジタル顧客から得たデータによって、従来型企業は提供する価値を、製品の販売からデータドリブンのデジタルサービスへと拡張することができる。

デジタル顧客の獲得は標準的な製品にセンサーを搭載することから始まるが、それは工場で製品にセンサーをネジ留めすることではない。製品はセンサーが付けられても文句を言わないし、データを提供することにも抵抗しない。だが顧客には、センサー搭載製品を受け入れ、自身のデータが収集されて使用されることを認めてもらわなければならない。従来型の顧客基盤をデジタルな顧客基盤に移行させることは、戦略的優位を手繰り寄せる方法だが、そこには当然難しさもある。

デジタル顧客はデジタル戦略のリソースとして不可欠だが、彼らにデータの提供を求めるときは慎重を期す必要がある。データの収集や活用は必ず倫理的な方法で行わなければならない。データを外部事業者と共有するときは、顧客のプライバシーを侵害してはならない。この新たな重要課題については第9章で詳しく説明する。

企業は従来型顧客に対して、製品の革新的機能によって差別化を図る。デジタル顧客に対しては、データドリブン・サービスが提供する革新的機能によって差別化を図らなければならない。

ネットワーク効果はデータサービスの機能を向上させるドライバーになることが多いが、すべてのデジタルサービスがネットワーク効果を発揮するわけではない。たとえば、スマート吸入器の基本機能（予防的服用のリマインドや緊急時の救急用吸入器の位置表示など）の多くは、吸入器の普及が広がっても向上しない。ネットワーク効果による優位性がない単独の機能は、競合企業が簡単にまねることができる。

一方、スマート吸入器のアドバンス機能は普及の広がりとともに強化されるものであり、ネットワーク効果を伴う。そのような機能は、デジタル顧客の基盤が小さい競合企業には再現しにくい。機能を支えるのに必要なデータ量がないからだ。このような場合、ネットワーク効果は競争優位を生み出すうえで重要な資源となる。

デジタル顧客は、インタラクティブ・データの重要なソースであり、プロダクション・エコシステムとコンサンプション・エコシステムの両方にとって不可欠な要素だ。デジタル顧客は、従来型企業がデジタル戦略を発動するための重要なイネーブラーのひとつだ。従来型企業がデジタル・ケイパビリティを構築してデジタル競争戦略を推進するうえで、デジタル顧客が果たす役割については第8章と第10章で詳しく述べる。

第７章

デジタル競合企業

新たな脅威に対抗する３つのシナリオ

新たな競合の登場

言うまでもないが、アリババ（阿里巴巴）はデジタルeコマース向けプラットフォームだ。小売業とeコマースの分野でアマゾンとウォルマートに次ぐ世界第3位の売上高を誇る。[1] 2017年以降のオンラインの利益は両社を上回っている。[2]

同様に、テンセント（騰訊）は世界最大のソーシャルメディア企業のひとつで、中国のインスタントメッセージ・サービスにおける支配的存在だ。提供するサービスには、オンライン・ソーシャルゲームや音楽、映画、ショッピングなどがある。ウェブサイトはアクセス数で世界トップ5に入る。[3] 同社が運営する多目的メッセージング、ソーシャルメディア、モバイル決済アプリのウィーチャット（微信）は、月間アクティブユーザー数が12億人を超えており、[4] その豊富な機能から「スーパーアプリ」と呼ばれている。[5]

中国のデジタル先進企業であるアリババとテンセントは現在、世界最大級のテクノロジー企業とみなされている。

両社と比較するため、中国工商銀行（ICBC）、中国農業銀行（ABC）、中国銀行（BOC）という、業種の違う有名な中国企業と比較してみよう。3つの銀行はいずれも国有の商業銀行で、中国財政部（財務省）が出資している。2019年の時点で、中国工商銀行は総資産で世界最大、[6] 中国銀行は第4位である。[7] 中国農業銀行は2020年に、フォーブス誌が発表している世界の上場企業ランキング

「グローバル2000」で5位にランクされた。[8]

かつて、この3つの従来型銀行のビジネスと顧客は、アリババやテンセントとは別の世界に属していた。だが、いまは違う。ここ数年、3行は顧客や中小企業向けの融資と預金のサービスで、アリババやテンセントと直接の競合関係にある。この競争は、世界中の従来型企業が新たなデジタル競合と対峙する際の競争形態を示している。

中国では、既存の銀行がアリババやテンセントというデジタル先進企業を無視することはできない。アリババとテンセントが最初に参入したのは「第三者決済」という分野で、これにより事業者や消費者は、プラットフォームでの取り引きで求められる資金要件を満たすために、銀行に頼る必要がなくなった。中国ではクレジットカードの利用率が低く、eコマースでの取り引きが困難だったことから、こうした決済サービスが求められていた。

決済分野での優位を確立したアリババとテンセントが次に目を向けたのが銀行業務だ。アリババの「マイバンク」（網商銀行）とテンセントの「ウィーバンク」（微衆銀行）は2015年、銀行業務への参入を果たした。[9]

2018年までに、マイバンクはプラットフォームを通じて、1000万社近くの中小企業に対して1兆1900億元（約1770億ドル）を超える融資を行った。これは、中国の中小企業向け融資の最大手である中国工商銀行[10]の融資額の約67％に相当する。[11] ほぼ同時期、ウィーバンクの融資額は1630億元（約240億ドル）に上った。[12]

もうひとつ注目すべきことは、アリババとテンセントという中国のデジタル先進企業が、従来型の銀行の預金事業に進出している点である。2017年までに、アリババは推定約1兆7000億元（2630億ドル）の預金を集めており、[13] これは同じ年の中国銀行の預金額の約12％に相当する。[14]

従来型金融機関が支配する市場で、アリババとテンセントがわずか数年でこれほどの大成功を収めたのはなぜか？

端的に言えば、その答えはデータだ。アリババとテンセントは従来型企業と対峙する新しいタイプのデジタル競合の典型だ。たんに類似の商品やサービスを提供する競合ではなく、データの力で競争を挑んでくるのがデジタル競合である。彼らの競争力は、対抗する商品ではなくデータに由来する（アリババとテンセントについては、のちに改めて取り上げる）。

すべての企業が、中国の銀行が直面したようなデジタル先進企業との競争にさらされるわけではない。だが、デジタル競合と対峙する準備をしておく必要はある。デジタル競合が、これまでも製品で競合してきたおなじみのライバルのこともあれば、そうでない場合もある。スタートアップがライバルということもある。

デジタル競合は、広いデジタル・エコシステムから生まれてくる。その競争のダイナミクスは一般的な業界の枠を越える。つまり、業界内の古い競争ルールが通用しないことがある。勝負に負けないために、従来型企業はデジタル競合の競争力と際立った手法を理解する必要がある。

この章では、デジタル競合という概念について検証し、それが従来の競争相手とどう違うのか、違っている理由は何かを明らかにする。さらに、従来型企業がデジタル競争の脅威に立ち向かうためのフレームワークについても論じる。

デジタル・エコシステムでの競争——3つのシナリオ

デジタル・エコシステムは、従来型企業の価値創出の範囲を、製品からデータドリブン・サービスへと拡張するが、そこに新たなデジタル競合を呼び寄せることにもなる。その競争に勝つには、製品や製品の市場ポジショニングでの優位以上のものが要る。それはデータ活用での優位だ。競争は製品の機能だけでなく、データドリブン・サービスにもおよぶ。したがって、デジタル・エコシステムでの競争力学は、従来型企業が業界で経験する力学とは異なる。

その違いを理解するため、デジタル・エコシステムでの競争を3つのパターンに分けて論じよう。そこには業界ベースの従来の競争パターンとの類似点もある。これら3つは、従来型企業がデジタルの世界で直面するであろう一般的な競争シナリオだ。これらを認識しておけば、従来型企業はデジタル競合に対抗する方法を考えやすい。

デジタル競合と業界内競合の類似点を認識すれば、従来型企業は新しい競争に既存の戦略を適応させやすくなるだけでなく、デジタルの世界で有効な新しい戦略にもうまく適応することができる。

競争シナリオ1　エコシステム・パリティによる競争均衡

P&G、フィリップス、コルゲートの3社は、電動歯ブラシの分野で競合している。P&GはオーラルB、フィリップスはソニッケアー、コルゲートはハムというブランドで、それぞれスマート歯ブラシを販売している。長年のライバル3社は、いまではデジタル競合として、製品だけでなく製品から生まれるデータでも競っている。

現在、3社とも似たようなデータドリブン機能を提供している。オーラルBのセンサーは、ブラッシングの箇所と圧力と時間を測定する。[15] 実際にユーザーが行ったブラッシングと望ましいブラッシングを比較し、その結果をスマートフォンアプリを通じてユーザーにフィードバックする。ソニッケアー[16]もハム[17]も同様に、注意して磨くべき箇所や、磨きそこなっている箇所を通知する。

従来のビジネス領域において、この3社は製品開発やブランディング、流通網といった対称的なバリューチェーンの強みで競い合っている。デジタルビジネスでも対称的なデジタルの強みを持ち、それぞれがデータとアルゴリズムを活用して、ほぼ同等のデータドリブン機能を提供している。

3社が提供している機能は、スマート歯ブラシにおいては初歩的なものだ。これだけなら3社は一種の競争均衡状態に入る可能性があるが、そうなるためには、各社がデータ活用において同等の強さを維持し、スマート機能でもデジタル体験でも同等のものを顧客に提供しなくてはならない。

言い換えれば、各社が競争力を維持するには、3社すべてがエコシステム・パリティ〔parity は同等、等価の意〕を築かなくてはならない。エコシステム・パリティとは、デジタル競合する各社がプロダクション・エコシステムとコンサンプション・エコシステムの両方で対称的な強みを保つことを意味する。

現在、3社はプロダクション・エコシステムで拮抗しており、類似の機能を持つスマート製品を提供している。この状態は今後も続く可能性が高い。いずれかのブランドがアルゴリズムを改良したら、他のブランドも改良して対応しようとするだろう。1社が新しいスマート機能を追加すれば、他の2社も追加するだろう。たとえば、1社が虫歯を予測するスマート機能を導入すれば、他の2社も同様の機能を導入するだろう。3社は製品センサーとアルゴリズムで同じ強みを獲得すべく競い合っているのだ。

プロダクション・エコシステムでの拮抗は、競争均衡を維持するために、コンサンプション・エコシステムにも広げなくてはならない。仮にオーラルBがビジネスモデルを製品連携プラットフォームへと拡張し、ユーザーと歯科医師のあいだでデータ交換を始めたら、ハムとソニッケアーも追随し、同等の数と質の歯科医師集団が参加するプラットフォームを構築しなくてはならない。それができなかったら、勝者総取りというデジタル・プラットフォームの特性によって、オーラルBが絶大な競争力を獲得することになる。

つまり、エコシステム・パリティを築くことができれば、デジタル競合する各社はデータ活用において対等な強さを発揮し、同等の競争的ポジションを維持することができる。

業界での競争との類似点——同等のバリューチェーン

既存の産業構造では、これと似たパターンが清涼飲料のコカ・コーラとペプシコのあいだに存在する。コカ・コーラとペプシコは、同等のバリューチェーンで同程度の製品の強みを実現し、競争均衡を維持している。2社とも独自の濃縮液の製法がある。ボトリングを担う企業のネットワークも、サプライヤー（缶メーカー、砂糖生産者、人工甘味料生産者）も同等だ。大手外食チェーン（マクドナルド、バーガーキング、KFC）や小売業者（食料品店）、自動販売機など類似の流通網も備えている。濃縮液の生産からブランディング、流通にいたるまで同じような強みを持っているので、両社のバリューチェーンの強さは同等である。サプライヤーとの取り引きには同等の交渉力があり、流通とブランディングの強みも互角である。

広告と流通でコカ・コーラとペプシコは激しい競争を繰り広げ、それぞれの市場ポジションの周囲に障壁を築いている。両社のブランディングは互角で、それぞれ収益の約8~10%を広告費に充てている。両社とも流通網にも多額の投資を行っている。その結果、ブランディングと流通の規模が市場で生き残るための必要条件となり、それが両社の業界内での圧倒的優位を確保して新たな競合の参入を阻んでいる。

スマート歯ブラシのエコシステムでは、P&G、フィリップス、コルゲートの3社がアルゴリズムやセンサーの開発、プラットフォームへの歯科医師の誘致をめぐって激しく競争しており、それが3社以外の新規参入者に対する参入障壁となっている。この新規参入障壁は、データドリブン・サービスから生まれるネットワーク効果によって強化される。

ネットワーク効果とエコシステム・パリティ

P&G（オーラルB）、フィリップス（ソニッケアー）、コルゲート（ハム）はユーザー獲得競争を展開するなかで、それぞれに直接ネットワーク効果も高めている。多くのユーザーからデータが集まるとアルゴリズムが強化される。アルゴリズムが強まるほど、データドリブン機能が向上し、個々のユーザーに利益をもたらす。つまり、ユーザーが増えればユーザーのメリットが増える。

3社は、自社製品を製品連携プラットフォームに拡張して、多くのプラットフォーム・ユーザーを惹きつけることができれば、間接ネットワーク効果を生み出すこともできる。たとえば、多くの歯科医師を惹きつければ、ユーザーは多くの候補から歯科医を選べるというメリットを得る。歯科医師にも潜在的な患者へのアクセスが増えるというメリットがある。健康的なブラッシング習慣を持つ人たちに対する保険料を下げる保険会社も加わるかもしれない。

やがて直接と間接のネットワーク効果は、この分野で競争したいと望む新規参入者にとって厄介な障壁になる。コカ・コーラとペプシコは、同じぐらい強いバリューチェーンがあるために競争均衡を保っている。P&G、フィリップスは、プロダクション・エコシステムとコンサンプション・エコシステムにおいて対称的な強みがあることで、つまりエコシステム・パリティがあることで、同様の競争均衡を保っている。**図7-1**（243ページ）はその関係性を図示したものだ。

競争シナリオ2　エコシステム参入障壁による均衡

ヘキサゴンのライカジオシステムズは、地表面をデジタル調査し、地形データを収集するシステムだ。そのデータが土木建設業にもたらす価値は大きい。建設現場のGPSデータと3Dレーザースキャン計測によって、最適な地盤整備方法の決定をサポートする。各工程に建設機械をどう配置するか、掘削機で取り除く土砂の量や、ブルドーザーで行う整地の程度の計画も立てられる。複数の建設工事請負業者がさまざまな建設機械を連携させる計画を立てるのをサポートすることもできる。たとえば、掘削機の作業が完了したらブルドーザーに整地させるといった指示を出すことができる。

こうした計画はデジタル処理されてソフトウェア化されるので、さまざまな建設機械にアップロードできる。オペレーターは機器の操作方法の指示をリアルタイムで受け取れる。計画に照らして各機器に作業指示が出され、進捗がモニターされ、作業が完了したらオペレーターに報告が届く。

ヘキサゴンのマーケティング担当副社長であるホルガー・ピーチは次のように語っている。「掘削機は必要以上に掘ってはならないし、ブルドーザーも過剰な整地の必要はありません。データを使って作業を補完することで、建設会社は熟練オペレーターの不足という慢性的な問題も回避できます」

ヘキサゴンは、建設機械メーカーを補完する役割を果たしている。キャタピラーのようなメーカーが機器の製造と販売を行うのに対し、ヘキサゴンはキャタピラーの顧客が機器を効率的に使うためのサービスを売っている。どちらも最新のデジタル技術を用いているが、その方法が違う。

第4章で説明したようにキャタピラーは、センサーやテレマティクス〔通信システムを利用したサービスを移動体に提供すること〕のデータをインタラクティブな製品機能や予測サービスに活用し、機器のダウンタイムを減らしている。ヘキサゴンの技術は、それとは違う機能がある。キャタピラーの機器に指示を出し、適切に作業させる機能だ。データの収集と分析から、キャタピラーの機器と建設現場の他の事業者や機器をつなぎ、作業が適切に進むように調整する。

この活動の違いから、キャタピラーの基盤はプロダクション・エコシステムにあり、ヘキサゴンの

図7-1

プロダクション・エコシステムとコンサンプション・エコシステムの対称性による競争均衡（オーラルBとソニッケアー）

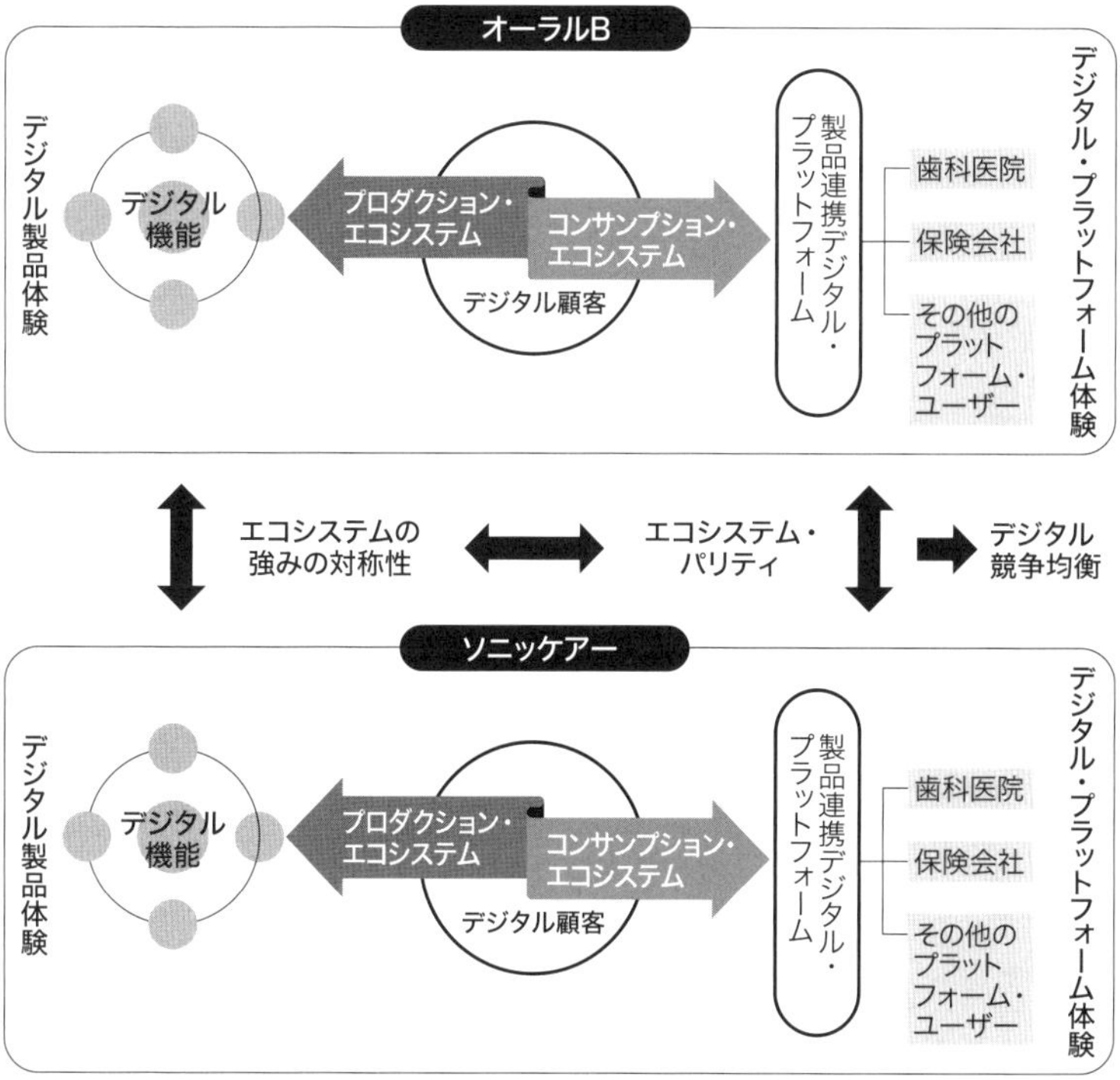

基盤は建設機械ビジネスのコンサンプション・エコシステムにあると言える。

キャタピラーにとってヘキサゴンは競合企業なのか？　答えは「イエス」だ。キャタピラーが、自社の市場を製品の販売だけでなくデータドリブン・サービスにまで拡張しようとしていたり、事業範囲が業界の枠を越えてデジタル・エコシステムにまでおよぶと考えていたり、戦略の範囲をプロダクション・エコシステムからコンサンプション・エコシステムに拡大することを計画しているような場合、ヘキサゴンはキャタピラーの競争相手となる。ヘキサゴンにはキャタピラーのような建設機械はないが、キャタピラーもアクセスするデータを使って、キャタピラーと競合するビジネスを展開している。

現時点でキャタピラーは、コマツやボルボといった従来の競合他社とともに、プロダクション・エコシステムにとどまることを選択している。一方のヘキサゴンは、トリンブルやトプコンといったデジタル測地、テレマティクス、ＧＰＳ分野の企業とともに、コンサンプション・エコシステムで地位を確立している。

デジタル競合において、プロダクション・エコシステムとコンサンプション・エコシステムのいずれに重点を置くかは、各社の判断によることになるが、対称的なエコシステム参入障壁が築かれていれば競争は均衡状態を保つことになる。

対称的エコシステム参入障壁——キャタピラーとヘキサゴン

エコシステム参入障壁とは、企業がプロダクション・エコシステムからコンサンプション・エコシステムに足場を移そうとするとき、またはその逆の場合に直面する困難のことだ。

ヘキサゴンにとってのエコシステム参入障壁について考えてみよう。ヘキサゴンには、建設機械の製造や販売に関して、キャタピラーに対抗できるノウハウや能力はない。ヘキサゴンは製造企業ではなく、データとソフトウェアで事業を行うテクノロジー企業だ。当然ながら、彼らが建設機械のプロダクション・エコシステムに自前の製品を携えて参入するのは難しい。そうしようと思えば、製品の研究開発をはじめ製品設計、生産、ディーラー網、保守サービス網まで整えてバリューチェーンを構築しなければならないし、それをプロダクション・エコシステムへと押し上げるために弾みをつけなくてはならない。

さらに、ヘキサゴンの顧客──建設工事を行うために建設機械を所有し、ヘキサゴンにデータ管理を委託する建築請負業者──は、ヘキサゴンのデジタルプランがあらゆる機器にアップロードできるときに価値を感じる。いまはヘキサゴンの幹部で、かつてキャタピラーに23年間勤務して同社のＤＸを主導したピーチは、ヘキサゴンの基本理念を次のように説明している。

「当社の顧客のほとんどは、キャタピラーやコマツ、ボルボなど複数のメーカーの機器を所有しています。私たちはすべてのメーカーと中立的な関係を結んでおり、当社のソフトウェアはあらゆる種類の機器と互換性があることを売りにしています」

プロダクション・エコシステムに進出すると、ヘキサゴンの中立性が薄れる。したがって同社には、建設機械のプロダクション・エコシステムに参入する理由がない。

逆にキャタピラーも、コンサンプション・エコシステムに進出しようとすると、エコシステムの参入障壁に直面する。キャタピラーは製造企業であり、製造規模の上に組織が構成されている。数十年にわたって磨き上げられた効率的な販売や保守サービスこそがコアコンピタンスであって、データドリブン・サービスでテクノロジー企業と同等の効率と規模を生み出すのは難しい。

もっとも、キャタピラーがコンサンプション・エコシステムへの参入を検討しなかったわけではない。実際、コンサンプション・エコシステムでヘキサゴンと競合するトリンブルと提携している。トリンブルとの提携関係やその能力を活かして自社完結型プラットフォームを開発し、積極的にコンサンプション・エコシステムに参入することもできた。他のプロジェクト参加者とデータを共有して、建設作業を調整する新しいサービスを提供することもできた。だが、そうはしなかった。キャタピラーはコンサンプション・エコシステムから距離を置き、プロダクション・エコシステム内で強みを増すことを選んだのである。

キャタピラーがコンサンプション・エコシステムへの参入を思いとどまったことは、ダグ・オーバーヘルマンの後任としてジム・アンプルビーがCEOに就任したとき、同社の戦略的ビジョンが変化したことからも推察できる。アンプルビーの指揮のもと、キャタピラーは莫大な資金を投じて、稼働中の約100万台の自社製品にセンサーとテレマティクス機器を後付けで搭載した。前任のオーバーヘルマンは、新規に出荷されるすべての機器をデジタル接続すると決めたが、アンプルビーがそれをさらに徹底したかたちだ。

機械の使用状況や損耗に関するデータで、キャタピラーはどの顧客が建設機械を新調しようとしているのか、どの顧客が保守サービスを必要としているかを察知する。それによって販売や保守サービスのリソースを適切に割り当て、業務の効率化を図っている。言い換えれば、アンプルビーの戦略は、プロダクション・エコシステムから生まれるデータを重視し、その活用を一段と強化しようとするものだ。

キャタピラーがコンサンプション・エコシステムで競合（ヘキサゴンなど）からの攻勢にさらされる可能性は低い。二者択一を迫られたキャタピラーは、プロダクション・エコシステムにとどまることを選んだ。現時点で、同社の経営の観点からは、コンサンプション・エコシステムへの拡張がもたらす利益はそれに伴うリスクに見合うものではない。

ヘキサゴンとキャタピラーは、現在のエコシステムから別のエコシステムへ移行しようとすれば障壁にぶつかるので、そこには対称的エコシステム参入障壁があると言える。ヘキサゴンはコンサンプション・エコシステムからプロダクション・エコシステムへの移行で障壁に直面し、キャタピラーはその逆方向で障壁に直面している。このように対称的なエコシステム参入障壁があると、競合する2社のあいだでは競争均衡が保たれる。

対称的モビリティ参入障壁——スタインウェイとヤマハ

ピアノ・メーカーのスタインウェイとヤマハは、100年以上も競争均衡を保っている。キャタピラーとヘキサゴンはエコシステムを異にするが、スタインウェイとヤマハは、バリューチェーンの構成の違いによって市場でのポジションを異にしている。

また、キャタピラーとヘキサゴンは対称的エコシステム参入障壁に直面しているが、スタインウェイとヤマハは対称的モビリティ参入障壁、つまりある市場ポジションから別の市場ポジションへの移行を妨げる障壁に直面している。[18]

スタインウェイのグランドピアノは、競合各社にとっては羨望の的、ピアニストにとっては最高の選択肢である。ピアニストの98％以上がスタインウェイのグランドピアノをコンサート演奏に使っている。[19] その理由は、スタインウェイの製造工程がほとんど自動化されておらず、一台ずつ手づくりされているからだ。

スタインウェイが他社の追随をゆるさないピアノを製造できるのは、高度な技術を持つ技術者集団があるからだ。卓越した性能を実現するために、ベテラン職人が何年もかけて、材料の選択や組み立て方に関する暗黙知を経験の浅い職人に伝える。出荷されるピアノは、一台ずつが熟練した職人技の結晶だ。

スタインウェイのピアノはそれぞれに独自の音響特性《サウンド》、音楽的性格《ボイス》、感触《フィール》があり、ピアニストは自分のスタイルにふさわしい一台を選んで、自らの創造的精神、手や指の自然な延長として使うことができる。スタインウェイのピアノは他のどのピアノよりも、演奏者の解釈通りに曲を奏でることができる。

対照的に、ヤマハはアップライトピアノの市場リーダーであり、ブランドリーダーでもある。アップライトピアノはピアノ線が垂直に張られるため、コンパクトで場所を取らない。グランドピアノに比べるとかなり安価だ。購入する人が多いので大量に生産販売されている。

ヤマハはグランドピアノも製作しているので、スタインウェイと競合しているが、スタインウェイと違って、作業の自動化に力を入れている。そのため出荷されるピアノは均一だ。実際、全製品の均質性がヤマハの特徴だ。ヤマハの職人の習熟度は、反復作業の効率性や、欠陥を最小限に抑えるための細部に対するこだわり、均質な製品を生むための統一された作業工程の順守において発揮される。

このスタインウェイとヤマハが直面しているのが対称的モビリティ参入障壁だ。スタインウェイは数十年にわたって、ピアノを手づくりする能力を磨いてきた。また何世代にもわたって従業員を育成し、ピアノ製作をマスターするために必要なスキルの習得を支援している。さらに、長年にわたってピアニストとの緊密な関係を築き上げてきた。つまり、長い年月をかけて戦略的にセグメントを構築してきたのだ。

ヤマハがスタインウェイの強みと互角にわたり合い、同じ市場ポジションに定着するのは難しいだろう。同様に、ヤマハは数十年にわたって自動化の完成に取り組んできた。アップライトピアノを大量販売して自動化が持つ規模の優位を強化してきた。スタインウェイには、規模の優位を発揮してヤマハの市場ポジションに移るためのリソースも販売量もない。このようにして、両社はそれぞれの市場ポジションを維持し、ピアノ業界での競争均衡を実現している。

今日の建設機械業界は、プロダクション・エコシステムでもコンサンプション・エコシステムでも、さまざまなデジタル競合を惹きつけるが、参入障壁を乗り越えるほどの力を持つ企業はなく、競争均衡が保たれている。次ページの**図7-2**は、対称的エコシステム参入障壁による競争均衡を示している。しかし、参入障壁が非対称的な場合は、デジタル競合の参入を阻止することはできず、均衡が崩れる。

図7-2
プロダクション・エコシステムとコンサンプション・エコシステムの対称性による競争均衡（キャタピラーとヘキサゴン）

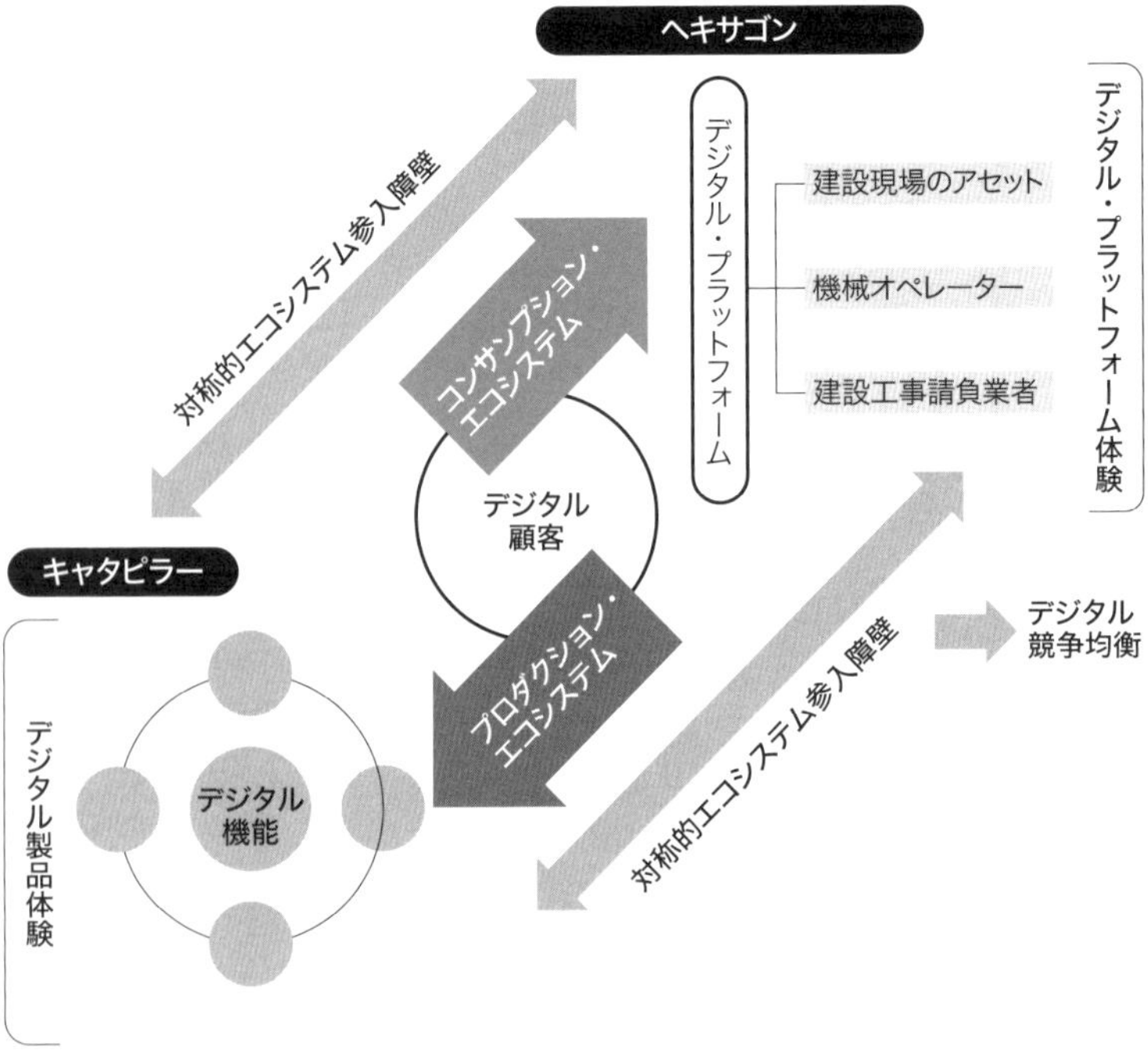

新規参入による破壊的脅威

プロダクション・エコシステムとコンサンプション・エコシステムのあいだを移動しようとするデジタル競合のあいだに、同等の壁となって立ちはだかるのが対称的エコシステム参入障壁だ。だが、エコシステム参入障壁は「非対称的」になることがある。

非対称的エコシステム参入障壁がデジタル競争におよぼす影響を理解するために、この章の冒頭で取り上げたアリババとテンセントの例をもういちど見てみよう。

アリババとテンセントは、デジタル・プラットフォーム上で検索、eコマース、決済サービス、ソーシャルネットワーキング、エンターテインメントという5つの中核的サービスを展開している。それらが相互に支えあいながら、プラットフォームの機能を絶えず強化している。[20] 両社とも、これらのサービスを通じて、顧客の関心とニーズを反映するインタラクティブ・データを収集している。データの多くは顧客のお金の使い方と購買行動に関連している。

車を物色している人がいて、情報を欲しがっているとしよう。彼が検索やチャットを利用したら、アリババやテンセントは、その人物は自動車ローンを必要としているかもしれないという事実をいち早くキャッチする。また、eコマースや決済サービスの利用歴から、消費性向や借り入れ能力、返済能力に関するデータを得ることもできる。

アリババとテンセントは、デジタル・プラットフォームでのユーザーとのやり取りで、数億人の顧客のニーズを把握している。顧客の住所、関心のある車種、それを適正な価格で提供できるディーラーも知っている。もちろん車だけでなく、住宅ローン、学費ローン、家電製品の購入、長期休暇のための短期ローンに関連するデータも収集できる。

両社は中小企業向けに、eコマースの決済処理やオンラインショップ開設、デジタルマーケティングやロジスティクスのサービスを提供している。これを通じて巨大テクノロジー企業2社は、個人客に対するのと同じように、小規模事業者の運転資金ニーズや返済能力に関するデータも入手し、融資のニーズの兆しをいち早くキャッチしている。入手したデータによって返済能力や信用の評価もできるので、タイムリーな融資を提供できる。アリババとテンセントの融資のうち、不良債権化するのはわずか1％だ。[21]

一方、既存の銀行は、融資の申し込みがあったときに、はじめて個人や企業のニーズを知る。申し込みを受け付け、煩雑なペーパーワークが終わってから、返済能力の確認が始まる。そのため融資の決定に長い時間がかかり、顧客の不満も募る。

融資事業の成功に気をよくしたアリババとテンセントは預金事業にも参入した。それが融資事業のさらなる強化につながった。預金によって貸し出しに回せる現金が増えただけでなく、自己資本比率規制が定める融資可能総額も大きく膨らんだ。

アリババとテンセントは、融資事業で強まったプレゼンスを活かして、預金事業の魅力をさらに高めた。アリババやテンセントを日常の決済に使っている顧客にとって、両社に預金しておけば何かと好都合なことが多い。

アリババのエコシステムで資金の80％を使い、同社に預金をしておけば、融資も迅速に受けられる。それを可能にしたのは、アリババが融資関連の取り引きで得た情報によって顧客インサイトを得たうえで、書類を使わずデジタルで融資処理を高速化したこと、アルゴリズムを用いて競争力のある利率を設定したことなどによる。利用者が増えれば増えるほど、アリババやテンセントの顧客にとって、融資でも預金でもデータドリブンのメリットが増える。

アリババとテンセントは、eコマース、決済サービス、ソーシャルネットワーキング、エンターテインメントを提供するプラットフォームを通じて、顧客のお金の使い方に関する膨大なデータを集めている。これらのサービスを利用した人は、何を買おうとしているのか、友だちにどんなアドバイスを求めているのかといったことを、プラットフォームの所有会社に自動的に通知していることになる。このように、アリババとテンセントは金融ビジネスのコンサンプション・エコシステムを構築している。

それとは対照的に、中国の従来型銀行の業務は、預金の勧誘、融資の提供、現金の出し入れなどが中心で、預金や融資の管理といった支店業務に関わるプロダクション・エコシステムの中で完結している。そのため、申し込み前に融資ニーズに気づいたり、融資したお金の使い道を把握したりするためのデータがなく、可視化もできていない。その点で、コンサンプション・エコシステムでの強力なプレゼンスを利用するアリババやテンセントに対して脆弱さを露呈してしまった。

さらにアリババとテンセントには、ヘキサゴンがキャタピラーと競合する際に存在したような参入障壁がない。両社とも、銀行業のコンサンプション・エコシステムで足場を築いてからプロダクション・エコシステムに移行することができた。つまり、データを活用して融資事業で確固たる強みを得てから、すばやく預金事業への拡大を図ったのである。

彼らは小規模なフィンテック企業（デジタル・バンキングを運営する）をいくつかサプライヤーとしてプラットフォームに引き入れた。フィンテック企業はアリババやテンセントと提携して預金や融資処理をデジタル管理し、プロダクション・エコシステムのバックエンド処理を担った。既存の銀行は、こうした攻勢から身をかわすことはできなかったし、アリババやテンセントに匹敵するようなデータドリブンな強みを築くこともできなかった。

この動きに、デジタル・エコシステム上での競争力学の重要な一面を見ることができる。デジタル競合はまず、従来型企業のコンサンプション・エコシステムに入り込み、その後、プロダクション・エコシステムに攻撃を仕掛けてくるということだ。それがデジタル競合による脅威が強力で破壊的なものとなり得る理由である。

業界ベースの競争との類似点——非対称障壁

従来型企業は、プロダクション・エコシステムに直接襲いかかるデジタル競合の脅威に直面することもある。たとえばインターネットの登場以来、いくつものフィンテック企業が、デジタル技術による預金処理や融資処理で既存の銀行に破壊的な影響をおよぼした。

このような脅威は業界での競争に似ている。従来型企業がバリューチェーンを通じて構築した市場ポジションを脅かされるような競争だ。従来型企業はモビリティ参入障壁だけでは攻撃を防ぐことができないので、その攻撃の脅威は破壊的なものになる。そのことをよく物語っているのがゼロックスとキヤノンのケースだ。

ゼロックスvsキヤノン

１９８０年代初頭まで、コピー機業界はゼロックスが席巻していた。ゼロックスは、特許取得済みの技術やブランディング、強力なアフターサービス網、大企業との強力な取引関係で、業界内の地位を確立していた。しかし、キヤノンをはじめとする日本企業が小型コピー機で市場に参入してきた。そのころにはゼロックスの特許は失効しており、競合各社はそれを市場参入の機会として利用した。ターゲットは歯科医院や弁護士事務所など、大型コピー機を必要としない小規模な事業所だった。小型なので、ゼロックスの大型コピー機より手頃な価格で提供できた。さらに、日本製のコピー機には必要かつ基本的なスペア部品と簡単な取扱説明書が付いており、たいていの不具合はユーザーが自分で解決することができたので、大規模なサービスセンターが不要になった。

新たに参入した日本のメーカーは、ゼロックスの戦略的要塞を迂回する方法を見つけたと言える。日本製のコピー機はすぐに評判となり、コピー機市場を大幅に拡大するとともに、ゼロックスの強力な競合となった。

ゼロックスは追い詰められた。主要顧客である大企業は、相変わらず大量コピーのニーズを満たすために大型で高速のコピー機を求めていた。しかしキヤノンなどの日本メーカーは、拡大を続ける小型コピー機市場で着実にシェアを広げた。ゼロックスは大企業に固執して、急成長市場を無視してしまったのだ。新しい市場に対応するために、ゼロックスは既存のバリューチェーンの強みを大きく再構築しなおさなければならなかったのに、そうしなかった。

イノベーションのジレンマ

破壊的テクノロジーに関する著作で、クレイトン・クリステンセンは、このシナリオを「イノベーションのジレンマ」と呼び、その特性を明らかにした[22]。ゼロックスと同じ状況にいる従来型企業は、同じように厳しい選択を迫られる。

ゼロックスにとって、これまで通り主要顧客のほうを向いてビジネスを続けるという選択肢は、縮小する市場にとどまることを意味した。一方、新しい顧客のいる大きな市場に向かうと決めれば、確立された事業構造を変えるという大きなリスクを取ることを意味する。つまり、ゼロックスは非対称的モビリティ参入障壁に直面していた。キヤノンはゼロックスの市場ポジションを攻めることができたが、ゼロックスはキヤノンの新たな市場ポジションに反撃することができなかった、ということである。

ゼロックスが小型コピー機の攻勢に対応できなかったのはなぜか？　小型コピー機の製造方法を知らなかったわけではない。大型でも小型でもコピー機の基本技術に大きな違いはない。決定的な違いは、生産して販売するために必要なプロセス、つまりバリューチェーンにあった。

小型コピー機でライバルと戦うためには、ゼロックスは製品開発の工程や製造、組み立てのラインを再編しなければならなかった。大企業相手と中小企業相手では販売手法も異なるので、販売スタッフの顧客対応を変える必要があった。要するに、確立されたバリューチェーンを再編する必要があったのだ。それは不可能ではないが、かなり困難なことである。

なぜなら、大企業の業務プロセスやルーティンは時間とともに固まっていくからだ。従業員は特定の方法でトレーニングを受け、既存のワークフローに慣れている。従業員と顧客のあいだには特定のコミュニケーション手段が定着しており、既存のテクノロジーとプロセスを守る構造が確立されている。その結果、組織は現行のルールを変更することに抵抗するようになる。成功体験があればなおさらだ。ものごとを変えるのは、言うだけなら簡単だが実行するのは難しい。

大企業ゆえの脆弱さ

レベッカ・ヘンダーソンとキム・クラークは、小型コピー機に見られるイノベーションを「アーキテクチュラル型イノベーション」と呼んでいる。[23] 既存の製品技術を根本から変えるものではなく、製品を構成する部品と部品のつなぎ方を変えるものだ。製品を構成するパーツのつながり方を変えるイノベーションである。小型コピー機は、大型コピー機と同じ基本技術を用いているが、部品は設計しなおされ、接続の仕方が変えられている。

このようなイノベーションが起こると、それに対応して製品の構造を変えるために企業はバリューチェーンを再編しなければならない。それが大企業には難しく、イノベーションによる破壊的混乱が起こる原因となる。

ライバルからの攻勢で企業がバリューチェーンの再編まで迫られるケースは少ない。ただし、再編が必要になった場合は、結果的に破壊的混乱に至る可能性が高い。ゼロックスは小型コピー機の大攻勢に対応し、数年を要したものの幸い態勢を立て直すことができた。しかし、そんな企業ばかりではない。かつてメインフレームとミニコンピュータのトップ・メーカーだったディジタル・イクイップメント・コーポレーション（DEC）は、1990年代のデスクトップコンピュータの攻勢で被った痛手から回復することができなかった。DECのバリューチェーンは硬直化しており、会社は破綻した。デジタルの世界では、従来型企業がビジネスプロセスを変えてバリューチェーン・ネットワークをプロダクション・エコシステムに進化させられなかった場合、同じような硬直化が生じる。言い換えれば、従来型企業はバリューチェーンでもプロダクション・エコシステムでも、似たような破壊的な競争力学にさらされている。

しかし、コンサンプション・エコシステムでの破壊的な競争力学については、あまりよく知られていない可能性がある。次にそれについて述べよう。

コンサンプション・エコシステムでの未体験の脅威

コンサンプション・エコシステムでの攻勢は、プロダクション・エコシステムの場合とは異なる破壊的脅威をもたらす。多くの従来型企業にとって、コンサンプション・エコシステムという概念はまだ新しい。経営者はそこで未知の競合が力をつけつつあることに気づいていない可能性がある。

新しいデジタル競合は、まずコンサンプション・エコシステムで非対称的な力を蓄え、次にその力で、従来型企業が強みを持つプロダクション・エコシステムで攻勢をかけてくる。従来型企業はそれに気づかないのだ。

そうした攻勢は、従来型企業とその顧客との関係を断つことも、弱めることもできる。デジタル競合は、タイムリーで良質なデータを使って、個別に最適化されたスマートなサービスを潤沢に提供して顧客にアピールすることができる。その点での彼らの優位は圧倒的だ。製品の売り切りから従量制サービスへと価値提供を移行させ、従来型企業の製品をコモディティ化することさえできる。

かつてカメラの代名詞であったコダックは2012年に破産申請を行い、事実上カメラ事業から撤退した[24]。コダックが破綻したのは、コンサンプション・エコシステムに現れた競合のせいだ。競合各社はユーザーが写真を見る方法を変え（モニター画面でデジタル画像を見るようになった）、友だちに見せる方法を変えた（インスタグラム等のアプリでシェアするようになった）。そこから新たに出現した強力なデジタル競合が、コダックを終焉に導いたと考えられる。

コンサンプション・エコシステムで優勢を確立したのがアップルやグーグル、フェイスブックなどだ。彼らは強力な非対称的エコシステム参入障壁を構築し、カメラをスマートフォンの機能の一部にすぎない存在へと追いやった。現在、コダックはスマートフォン・メーカーのサプライヤーとしての役割さえ担っていない。

本書の序章で、自動運転車が登場すると、既存の自動車メーカーの製品やサービスがコモディティ化する恐れがあると論じた。顧客が車を買うより、カーシェアリングのサブスクリプションのほうがよいと思うようになったら、自動車でもコンサンプション・エコシステムを支配するデジタル競合が優位になる。

自動車メーカーは車の製造方法を知っているが、デジタル競合（おそらくグーグルやアップル、ウーバーなど）は、顧客が車をどう利用しているかを知っており、自動車メーカーにとって手強い競合となる。彼らは、スマートカーの利用データからだけでなく、いくつものプラットフォームで集めたデータをもとに構築した顧客プロファイルによって、車の使用に関する顧客ニーズを知ることができる。その方法は、従来の銀行に対してアリババやテンセントが取った方法と似たものになるだろう。アリババとテンセントは、銀行が自行のアプリから集めるよりもはるかに多くのデータを、さまざまなプラットフォーム上で集められる。

グーグル、アップル、ウーバーも、データ収集能力において同様の優位があるからユーザーのニーズを深く理解でき、運転を充実させるデジタル体験を提供することができる。その結果、ユーザーは自分を迎えに来る車のメーカーより、どのプラットフォームが提供するデジタル体験が好ましいかに注意を向けるようになる。このシナリオでは、製品としての車がコモディティ化のリスクにさらされることになる。従来型企業は、エコシステム障壁を突破する非対称の強みを備えた競合の脅威に注意しなければならない

図7-3は、エコシステム参入障壁の非対称性によって生じるデジタル競争での破壊的影響《ディスラプション》を示している。**表7-1**は（262ページ）は、従来型の競合とデジタル競合の全体的な違いをまとめたものだ。

図7-3

エコシステム参入障壁の非対称性がもたらすデジタル競争への破壊的影響

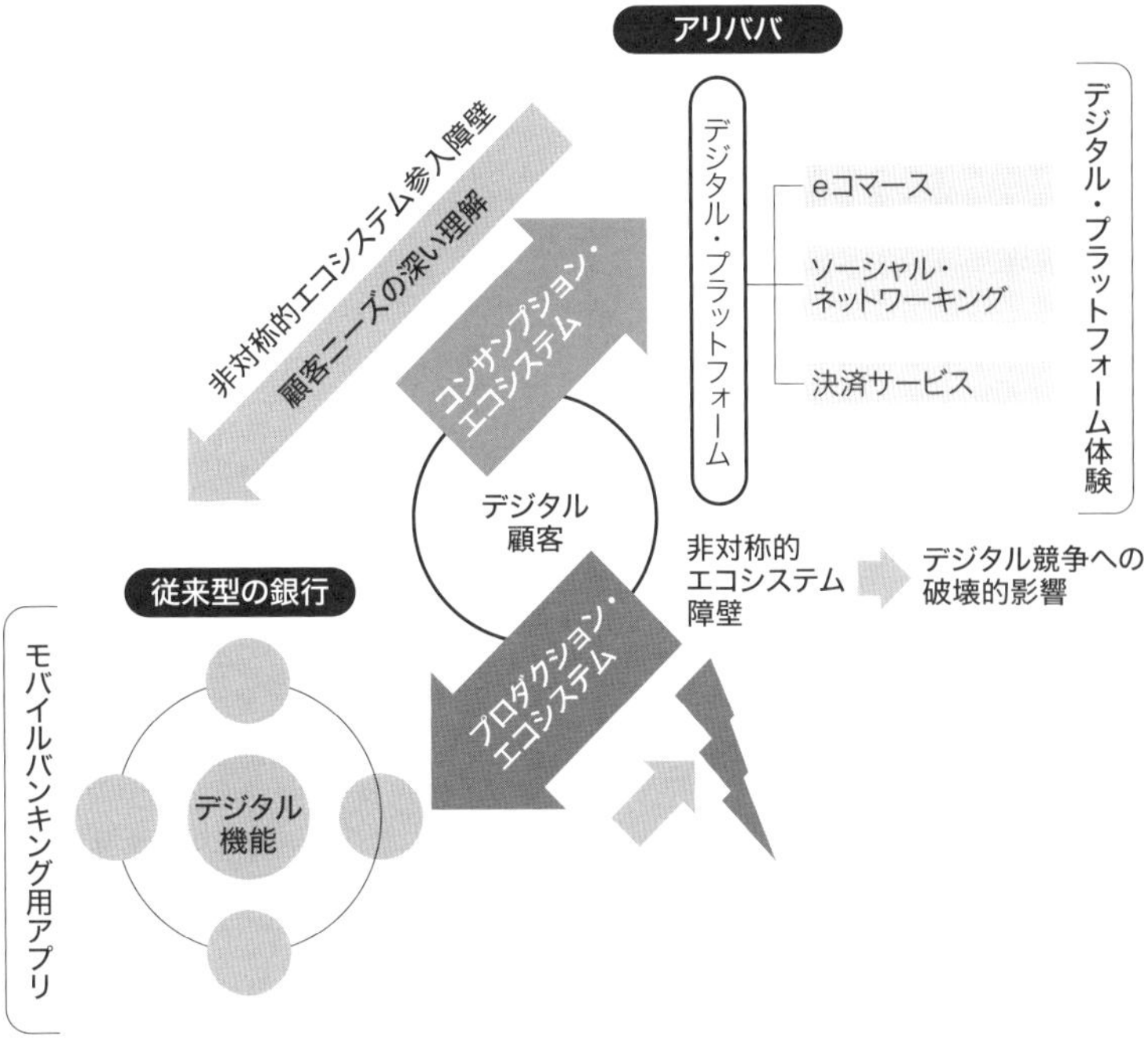

表7-1
デジタル競合と従来型競合の違い

競争の属性	デジタル競合	従来型競合
目標	データサービスの市場シェア	製品の市場シェア
競争の武器	データ	類似製品
推進力	データドリブン・サービス機能。デジタル体験	製品機能
フィールド	デジタル・エコシステム	業界
リソース	プロダクション・エコシステムおよびコンサンプション・エコシステムのネットワーク効果	バリューチェーンの規模
均衡要因	エコシステム・パリティ。エコシステム参入障壁	バリューチェーン・パリティ。移動障壁
攪乱要因	非対称的エコシステム参入障壁。プロダクション・エコシステムやコンサンプション・エコシステムの内と外からの攻撃に対する脆弱性	非対称的モビリティ参入障壁。イノベーションや新規参入者に対応するバリューチェーン再構成能力の欠如

競争シナリオのまとめ

ここまで電動歯ブラシなどの消費財、土木建設用機械、銀行という3つの事例を通して、デジタル・エコシステムの競争力学とデジタル競合の戦略を説明してきた。一般的な業界での競争とデジタル・エコシステムでの競争の違いも説明した。すべてを細部まで説明しつくしたわけではないが、新しく登場した次の3つの重要なコンセプトについてはわかっていただけたと思う。

- エコシステム・パリティ——デジタル競合関係にある両社に、対称的なエコシステムとエコシステムの強みがある状態。
- 対称的エコシステム参入障壁——プロダクション・エコシステムの中で足場を固めた企業がコンサンプション・エコシステムに移行しようとするときに働く参入障壁（もしくは、その逆方向の移行に際して働く参入障壁）。
- 非対称的エコシステム参入障壁——デジタル競合関係にある両社のうち、一方にはエコシステム参入障壁が働き、他方には働いていない状態。

デジタル競争に関わるこれら3つのコンセプトを念頭に置くことで、従来型企業はデジタル競合の構造について適切な認識を得ることができる。

デジタル競合の4パターン

従来型企業が直面する競合は、製品の類似性による区分と、舞台がどこかという区分によって、4つのパターンに分けることができる。それを示しているのが図7-4のマトリックスである。

従来型企業は、自社製品と類似のスマート製品と競合することもあれば(左の2枠)、異なるスマート製品やデジタル・プラットフォームと競合することもある(右の2枠)。P&Gは主要なデジタル競合であるコルゲートやフィリップスと、類似のスマート製品で競合している。中国の従来型銀行はアリババやテンセントと競合しているが、アリババやテンセントは銀行ではなく、eコマースやソーシャル・ネットワーキング・プラットフォームなので、この競合は異なる製品(サービス)やプラットフォームでの競合ということになる。キャタピラーの場合は、類似のスマート建設機械を製造する他メーカー(コマツ等)との競合に加え、ソフトウェア企業やテレマティクス企業(ヘキサゴン等)とも競合している。

また、従来型企業にとってのデジタル競合は、プロダクション・エコシステムから現れることもあれば(P&Gにとってのコルゲートやフィリップス)(下の2枠)、コンサンプション・エコシステムから現れることもあるし(中国の従来型銀行にとってのアリババやテンセント)(上の2枠)、両方から現れることもある。

4つの競合状況を知っておけば、従来型企業はいつどのようにすれば勝てるか、あるいは競争均衡を維持できるかを理解しやすくなる。また、デジタル競合による破壊的脅威を早期に察知するのにも

図7-4
デジタル競合企業と対峙するためのフレームワーク

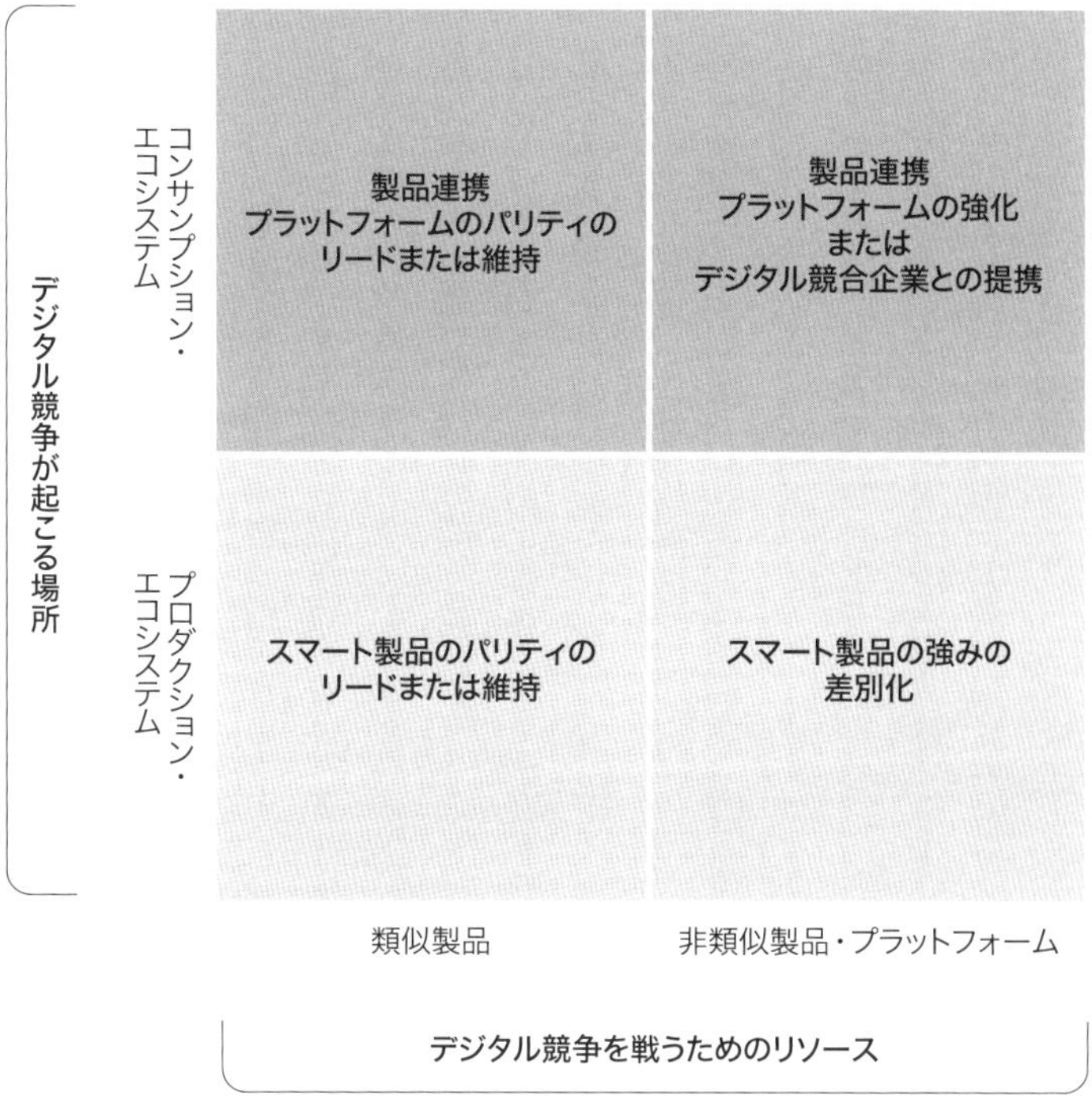

役立つ。

競合パターン1　類似製品×プロダクション・エコシステム

類似のスマート製品を提供するデジタル競合と、プロダクション・エコシステム内で競合する場合がこのパターンで、図7-4では左下の枠に当てはまる。

スマート歯ブラシでは、オーラルBが対峙するデジタル競合は勝手知ったる製品ライバルたちであり、競争の場は現在の競争領域と同じだ。そのような状況でリードするために、オーラルBは、ネットワーク効果を味方につけて先行者の優位を確保することができる。

そのためにはデジタル顧客を積極的に惹きつける必要がある（第6章参照）。大きな市場シェアを獲得すれば、多くの顧客データが得られ、アルゴリズムを一段とスマートなものにし、高度なデータドリブン機能を提供できる。ライバルより多くのユーザーを持つブランドは、ライバルより機能がスマートになり、結果的により多くのユーザーを惹きつけることができる。

オーラルBに市場を独占されるのを防ぐため、ソニッケアーとハムは対抗しなければならない。市場にとどまるには、オーラルBと同等のプロダクション・エコシステムの強みを維持する必要がある。つまり、デジタル顧客を惹きつけ、オーラルBが導入するすべてのスマート製品機能と同じような機能を製品に持たせるということである。これが現在のところ、ソニッケアーとハムが取るべき方策だと思われる。

競合パターン2

類似製品×コンサンプション・エコシステム

これは類似の製品とコンサンプション・エコシステムで競争するパターンで、図の左上の枠になる。

ふたたびスマート歯ブラシの例で言えば、オーラルBがここで他社に勝つには、製品連携プラットフォームで早く動き、他社より先に顧客を歯科医師や歯科保険会社につなげなくてはならない。パターン1と同様、オーラルBはより多くのデジタル顧客、歯科医師、保険会社からより多くのデータを取得して、ネットワーク効果を強化することで先行者の優位性を確保することができる。

これに対し、ソニッケアーとハムが市場にとどまるには、同等に強い製品連携プラットフォームによってオーラルBに対抗し、同等のネットワーク効果を生み出す必要がある。つまり、コンサンプション・エコシステム・パリティを維持しなければならないということである。

競合パターン3

非類似製品×プロダクション・エコシステム

自社製品と異なる製品によって、プロダクション・エコシステムで競合するというパターンのデジタル競合が登場する可能性もある。図では右下の枠がこれに該当する。

一般にこの場合の競合は、従来型企業の製品にセンサーを後付けするソフトウェア企業である。彼らは自分では製品を生産・販売しないが、同じデータにアクセスすることができる。

たとえばヘキサゴンは、キャタピラー製の機械にセンサーを後付けすることにより、同等の予知保全サービスでキャタピラーと競うことができる。この場合、キャタピラーの最善の選択肢は、自社のスマート製品の強みを通じて差別化を図ることである。なんと言っても、キャタピラーは建設機械のことをだれよりもよく知っているのだから、その強みを活かして、製品のデータドリブン・サービスの信頼性を高めるべきである。言い換えれば、キャタピラーは、エコシステム参入障壁を強化することによって、プロダクション・エコシステムを守らなければならない。

それは、バリューチェーンの強みを活用して、より強力なプロダクション・エコシステムを構築することにほかならない。キャタピラーであれば、製品エンジニアリングに関する幅広い知識を活用して、自社の機械からのデータをより適切に解釈し、すぐれたデータドリブンのインタラクティブ機能を開発することで達成できる。

キャタピラーは、新たに実現した予知保全サービスの上に、スペアパーツや保守要員を管理する従来からの機能を加えることによって、ダウンタイムを低減するサービスの効果をいっそう高めることができる。デジタル・ケイパビリティを扱う第8章で、この点をさらに詳しく取り上げる。

競合パターン4 非類似製品×コンサンプション・エコシステム

最後は、自社製品と異なる製品によって、コンサンプション・エコシステムで競合するというパターンの競合で、図では右上の枠に該当する。

ヘキサゴンの挑戦を受けるキャタピラーや、フィットビットやアップルウォッチに対抗するナイキなどがここに当てはまる。ナイキにとって、フィットビットやアップルがそれぞれに自社の製品連携プラットフォームを介してランナーやアスリートとトレーナーを結びつけ、ナイキのコンサンプション・エコシステムに進出してくると、このタイプの競合が現実のものになる。フィットビットもアップルも、シューズの製造や販売を行うことなく、類似のプラットフォーム・サービスの提供によって、ナイキと競合することができる。

この枠にいる従来型企業は難しい選択を迫られる。彼らにとってコンサンプション・エコシステムはなじみのない競争領域であり、デジタル競合は重大な脅威となるかもしれないのに、その影響力を正確に予測するのが難しいからだ。影響力の深刻さは、エコシステム参入障壁の大きさと、競合に障壁を乗り越える力があるかどうかによる。

従来型企業にとって、なじみのないコンサンプション・エコシステムに参入することのリスクと、プロダクション・エコシステムにとどまった場合にデジタル競合によって製品がコモディティ化するリスクの比較が重要になる。コンサンプション・エコシステムに範囲を拡大できた場合のメリットとの比較も重要だ。この点については第10章で詳しく論じる。

そのような比較を行ったうえで、従来型企業が取り得るオプションのひとつが、独自の製品連携プラットフォームの強みを拡大強化して、正面から対決することである。顧客の消費性向を把握するためのアプリを開発する銀行などがその例である。あるいは、従来型企業は、コンサンプション・エコシステムでデジタル競合と提携することで、直接対決を避けることもできる。キャタピラーとトリンブルの提携がその一例だ。

いずれにせよ、従来型企業はコンサンプション・エコシステムのデジタル競合を無視するべきではない。デジタル競合に注意を払わなければ、デジタルによる破壊的脅威に翻弄される危険が高まる。

この点については第10章で詳しく取り上げる。

デジタル競合を知る3つの視点

最後に、デジタル競争で優位に立つには、新しい競争相手のことをできるだけ詳しく知る必要がある。そのために有効なのが次の3つの視点である。

- デジタル競合になる可能性が高いのはどの企業か？
- どのエコシステムでデジタル競合と対峙することになるのか？
- デジタル競合の脅威はどの程度のものか？

視点1　「既知のライバル」か「未知のライバル」か？

データがバリューチェーン内のアセットからしか入手できない（センサーやIoTを介して製品から得ることができない）というケースでは、デジタル競合は業界内にいる既知のライバルとのあいだで起こる可能性が高い。

製品にセンサーを埋め込むことができない石油・ガス業界について考えてみよう。製品そのものからはデータは生まれないが、この業界には有益なデータを生成する巨大なアセットがある。石油探査だけでも、ＡＩなどの最新ツールを使えば運用コストを最大50〜60％削減し、油層を発見する確率を高めることができる（石油・ガス業界の詳細については第10章参照）。

このような業界では、自社のアセットから得たデータを活用するインセンティブが働く企業は、すべてデジタル競合になる可能性がある。同様のアセットにアクセスできない企業は、デジタル競合になる可能性は低い。

競争を促すデータが、特定のカテゴリーの製品だけに限定されるような場合も、デジタル競合は業界の中から現れる可能性が高い。歯ブラシ・メーカーでなければ歯科衛生に関するデータを入手するのは難しいので、オーラルＢやソニッケアーのデジタル競合はメーカーに限定される。

一方、製品から取得するデータがその製品カテゴリーに固有ではない場合、企業は新たな未知のライバルに立ち向かうことになる。動作感知センサー付き電球からのデータ（たとえば、だれもいないはずの家で何かが動いたというデータ）は、セキュリティビジネスに参入する際に使うことができるが、同じデータをカメラ機能のある製品やアレクサなど、家庭にある多くの製品でも利用することができる。このような状況では、類似した製品は持っていなくても、同じデータにアクセスすることができる多種多様な企業がデジタル競合になる。

この種のデジタル競合は、製品にセンサーを後付けできる場合にも出現する可能性がある。工具メーカーのヒルティは、作業内容にふさわしい工具をタイムリーに選び、それがどこにあるかを作業者に知らせることで作業の遅れをなくすデータドリブン・サービスを提供している。ヒルティのような製品を持っていない企業も、工具追跡アプリを通じて同様のサービスを提供することでヒルティに挑むことができる。

視点2 競争はどちらのエコシステムで起こっているのか?

プロダクション・エコシステムで、オペレーション効率の改善や新しいデータドリブン・サービスが生まれるような場合、そこが重要な競争の場になる。

石油・ガス業界では、エクソンモービル、シェブロン、BPなどは、巨額の資金を投じてプロダクション・エコシステムの充実を図っている。石油探査の効率向上、パイプラインの保守改善、製油所の安全性向上をめぐって競争しているのだ。ジェットエンジン事業でライバル関係にあるGE、プラット・アンド・ホイットニー、ロールス・ロイスの3社は、いずれも従来の製品からデータドリブン・サービス（予知保全など）へと競争の範囲を拡大している。

製品を補完するデジタル製品やサービスの数が増えると、コンサンプション・エコシステムでの競争が激しくなる。近年登場した5G通信のケースを考えてみよう。5Gセルラーネットワークは大量のデータを高速かつ高い信頼度で転送できるので、スマートシティやネット接続された車のフリート管理など、大量のデータを共有するIoTのアプリケーションに適しており、補完財やサービスの数を増やすことにつながる。

このようなアプリケーションは、通信事業者にも新たなコンサンプション・エコシステムをもたらす。ただデジタル接続を売るだけではなく、デジタル接続の消費を促進し、そこに参加することも可能になるので当然、競争もこの新しい分野にシフトする。

ベライゾンは先ごろ、数十億ドルを投じて、スマートシティサービス向けＩｏＴプラットフォームを提供するセンシティ・システムズと、フリート管理および車両追跡サービスを提供するフリートマティクスを買収した。ＡＴ＆Ｔもシンクロノスと提携して、オフィスビルの省エネを支援するＩｏＴプラットフォーム・サービスを展開している。５Ｇがもたらす影響の詳細は第10章で論じる。

視点3 「ルーティンの脅威」か「破壊的脅威」か？

競争相手を知るうえで、脅威の深刻度を評価することは欠かせない。

競合の出現は、どんなに願っても避けることはできないが、日常的なビジネスの関係を通してコントロールしたり管理したりすることはできる。エコシステムの参入障壁に注意を払うことは、デジタル競争の力学を管理するうえで欠かせない。企業は可能な限りエコシステム・パリティを維持するよう努めなければならないし、参入障壁の強度を適切に保つための投資も必要である。

デジタル競合がもたらす脅威は、従来型競合の脅威より大きいこともある。従来型企業が適切なエコシステム・パリティを構築できなかった場合、そうなることがある。フィットネスバイク事業を手がけるペロトンは、ユーザーとトレーナーの確固たるコミュニティを築いている。コンサンプション・エコシステムで先行する強みにより、競合する従来型企業を上回る価格設定ができる。ライバルである従来型企業の多くは、これまでのところ現在のバリューチェーン型ビジネスを続けるしか打つ手がない状況だ。

中国の銀行の例で見たように、エコシステム参入障壁が非対称な場合は、デジタル競合の影響は破壊的なものになる可能性がある。そのような状況では、適切なエコシステム参入障壁を構築することも容易ではない。

表7-2は、デジタル競合を知ることについて関連する議論をまとめたものである。

デジタル競合に関する考察

従来型企業が戦略の足場を業界からデジタル・エコシステムに移すとき、デジタル競合に遭遇する。その中には、デジタル化の程度が似ている昔からの業界ライバルがいるかもしれないし、非対称的なデジタル強度によって未知の脅威をもたらす新たなライバルがいるかもしれない。新旧いずれが相手でも、デジタル・エコシステムでは、これまで経験してきたものとは違う力学が働く。すなわち、バリューチェーンの構造に基づく競争から、プロダクション・エコシステムとコンサンプション・エコシステムの強みに基づく競争の違いだ。

従来型企業は、デジタルの世界を貫いている新しい競争力学を理解しなくてはならない。だが、業界での競争で発揮してきた従来の強みを軽視する必要はない。結局のところ、従来型企業のデジタル・エコシステムは業界ネットワークの上に構築されている。デジタル・エコシステムでの強みは、これまで業界の中で築き上げてきた古い強みとつながっているのである。

デジタル競合との戦いでも、長年にわたる業界での攻防で鍛えた競争力を引き続き活用しなくてはならない。古い強みは、かつて従来型企業であった現在のデジタル競合と対峙するためのエコシステ

表7-2
デジタル競合を分析する

デジタル競合企業はだれか?

既知の業界ライバル	未知のライバル
●バリューチェーン内のアセットからしかセンサー・データやIoTデータが取れない場合 ●アセットの活用を促進したくなるインセンティブが競合企業にも存在する場合 ●センサー・データが製品カテゴリーに固有である場合	●センサー・データが製品カテゴリーに固有ではない場合 ●製品にセンサーを後付けすることができる場合

デジタル競争の場はどこか?

プロダクション・エコシステム	コンサンプション・エコシステム
●テクノロジーの進歩で、業務効率の改善やデータドリブン・サービスの提供ができる機会が増加している場合	●製品を補完するデジタルサービスが増えている場合

脅威はどの程度か?

低い	高い
●エコシステム・パリティが十分に形成されている場合 ●エコシステム参入障壁が強固な場合	●エコシステム・パリティが十分に形成されていない場合 ●エコシステム参入障壁を構築するのが難しい場合

ム・パリティを強化するのに使うことができるし、新しいデジタル競合と対峙するためのエコシステム参入障壁を強化するのに使うこともできる。

もちろん、古い強みが有効だとしても、従来型企業には新しい強みも必要だ。デジタル・エコシステムで成功するためには新しいデジタルの能力を構築しなくてはならない。第8章で、それはどんな能力か、そしてそれを構築する方法について解説する。

第8章

デジタル・ケイパビリティ

戦略遂行のエンジン

目には見えないが確かに存在する力

企業のケイパビリティ〔組織的な能力や強み〕は競争戦略の不可欠な要素だ。戦略遂行のエンジンに燃料を送り、戦略目標を達成させる。それは市場での勝者と敗者を分ける。デジタル・ケイパビリティはデジタル競争戦略の重要な要素だ。それによって企業はデータの価値を効果的に引き出すことができ、データを駆使した競争の勝者と敗者が決まる。

この章では、デジタル・ケイパビリティとは何か、また従来型企業がデジタル・ケイパビリティを構築するにはどうすればよいかを解説する。

ケイパビリティは市場や顧客、競合企業と違って、目には見えない。企業がその内側に秘めているものだ。それがもたらす結果は見えても、それ自体を見るのは難しい。たとえば、自動車の故障発生状況をメーカー別に分析すれば、製品の信頼性に関するトヨタのケイパビリティが競合他社よりすぐれていることが明らかになるかもしれない。しかし、そうであることの根本的要因を知るのは難しい。ケイパビリティはここにある、あそこにある、というものではない。存在することはわかっていても、直接目で見ることはできない。その詳細は捉えどころがない。

リソースとプロセスから生まれるケイパビリティ

ケイパビリティは、企業のリソースとプロセスの複雑な組み合わせから生まれる。企業がリソースとプロセスを特定の戦略目標に向けるとき、価値が生まれる。再度トヨタを例に取れば、リソースに含まれるのはアセット、事業所、研究開発ノウハウ、経験豊富なサプライヤーの巨大なネットワーク、知識に富む社員、潤沢な資金などだ。プロセスは、そのようなリソースを効果的に活用するためにトヨタが行っている機能別および機能横断的な活動であり、それが製品の信頼性向上といった特定の戦略目標の達成につながっている。

トヨタ製品の高度な信頼性を支えるプロセスは、TQM（総合的品質管理）[1]、リーン生産方式[2]、シックスシグマ[3]といった原則に基づいている。TQMは顧客満足を高めるために、サプライチェーン管理、オペレーション、製品設計、顧客サービスなど、あらゆる機能を調整するのに有効だ。リーン生産方式とシックスシグマも、プロセスを調整して確かな品質を実現するための機能横断的取り組みである。

トヨタのリソースは、機能横断的なプロセスと手をたずさえることで製品の信頼性を高め、競争力の源泉となっている。工場や材料といったリソースの多くは調べればわかるし、貸借対照表からも推測できるが、リソースを組み合わせて製品の信頼性を高めるためのケイパビリティを実現しているプロセスはそうではない。

2種類のケイパビリティ

デジタル・ケイパビリティも、従来のケイパビリティと同様、企業のリソースとプロセスの組み合わせから生まれる。ただし、ほとんどの従来型企業がよく知っているケイパビリティとは異なる。めざす戦略目標が異なるからだ。従来のケイパビリティは製品の競争力を高めるが、デジタル・ケイパビリティはおもにデータの価値を高めるために発揮される。そのため、活用するリソースも従来のものとは違うし、必要なプロセスも違う。生み出す価値もこれまでとは違う新しい種類のものだ。

デジタル・ケイパビリティも観察することが難しいが、従来のケイパビリティと比較することによって内容を推測すれば、従来型のケイパビリティをデジタル・ケイパビリティへと拡張する手がかりをつかめる。この章では、2つのケイパビリティの違いを明らかにし、その違いに基づいて、従来型のケイパビリティをデジタル・ケイパビリティに拡張する方法を論じる。

デジタル・ケイパビリティの4つの属性

従来のケイパビリティはおもに、企業が業界の中で競争力を高めるうえで効果を発揮する。デジタル・ケイパビリティは、デジタル・エコシステムの中での競争力を高めるものだ。

2つのケイパビリティの相違点と類似点は、4つの主要な属性――戦略目標、リソース、プロセス、戦略範囲――に注目することで明らかにすることができる。**表8-1**は、これら4つの属性における2つのケイパビリティのおもな違いを示している。各属性の意味と重要性を見ていこう。

属性1　戦略目標

従来型のケイパビリティは、企業が所属する業界において、製品が最大の成果を上げることをめ

表8-1
従来型ケイパビリティとデジタル・ケイパビリティの違い

	従来型ケイパビリティ	デジタル・ケイパビリティ
戦略目標	製品の強化	データの強化
リソース	バリューチェーン・リソース	デジタル・エコシステム・リソース
プロセス	機能別および機能横断的バリューチェーン・ワークフロー	データの共有とAPIネットワークの統合
戦略範囲	企業の活動範囲と事業の多様性	データドリブン・サービスの幅

ざして発揮される。製品の設計や品質、販売価格など、目に見える特性を強化するために使われる。要するに、製品の生産と販売の効果を高めるためのものだ。データも重要な役割を果たすが、あくまでも製品の生産と販売、そして製品が価値を生むことをサポートするためのものである。

一方、デジタル・ケイパビリティがめざすのは、データを製品のサポート役から製品に匹敵する価値を生むものへと拡大することだ。データの強みを引き出して価値の範囲を拡大すること、つまり、製品だけではつかめなかった新たな収益源をデータを通じて生み出すことがデジタル・ケイパビリティの戦略目標である。

第1章で、デジタル先進企業がデータの役割を、デジタル・プラットフォームの実現という当初のものから、中核的価値を創出するエンジンにまで拡張した方法を説明した。

たとえば、フェイスブックのソーシャルネットワーキング・プラットフォームにおいて、データの当初の役割は、物理的に接近しなくても人びとが交流できるという点にあった。プラットフォームが意図した主要機能はデジタルな社会的交流だったが、時間が経つにつれ、それがフェイスブックのデジタル・ケイパビリティを進化させ、フェイスブックはユーザーに対するインサイトを深め、有効なユーザープロファイルを作成できるようになった。

デジタル・ケイパビリティが強化されるにつれて、フェイスブックのビジネスモデルにおけるデータの役割も拡大した。それがより多くのユーザーを惹きつけ、強力なネットワーク効果を生み出すことで、主要製品であるソーシャルネットワーキング・プラットフォームの機能が改善されつづけた。

さらにデータは、特に広告において価値創造の新たな展望を開いた。フェイスブックのデータは現在、デジタル広告を通じて数十億ドルの収益を生み出している。言い換えれば、フェイスブックのデジタル・ケイパビリティがデータを収益源に変えたのである。データは、主要製品のサポート役という当初の限定的な役割から、製品と同等またはそれ以上に重要な戦略的資産となった。

デジタル・ケイパビリティは、従来型企業が製品からデータへと戦略的シフトを行うのを促進する。デジタル・ケイパビリティによって、スリープ・ナンバーのようなマットレス・メーカーは、アルゴリズムとセンサー生成データを使って、マットレスをマス・カスタマイズできる（第4章参照）。そうすることで主力製品であるマットレスが強化される。データによってマットレス用フォーム材の形状を変化させることができ、個々のユーザーの睡眠を改善するという製品機能が向上する。データによって実現するデジタル・ケイパビリティは、同社の事業領域をマットレス販売からウェルネス保証サービスへと拡張し、新たな収益創出の道を開いた。

同様に、ステートファーム保険も、契約者の実際の運転ぶりを追跡できるようになった。そのデータから得たインサイトにより、自動車保険リスクの推計の精度を向上させ、ドライバー一人ひとりに合わせて保険内容をカスタマイズできるようになった。

同社のデジタル・ケイパビリティは、制限速度オーバーや信号無視をしたドライバーにアプリを通じて警告を発することができる。そうした機能によって事故が減り、保険金請求額も減って、収益性が高まった。新しいデジタル・ケイパビリティによって、ステートファーム保険の経営リスクは軽減され、従来の保険数理や保険契約で行っていたリスク分析の精度も向上して収益性が高まった。

従来型企業がデジタル・ケイパビリティの開発を始めても、すぐにデータから収益を得られるわけではない。フェイスブックにしても、SNSのプラットフォームを立ち上げた当時、デジタル広告から数十億ドルの収益を得られるようになるとは予想していなかった。フェイスブックの成功から、データドリブンのケイパビリティには想像を上回る可能性があることがわかる。フェイスブックほどの規模ではなくても、すべての企業がデータの価値を最大限に引き出すことで利益を得られる。デジタル・ケイパビリティは、そのような戦略目標の達成を可能にする。

属性2 リソース

根底にある戦略目標が違うので、従来型ケイパビリティとデジタル・ケイパビリティでは使うリソースの種類が異なる。

従来型ケイパビリティは、製品を強くするのが目標なので、バリューチェーンの中にあるリソースを使う。そこに含まれるのは製品の生産と販売に伴うすべてのユニット、アセット、企業や組織だ。製造会社の場合は、原材料やサプライチェーンはもちろんのこと、製造のための設備や機械、販売を促進するためのブランドや流通網、アフターサービスなど、あらゆるアセットがリソースとなる。スケールメリットをもたらす製品基盤と顧客基盤もリソースだ。サービス業の場合、たとえば保険会社なら、保険契約者、保険統計や契約査定にかかわる人材、販売代理店のネットワーク、収益を継続的に生み出す契約済み保険商品などが含まれる。製造会社でもサービス企業でも、すべてのバリューチェーンに、それを管理する人材が必要だし、製品やサービスを製造・販売するためのＩＴシステムが必要である。

一方、データの価値を高めるのがデジタル・ケイパビリティなので、デジタル・エコシステムの中にあるものをリソースとして使う。そこには、従来型企業がプロダクション・エコシステムとコンサンプション・エコシステムを構築し、利用するのに役立つすべてのリソースが含まれる。プロダクション・エコシステムとコンサンプション・エコシステムでは、利用するリソースの種類が違う。その違いの本質を理解するためには、次の２つのリソースを知るとよいだろう。

- インフラ・リソース――従来型企業のプロダクション・エコシステムを充実させ、コンサンプション・エコシステムを活性化することに役立つリソース。
- データ・リソース――プロダクション・エコシステムとコンサンプション・エコシステムの中で

生まれ、共有され、増幅されて価値を生み出すリソース。

では次に、プロダクション・エコシステムとコンサンプション・エコシステムの2つと、インフラ・リソースとデータ・リソースの2つの組み合わせによる、4通りのパターンを見ていこう。

パターン1　プロダクション・エコシステム×インフラ・リソース

プロダクション・エコシステムはバリューチェーン・ネットワークの上に構築される（第3章と第4章で述べた）。バリューチェーンの中にあるリソースが、プロダクション・エコシステムのインフラのベースだ。もう少し具体的に言えば、バリューチェーン内の企業や組織、ユニット、アセットといった基本的リソースがデジタル接続され、データを生成・受信するネットワークになったものがプロダクション・エコシステム・インフラにほかならない。つまり、バリューチェーンがもともと持っていたデータ接続能力がデジタル技術によって強化されることで、既存のバリューチェーンがプロダクション・エコシステム・インフラに変わるということである。

従来型インフラをデジタル・インフラに変える

このような変化はいくつかの段階をたどるが、何はさておき、バリューチェーン全体の中で、センサー搭載またはIoT対応の企業や組織、ユニット、アセットが広く使用されている必要がある。そのため、たいていの場合最初にするべきことは、既存のアセットにセンサーを後付けして、IoT対応に変えることだ。

エレメンタル・マシンズと同社が提供する研究開発ラボはその一例だ（136ページ参照）。遠心分離機や冷凍庫、分光計など、研究室で一般的に使われているアセットは、センサーが付いてIoT対応となり、ネットワークの一部に組み込まれたときにプロダクション・エコシステム・インフラに変わる。

新しいデジタル・インフラを追加する

従来型企業は、未接続のアセットにセンサーを後付けするという方法ではなく、新しいデジタル・アセットにそっくり交換してしまうこともできる。ボストンに本拠を置くスポーツシューズ・メーカーのニューバランスは、従来の金型に代わる可能性を秘めた3Dプリンターの実験に取り組んでいる。金型はソール（靴底）の製造に使用する規模集約型アセットである。金型を使った生産では、決められた標準サイズの靴しか作れない。サイズ別に金型（たとえばサイズ7）を用意して、各サイズのソールを大量に生産する。通常、1個の金型で1カ月に少なくとも2000個のソールを生産しなければ適正な設備投資ではないとされる。ニューバランスのような大手メーカーであれば、生産量はこの閾値《しきいち》をはるかに超える。

対照的に、3Dプリンターは、センサー由来のデータに基づいてソールを大量にカスタマイズする。そのデータには、ユーザーの実際の足のサイズと輪郭のスキャン画像、体重および歩き方の記録などがある。ニューバランスは一部の小売店にその測定のためのスキャナーを設置している。

ニューバランスのCPO（最高プロダクト責任者）のマーク・クリナードは、「3Dプリンターを使用することで、ソールのデザインに関して細かな対応が可能になる」と述べている。決められたサイズの金型を使って固定的なサイズ（サイズ7、7・5、8など）のソールを製造するのではなく、3Dプリンターを使って、個々のユーザーの足に合わせて、自在なサイズのシューズを製作することができる。左右の足でサイズが異なる場合にも対応できる（左右の足のサイズが違うユーザーは少なくない）。

製品と顧客がデジタル・インフラになる

製品の生産に使われるスマート・アセットに加え、製品それ自体も、センサーを搭載すればプロダクション・エコシステムのインフラになる。さらに、その製品が引き寄せるデジタル顧客もインフラとなる。スマート製品とデジタル顧客は、プロダクション・エコシステムのデータ生成能力を高める。製品とユーザーのインタラクティブ・データを生成するスリープ・ナンバーの能力は、販売したスマート・マットレスとデジタル顧客の数とともに高まる。同様にステートファーム保険は、安全運転アプリを使う顧客が増えるほどデータを生成する能力が高まる。

スマート製品やデジタル顧客は、スリープ・ナンバーやステートファーム保険のプロダクション・エコシステム・インフラの一部だ。このインフラはインタラクティブな製品機能を提供しようとする従来型企業を助けてくれる。

従来型ITシステムをデジタル・インフラに発展させる

バリューチェーンに組み込まれたITシステムは、プロダクション・エコシステム・インフラに欠かせない基礎だ。ＥＲＰのようなＩＴシステム（第3章参照）は、通常、特定の活動に関するデータソースと受領者《レシピエント》の限られた関係の中で稼働するように設計されている。ここでは、有名なギター・メーカーであるフェンダーのＥＲＰを見てみよう。

フェンダーのＥＲＰシステムは、小売チェーンのギター・センター（フェンダーにとっての顧客）からデータ（たとえば、このモデルのギターをどこに何本届けてほしいという注文）を受信する。ＥＲＰシステムはそのデータをバリューチェーン内の企業や組織と共有し、注文対応のワークフローを自動的に進める。つまり、ギター・センターに注文が入ると、システムがフェンダーに必要な部品を準備、供給するよう指示を出し、生産スケジュールを立て、配送センターに配送の通知を送り、請求書を作成し、領収書を発行するという一連の活動が開始されるのである。

このようなシステムは、進化したソフトウェアや機械学習アルゴリズムやＡＩ（人工知能）を備えた拡張型データ統合インフラのベースとなる。企業は今後、センサーやＩｏＴに対応した多数のアセットから成るデータソースと向き合うことになるので、従来のＩＴを新しいインフラに拡張することが重要だ。

さらに企業は、デジタル顧客から流れ込むリアルタイム・データの指数関数的な増加にも備えなくてはならない。数百万人ものデジタル顧客が生成するデータの多さは想像を超える可能性がある。フェンダーのすべてのギターにセンサーが装備されていたり、ステートファーム保険のすべての契約者が安全運転アプリを使用していたりする状況を想像してほしい。

新しいデータソースには、ソーシャルメディアなどの非構造化データ（構造の定義がなく整理されていないネイティブな形式のデータ」も含まれる。たとえば、ロックスターのブルース・スプリングスティーンがコンサートやインタビューでフェンダーのギターについて語ったら[4]、需要が急増する。スターの発言から需要増加を予測するようなデータ解釈や処理を行うには、新しいソフトウェアやアルゴリズム、そしてAIエンジンが必要だ。それらすべてがプロダクション・エコシステムに必要な要素ということになる。

最後に、バリューチェーンの管理に人材が必要なのと同様に、プロダクション・エコシステムの管理にも有能な人材が必要だ。人材は企業のプロダクション・エコシステム・インフラにとって、もうひとつの重要な構成要素と言える。プロダクション・エコシステムの管理には、ソフトウェアとデータ分析の専門スキルを持つ人材が欠かせない。企業に必要な新しい種類の人材については、デジタル・ケイパビリティを構築する方法を取り上げる本章後半で詳しく説明する。

パターン2　プロダクション・エコシステム×データ・リソース

プロダクション・エコシステムのインフラは、従来型企業が新しい種類のデータを生成、共有、処理するのに役立つ。そのデータは、バリューチェーンの運用のために使われていた従来のデータとは質も量も異なり、プロダクション・エコシステムの重要なリソースとなる。

プロダクション・エコシステムを動かすデータは、従来型ケイパビリティで使われているデータとは圧倒的に量が違う。ひとつのソースから取れるデータの量が多いうえに、ソースの数も増えるからだ。

また、単発的ではなくインタラクティブなので、質も異なる。機械が故障したときに発信されるメッセージが単発的データであり、故障の予兆を察知するために機械を継続的に監視するのがインタラクティブ・データだ。商品が売れた時点で発生するデータが単発的データで、製品とユーザーのやり取りをリアルタイムに追跡するのがインタラクティブ・データである。インタラクティブ・データは、個々の客や個々の機械の特定コンポーネントなど、ピンポイントで特定されたソースからも得ることができる。

デジタル先進企業の例を第1章で取り上げたが、この種のインタラクティブ・データは単発的データよりもはるかに高い価値をもたらす能力を秘めている。このデータによって、さまざまな企業や組織（たとえばサプライヤーやディーラー）とアセット（たとえば機械やロボット）がリアルタイムで対話できる。アセットや製品とユーザーの相互作用によって生じるあらゆるインタラクティブ・データをトラッキングすることで、企業は深いインサイトを獲得することができる。

インタラクティブ・データは、プロダクション・エコシステム・リソースと通常のバリューチェーン・リソースの違いがよく表れている重要な点である。

図8-1が示しているように、プロダクション・エコシステムのリソースには、バリューチェーンの中にある従来型アセット、新たに接続されたアセット、デジタル製品、デジタル顧客、データを統合する能力など、その土台の上で生成され共有されるデータが含まれる。

パターン3　コンサンプション・エコシステム×インフラ・リソース

コンサンプション・エコシステムは、第3章と第5章で説明したように、補完ネットワークの上に

図8-1
プロダクション・エコシステムのリソース

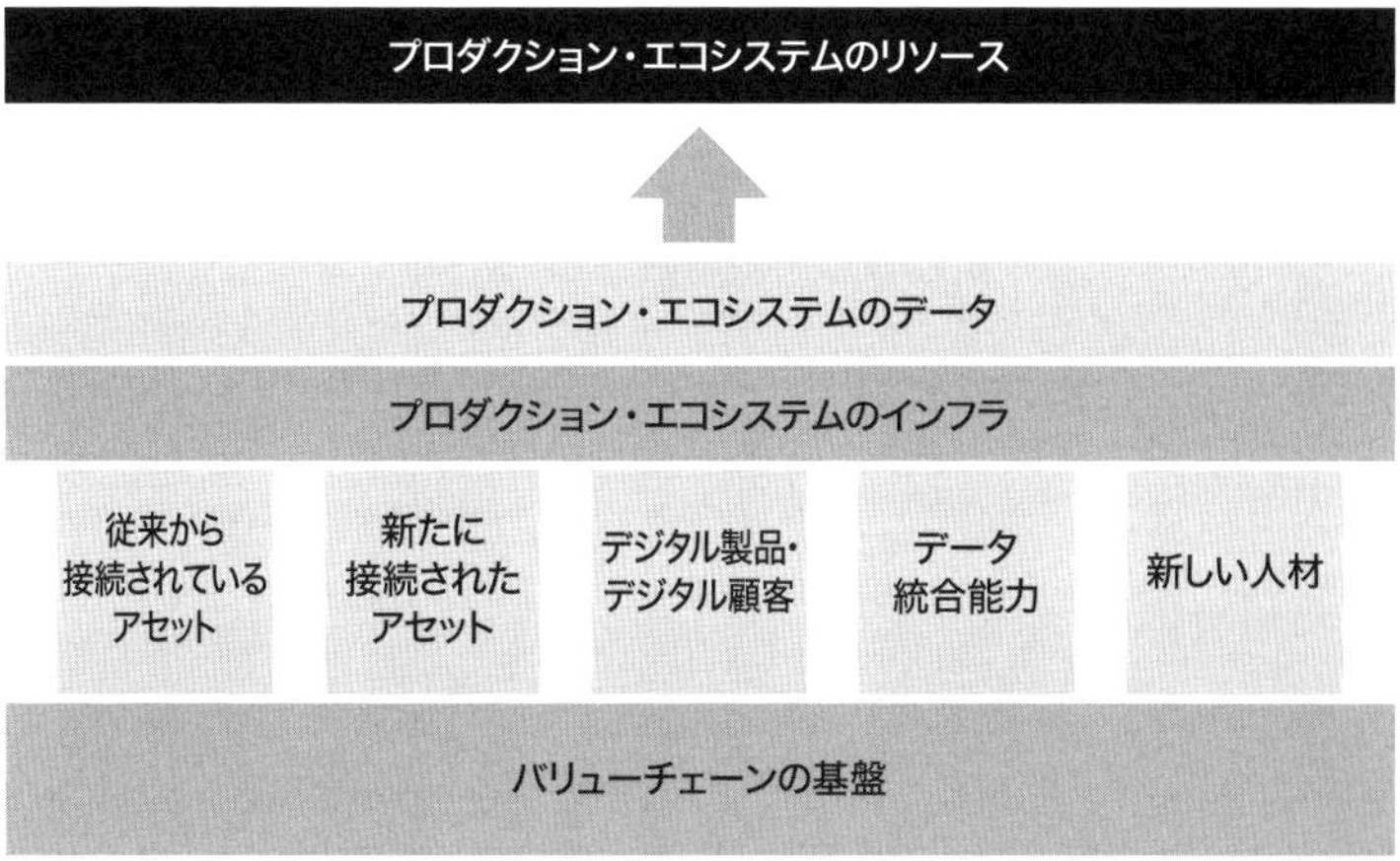

構築される。補完ネットワークとは、製品とそのセンサーが生成するデータを第三者の立場で補完する、さまざまな企業や組織のネットワークである。

従来型企業にとって、補完企業はこれまで、バリューチェーンのような重要な役割を担っていなかった。したがって、コンサンプション・エコシステムを構築しようとするなら、製品を補完してくれる企業や組織をバリューチェーンの外に求める必要がある。

コンサンプション・エコシステムのインフラは、企業が事業の範囲《スコープ》をバリューチェーンから製品連携プラットフォームに拡張したときに形成される。このプラットフォームは、第5章で説明したように、従来型企業がコンサンプション・エコシステムに打って出る際の主要な手段である。つまり、コンサンプション・エコシステムというコンセプトの物理的実体が製品連携プラットフォームだと言える。

デジタル・プラットフォームとコンサンプション・エコシステムのインフラを構築するためには、外部と内部の両方からのインプットが必要だ。

外部からのインプットは、IoTに対応する企業や組織やアセットへの接続を可能にする現代の技術によってもたらされる。そのような接続を実現する開発者集団も外からのインプットに含まれる。

一方、内部からのインプットには、デジタル顧客、新しいソフトウェア資産、新しいスキルを持つ人材などが含まれる。強固なデジタル・プラットフォームと、コンサンプション・エコシステムの堅牢なインフラを構築するには、外部からと内部からの両方のインプットが必要だ。

たとえばオーラルBは、センサーのユビキタス化、IoT対応アセットの増加、スマートフォン・アプリの普及、高速5Gセルラーネットワークの確立などから大きな恩恵を受けている（第7章参照）。こうした外からのインプットが、オーラルBの製品連携プラットフォーム構築を助けている。歯科医院（歯の治療やケアを行ってくれる）や保険会社（割引保険料を適用してくれる）などをオーラルBの製品連携プラットフォームのユーザーとして接続し、新しいデータドリブン・サービスを可能にしたのも外部からのインプットの恩恵だ。

それ以外の外部インプットとしては、APIに関するスキルを持つ100万人以上の開発者の存在がある。オーラルBはその中から、自社のプラットフォームに歯科医院や保険会社のアプリやウェブサイトを接続する開発者を選ぶことができる。

オーラルBは、製品連携プラットフォームの構築にあたって、外部だけでなく内部のインプットからも恩恵を受けている。なかでも最大の貢献をしてくれるのが、他のプラットフォーム・ユーザーを惹きつける効果を発揮するデジタル顧客だ。歯科医院や保険会社をプラットフォームに招き入れるためには、センサー・データを生成してくれるデジタル顧客が不可欠だ。

さらに、オーラルBが製品連携プラットフォームを管理するためには、高度なソフトウェアとデータ処理能力も必要になる。従来型企業なら、そのような能力を獲得するには、プロダクション・エコシステム・インフラのための投資以外に、新規もしくは追加の投資が必要になるかもしれない。内部インプットの重要なものとして、最後に、デジタル・プラットフォームを管理する経験とスキルがある新しい人材も忘れてはならない。

パターン4　コンサンプション・エコシステム×データ・リソース

インフラだけでなく、データもコンサンプション・エコシステムにとって重要なリソースだ。そのデータは、企業が製品を強化するために従来のケイパビリティで使うデータとは異なる。コンサンプション・エコシステムのデータは、プロダクション・エコシステムのデータと同様、単発的ではなくインタラクティブなものだ。それは、デジタル顧客と、プラットフォーム上で補完的な役割を果たす外部の企業や組織の両方からもたらされる。インタラクティブ・データは、製品連携プラットフォーム上でユーザー同士がやり取りをするために不可欠だ。

たとえば、ユーザーが歯を磨くときに生成されるインタラクティブ・データを歯科医院とつなぐことができれば、歯科医療の向上に役立つ可能性がある。歯ブラシ・メーカーはそのデータから製品の

図8-2
コンサンプション・エコシステムのリソース

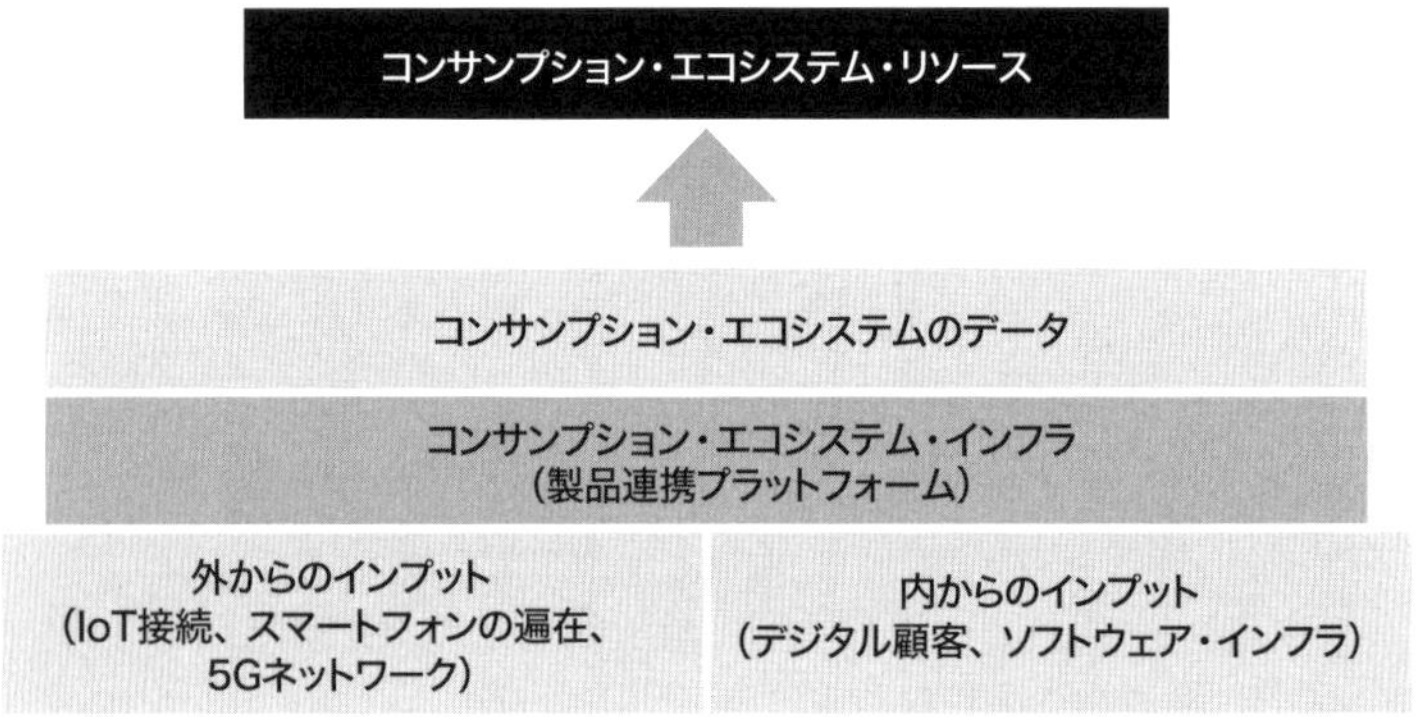

使用状況やユーザーの行動に関するインサイトを得ることができ、ユーザーは歯の健康に役立つ新しいサービスを提供してもらうことができる。

図8-2はコンサンプション・エコシステムのリソースを示している。内部と外部に存在するさまざまなデジタル・アセット、インフラとしてのデジタル・プラットフォーム、そしてそのプラットフォームが生成するデータを合わせたものがコンサンプション・エコシステムのリソースである。

属性3 プロセス

戦略目標の違いによって、従来型ケイパビリティとデジタル・ケイパビリティでは利用するリソースが異なるように、利用するプロセスも異なる。従来型ケイパビリティが利用するのは、製品を強化することにつながるプロセスで、バリューチェーン内の諸活動とそれらのあいだの相補性を管理する、機能別および機能横断的なワークフロー・ルーティンというかたちを取る。

従来型ケイパビリティが利用するプロセス——ワークフロー・ルーティン

ワークフロー・ルーティンというのは、特定の機能を管理するための確立されたプロセスのことだ。一度確立されると何度も繰り返し使われるので「ルーティン」と呼ばれる。

営業担当者が所定の方法でセールスの電話をかけるのは営業の機能別ルーティンの例である。一方、機能横断的ルーティンとは、複数の機能の相互作用に関して定められたプロセスである。複数の部門が参加する製品開発や顧客サービスに関するミーティングの慣行や、機能間の業務を調整するために確立された慣習的手順などがその例だ。

企業のバリューチェーン内にある機能別および機能横断的なワークフロー・ルーティンは、製品を生産、販売する従来型ケイパビリティを強化する。

ワークフロー・ルーティンと従来型ケイパビリティ

ワークフロー・ルーティンは、さまざまな形で従来型ケイパビリティにつながっている。機能別ルーティンは機能別スキルを強化する。たとえば、製薬会社のMR（医療情報担当者）は、医師や病院と定期的に秩序立った方法で接触することで、営業という機能別スキルを強化している。同様に、サプライヤーを精査して、体系的かつ科学的アプローチによって材料のコストや品質を評価するルーティンは、購買機能のスキルを強化している。

ルーティンが豊富なリソースによって支えられている場合、スキルはさらに増強される。たとえば、製薬会社の営業ルーティンは、強力なブランドや高品質の製品、知識豊富で意欲的なＭＲのチームの存在によって、一段と効果が高まる。購買ルーティンも同様に、オペレーションの規模と大量購買によってさらに強力なものになる。

機能横断的ルーティンは、企業内の機能間や部門間の相補的な関係を管理する。これが必要なのは、バリューチェーンの効果を高めるためには複数の機能を協調させなくてはならないからだ。どんな機能もそれだけでは機能しない。トヨタは、信頼性の高い製品を提供するために、複数の社内機能を調整している。ＴＱＭの原則に基づいて長年にわたって実行している機能横断的ルーティンによって、製品の信頼性を高めるケイパビリティを獲得してきた。

機能横断的ルーティンは機能別ルーティンより複雑で、確立させるのも管理するのも難しい。機能横断的ルーティンの原因と効果、あるいはケイパビリティとの関連も解明することが難しい。戦略に関する文献では、その難しさは「因果曖昧性」(causal ambiguity) と呼ばれている。[5]

たとえば、ＴＱＭルーティンと製品の信頼性の相関より、営業ルーティンと営業能力の相関のほうが把握しやすい。因果曖昧性があるので、競合他社が機能横断的ルーティンを模倣しようとしても容易ではない。完全に理解できていないプロセスを再現することは難しいからだ。したがって、機能横断的なルーティンは従来型ケイパビリティを強化するだけでなく、競争を抑止することで企業の競争力を維持するのにも役立つことになる。[6]

ルーティンは時間の経過とともにだんだん強化されていく。経験も、確立されたルーティンを強化して、既存の能力を強化するのに有効である。高品質のピアノを製造するスタインウェイのケイパビリティも、時間の経過とともに強化された（第7章参照）。

その半面、ルーティンはいったん確立すると変えるのが難しく、組織を硬直化させかねない。それがゼロックスなどの企業に混乱をもたらした原因のひとつである（第7章参照）。

実際、ワークフロー・ルーティンには組織を硬直化させる弊害があるため、プロセス・リエンジニアリングのような原則に立脚するコンサルティング・サービスが盛んになった。[7] プロセス・リエンジニアリングとは、つねにルーティンを評価し、不要なものを排除し、方法を組み替え、新しいものを追加することによって、組織のダイナミズムを保とうとする方法論だ。口で言うほど簡単なことではなく、このために数百万ドルも投資をする企業は珍しくない。

つまり、機能別および機能横断的ルーティンを利用してバリューチェーンの諸活動を管理し、それらが相補的に働くように調整するのが従来型ケイパビリティだ。異質なリソースを活用して製品の生産と販売の成果を上げ、製品を強化するのがその中心的な目的だ。

デジタル・ケイパビリティが利用するプロセス——APIネットワーク

一方のデジタル・ケイパビリティは、デジタル・エコシステムのリソースを使ってデータの強みを引き出すためのもので、そこから多くの効果が生まれる。

プロダクション・エコシステムのリソースを活用するプロセスは業務効率の向上につながるし、予測サービスやマス・カスタマイゼーションといった革新的なデータドリブン・サービスの提供にもつながる。コンサンプション・エコシステムのリソースを活用するプロセスは、新しいデジタル・プラットフォーム・サービスを生み出す。

こうしたプロセスの中核にあるのが、APIのネットワークによって実現したデータの共有と統合のメカニズムである（第2章で詳述した）。APIは、ソフトウェアを介してさまざまなデータ・リソースを接続するルートを形成し、データの共有と統合を強化してデータから大きな価値を引き出す。

キャタピラーが提供しているさまざまなデータドリブン・サービスを思い出してほしい（第4章参照）。センサーやテレマティクスを装備したキャタピラーの建設機械はすべてデータ・リソースであって、そこから建機の非稼働時間や燃費、1日の土砂搬送量、所在地など、オペレーション関連のさまざまなデータが生成される。

キャタピラーのジョイントベンチャー・パートナーであるトリンブルは、複雑なAPIネットワークの構築を支援し、キャタピラーの機器が生成するデータを多数の企業や組織がさまざまな目的のために使えるようにしている。その中には、世界最大級のエンジニアリング・建設会社で、世界中の建設現場で稼働する数千台の機械を所有するベクテルのような顧客も含まれる。約165あるキャタピラー製品の販売店も含まれる。キャタピラー自体も、各オフィスでデータを受け取っている。

トリンブルの社長兼CEOであるロバート・ペインターは次のように述べている。「非消費財の世界では、企業は、製品に関連するテクノロジーとドメイン知識〔限定された専門分野に特化した知識〕を持つパートナーを必要としています。それは、プロセスにエコシステム全体を含めるというアプローチとともに、デジタル・トランスフォーメーションのために必要です」

トリンブルのＡＰＩネットワークによって、しかるべき企業や組織が、しかるべきデータを、希望する形式で利用することができる。ベクテルは、所有する全車両の運行データが必要になることがある。販売代理店は、交換部品を補充しなくてはならない機械を特定するデータがほしいだろう。キャタピラー自身は、製品設計を改善したり、予知保全サービスを提供したり、さらに機械やサービスを購入してくれそうな顧客を把握したりするためのデータがほしいと思うだろう。

このように、ＡＰＩによってキャタピラーはさまざまな方法で価値を生み出すことができる。データドリブンの製品機能やサービスからメリットを得る顧客が、キャタピラーの新たな収益源になる。もちろん業務効率の向上に役立てることもできる。

以上が、ＡＰＩネットワークがプロダクション・エコシステムのリソースからメリットを生み出す方法の一例である。この種のＡＰＩ効果については、第2章で、従来型企業の社内およびサプライチェーンのインターフェースを担う内部向けＡＰＩとして説明した。

それに加えて、ＡＰＩのネットワークはコンサンプション・エコシステムのリソースからメリットを生み出すこともできる。顧客が使っているワールプールの冷蔵庫やオーブンをヤムリーのレシピ・アプリ[8]とつなぐＡＰＩは、ワールプールが顧客に製品連携プラットフォームサービスを提供するのに役立っている（第5章参照）。この種のＡＰＩネットワークは内部に焦点を当てたもので、従来型企業の製品と補完財のインターフェースに貢献する。

以上から、ＡＰＩネットワークは、内部向けであれ外部向けであれ、企業のプロダクション・エコシステムとコンサンプション・エコシステムの中にあるすべてのデータの共有と統合の詳細な見取り図だと言うことができる。

ＡＰＩネットワークの透明性

ＡＰＩネットワークはソフトウェアによって制御され、目に見える構造があるので、データの共有と統合のプロセスは機能横断的ルーティンより透明性が高い。データの統合も機能横断的統合より容易だ。なぜなら、機能横断的統合は手順を定めても、人びとがその通りに動いてくれるかどうかは相手まかせでしかないからだ。人間をルーティンな指示に従わせるより、ソフトウェアを従わせるほうが簡単なことは言うまでもない。

だがその一方、透明性が高いために、ＡＰＩネットワークは競合相手がまねるのも比較的容易だ。たとえば、アマゾンのｅコマース・プラットフォームでの注文処理に関するＡＰＩは他社も複製することができる。複製が難しいのは、アマゾンのデータ・リポジトリや、堅固なデジタル・エコシステム・インフラのその他の機能だ。結局、従来型企業が自社のユニークネスを確立し、それを維持しようと思えば、デジタル・リソースとプロセスを組み合わせて活用しなければならない。

ＡＰＩネットワークの柔軟性

ＡＰＩネットワークを介したデータの共有と統合は、ワークフロー・ルーティンと違って組織の硬直化も引き起こさない。データの共有と統合というプロセスは、ソフトウェアをアップグレードすることで、比較的簡単に刷新することができる。実際、ＡＰＩのソフトウェアは定期的にアップグレードされ、内部的データフローの改善がつねに図られている。

再構成が簡単というＡＰＩの性質が、通信ソフトウェア・メーカーであるトゥイリオのような企業が成功した理由だ。トゥイリオのＡＰＩによって、企業はニーズに応じてテキスト、音声、画像のメッセージング機能を統合することができる[9]（第2章参照）。ウーバーやエアビーアンドビー、ホーム・デポ、ウォルマートといったさまざまな企業が、それぞれの要件に合わせてトゥイリオのサービスを選択的に利用しているという事実は、ＡＰＩが本質的に持っている柔軟性を物語っている。

ＡＰＩネットワークは、さまざまなアセットやプロセスの細かな特徴をつなぎ合わせることができる。ソフトウェアが認める範囲で、きめ細かく動くこともできる。さまざまなデータソースをつなぐための代替アーキテクチャを作成することもできるし、それを再構成することもできるので、データの共有や統合を柔軟に行えるツールになる。この能力を活かすために、ＡＰＩネットワークは従来の機能別プロセスおよび機能横断的プロセスと融合させることが必要である。

従来型プロセスにダイナミズムを注入するＡＰＩネットワーク

ＡＰＩにはネットワークの構成を変えられる柔軟性があるので、従来型プロセスに新たなダイナミズムを注入することができる。

靴のアッパーの開発に取り組むスポーツシューズ・メーカーのケースを見てみよう。アッパーというのは靴底《ソール》の上に取り付けられる上部構造のことだ。アッパーの開発には、ファッションに対する理解と、消費者の好みに合わせてデザインを完成させる能力が求められる。

開発に当たっては、機能横断的なチームが召集され、プロトタイプを製作するデザイン案を絞り込むために、各種のインプットを統合する作業が行われる。デザイナーは、販売部門やマーケティング部門からファッション・トレンドに関する意見を取り入れる。購買やサプライチェーン・パートナーは、必要な材料を適切なタイミングで適切なコストで仕入れられるかどうかの情報を提出する。社内および海外のオペレーション部門は、製造の実現可能性という面から計画を検討する。財務部門はコストをにらんで現実的な予算措置を提案する。このような機能横断的な開発プロセスには、全体で4〜5カ月を要する。

ここで、APIネットワークが導入されたら、この従来型製品開発プロセスがどう変化するかを考えてみよう。市場動向に関するデータは、その追跡を専門とする企業のAPIフィードから得ることができる。その中には、流行しているシューズの色やファッションに関する地域別データを伝えてくれるものもある。車や服飾など、隣接する業界で流行している色について知らせてくれるAPIもあるだろう。検討対象となるかもしれない生地の材料特性や信頼できるサプライヤー、予想価格、納期に関するデータなどを提供してくれるAPIもある。

こうしたAPIからのデータがデザイン開発に取り組む機能横断的チームの活動を補完し、開発プロセスが活発化した。データソースを新たに追加したり削除したりすることで流入するデータの構成を変えることができ、以前より多くの選択肢を検討できるようになった。「もし……したら」という仮説的な問いにも速く答えられるようになって、デザインのアイデアが増えた。トレンドの変化に迅速に対応できるようになり、デザイン変更に要する時間が短縮された。すぐれたデザインを短時間で考案できるようになった。

ニューバランスのグローバルIT担当副社長であるラビ・シャンカラバンはこう言っている。「APIネットワークを従来型プロセスに統合すると、オプションが増えるので、最初は実行のスピードが低下するように感じられますが、最終的にはスピードと敏捷性《アジリティ》が大幅に向上します」。開発プロセスは数カ月ではなく数週間、あるいは数日にまで短縮される。

戦略に関する文献では、動的《ダイナミック》ケイパビリティという概念に強い関心が寄せられている。市場や技術の変化に応じてアセットやプロセスを構成しなおす企業の能力のことだ[10]。従来型企業のプロセスは融通がきかないので、従来型ケイパビリティをダイナミックなものに変えるのは難しい。変化する市場のダイナミクスを追跡することも難しい。その点、APIネットワークは、企業の基本的なプロセスを柔軟なものにし、データ資産が流動的に生成され共有されるように変えることができるので、デジタル・ケイパビリティははるかにダイナミックなものになる。

属性4　戦略範囲

戦略範囲《スコープ》とは、企業が関わることのできる価値創造の範囲のことだ。従来型企業の考え方では、自社の活動範囲、つまり自社がプレゼンスを維持している業界の数が戦略範囲ということになる。たとえば、ジョンソン・エンド・ジョンソンの戦略範囲は、医療機器から医薬品、消費者向けパッケージ商品の業界ということになる。

どこまで範囲を広げることが可能か？

理論的には、資金さえあれば[11]、企業はいくらでも他社を買収することができ、目をつけたあらゆる業界でプレゼンスを確立することができる。しかし、世間一般の常識では、企業が成功するのは現在の事業と関連のある事業においてであって、関連のない事業には手を出すべきではないとされている。企業の多角化に関する多くの文献もこの考え方を支持している[12]。

「関連する事業」とは、自社の従来型ケイパビリティと関連のある事業のことだ。自らのケイパビリティによって多角化した事業に貢献できるだけでなく、見返りとして、ケイパビリティが強化されるような事業のことだ。そのようなギブ・アンド・テイクは、企業のバリューチェーン・リソースと、買収した事業のバリューチェーン・リソースの相乗効果がどの程度あるかにかかっている。

たとえば、ディズニーの戦略範囲には、テーマパーク、ホテル、映画制作、テレビおよびケーブルテレビ、クルーズ船運航、小売などの事業が含まれる。ディズニーは、これらの事業のあいだにある補完性と相乗効果のおかげで、競争力のあるケイパビリティを実現している。

ディズニー系列のホテルに宿泊する客は、ディズニーのテーマパークに優先的に入園できる。テーマパークはホテルがリピーター客を送り込んでくれるという恩恵を受けている。その結果、オーランドにあるディズニー系列のホテルは、客室料金が比較的高いにもかかわらず、ライバルのホテルより稼働率が高い。

同じように、クルーズ船事業もテーマパーク事業を補完している。映画も、人気アトラクション

(たとえばダンボや白雪姫)の開発につながるという意味でテーマパークを補完している。テーマパークはディズニーのファミリー向けブランドを強化し、それが映画の人気に拍車をかける。テレビやケーブルテレビ、小売のディズニーストアにも、このような相乗効果を見ることができる。

バリューチェーン・リソースの中には、他のリソースよりも用途が広いものがある。相乗効果がさまざまな事業におよび、他社と競う際に力を発揮する幅広いケイパビリティをもたらすようなリソースである。C・K・プラハラードとゲイリー・ハメルは、そのようなケイパビリティの領域をコア・コンピタンスと呼んでいる。[13] たとえばディズニーのリソースは、幅広いケイパビリティを同社に与えている。ディズニーが多くの業界で効果的に競争できるのはそのためである。

反対に、もたらされるケイパビリティの領域が狭いリソースもある。たとえば航空会社のバリューチェーン・リソースには、航空機やハブ空港、専門職人材(たとえばパイロットや整備員)などが含まれるが、どれも航空ビジネスに特有のものであり、他のビジネスとのあいだに補完的相乗効果が生まれる可能性は低い。つまり戦略範囲が狭い。そのような企業の多くは、ひとつの業界の中でしかビジネスができない。それが、米国企業の約半分が単一業界の企業であることの理由だ。[14]

プロダクション・エコシステムとコンサンプション・エコシステムでの戦略範囲

ここで、デジタル・ケイパビリティについて考えてみよう。その中心的リソースは、デジタル・エコシステム・リソースである。バリューチェーン・リソースと同様、デジタル・ケイパビリティも従来型企業の戦略範囲に影響をおよぼす。製品からデータドリブン・サービスへと価値創造の範囲を広げることで戦略範囲が広がる。プロダクション・エコシステムとコンサンプション・エコシステムのリソースは、それぞれの方法で企業の戦略範囲を広げる。

プロダクション・エコシステムのリソースは、企業の戦略範囲を製品からデータドリブン・サービスへと押し広げるが、従来のビジネス領域でのプレゼンスはこれまで通り保たれる。たとえばキャタピラーは、プロダクション・エコシステムのリソースを活用して、建設機械のユーザーに新しいデータドリブン機能や予測メンテナンス・サービスを提供している。それによって価値創造の源泉は広がるが、従来の建設機械業界でのプレゼンスは変わることなく保たれる。

一方、コンサンプション・エコシステム・リソースは、従来型企業の戦略範囲を、主たる事業領域を越えて拡大させることができる。デジタル・プラットフォーム・サービスによって収益創出機会を拡大するからである。プラットフォーム・サービスは、データとプラットフォーム・ユーザーの種類に応じて、製品の範囲をさまざまな方向に拡張できる。たとえば、すでに述べたように、電球とそのデータに連携するプラットフォームは、電球という製品をホームセキュリティや倉庫ロジスティクス、路上防犯システムへと発展させる。

バリューチェーンのリソースと同様、コンサンプション・エコシステムのリソースも、従来型企業の戦略範囲を広げる能力においてさまざまに異なる。その違いはおもに、製品連携プラットフォーム（第5章参照）につながる製品が生成するセンサー・データの性質による。

歯ブラシや建設機械のプラットフォームから生まれる可能性がある新しいサービスは、その製品の機能に関わる領域でのサービスに限られる。それに対し、電球のプラットフォームからは、照明という機能の領域をはるかに越える新しいサービスが生まれる可能性がある。

コンサンプション・エコシステムで広げる戦略範囲の2つの特徴

コンサンプション・エコシステム・リソースが持っている戦略範囲を拡大する力には、2つの注目すべき特徴がある。ひとつは、従来型企業が戦略範囲を拡大するために使える選択肢は、バリューチェーン・リソースを通じたものよりもコンサンプション・エコシステム・リソースを通じたもののほうが多いという点である。もうひとつは、戦略範囲の拡大にともなうリスクは、バリューチェーン・リソースによる拡大よりコンサンプション・エコシステム・リソースによる拡大のほうが小さいということだ。以下にそれを示す例をあげる。

ゼネラル・ミルズがヨーロッパでの事業拡大を検討したとき、シリアル・パートナーズ・ワールドワイドというアライアンスを形成する相手に選んだのがネスレだった。両社ともこのアライアンスによって戦略範囲を拡大したが、それを支えたのがバリューチェーン・リソース全体で見られた潜在的相乗効果だった。ゼネラル・ミルズはネスレがヨーロッパに持っている流通ネットワークの恩恵を受け、ネスレはゼネラル・ミルズ・ブランドを消費者向けパッケージ商品に加えることで恩恵を受けた。ブランドと流通ネットワークによって必要な相乗効果を得られるような企業は多くないが、ゼネラル・ミルズとネスレは、そのようなアライアンスに適した数少ない企業である。

しかしこの相乗効果にもかかわらず、両社とも戦略範囲を拡大するために多額の投資が必要だったため、アライアンスには大きなリスクがあったことも事実だ。

ここで、ネスレがコンサンプション・エコシステムのリソースを使って戦略範囲を拡大しようとしていたら何が起こっていたかを考えてみよう。[15] 重要なコンサンプション・エコシステムのリソースには、消費者を第三者サービスプロバイダーに接続するデジタル・プラットフォームが含まれる。サービスを提供する企業の中には、レシピや料理の好みを提案するスタートアップや既存企業が含まれる。食物アレルギーやカロリー摂取量の観点から健康的な生活を提唱する企業も含まれる。

アプリケーション・エコノミーと同様、そうした提携のすべてが実を結ぶわけではないが、なかには大成功を収めるケースもある。しかもコンサンプション・エコシステムでは、ネスレは数千に上るサービス提供者とパートナーシップを結ぶことができる（バリューチェーン・リソースでは提携するパートナーの選択肢は限られる）。

また、提携のリスクをプラットフォーム・パートナーに負担してもらうことも可能だ。あるサービスが失敗した場合の負担割合を、ネスレではなく、サービス提供者に大きく設定するということだ（バリューチェーンにおけるアライアンスでは、パートナー間でのリスク負担はより均等に配分される）。そうすることでネスレは、収益が上がらないリスクや有効な相乗効果が生じないリスクを気にせず、あらゆる種類のパートナーを獲得することに専念できる。

デジタル・ケイパビリティを構築する組織の条件

従来型企業のデジタル・ケイパビリティは無から形成されるものではなく、従来型ケイパビリティという土台の上に形成される。デジタル・ケイパビリティは、従来型のリソースとプロセスがあいまって新たな領域に拡張したときに生まれ、従来型プロセスとデジタル・プロセスが融合して新たな成果がシームレスに生み出されるようになったときに強化される。

バリューチェーンのプロセスがバリューチェーン内のリソースの強さに支えられるように、デジタル・エコシステムのプロセスはデジタル・エコシステム内のリソースの強さに支えられる。たとえば、従来型企業の中で接続される企業や組織が増えるほど、内部向けＡＰＩネットワークは複雑になり、データの共有と統合のプロセスも強力になる。

予知保全というサービスを提供するキャタピラーが持つデジタル・ケイパビリティの強さも、このような構造の中で形成されたものである。キャタピラーは、プロダクション・エコシステムのリソース（たとえばセンサーを装備した機械やそこからのデータ）、コンサンプション・エコシステムのリソース（たとえば建設現場に存在するアセット間のＩｏＴ接続）、ＡＰＩネットワーク（たとえば建機の摩耗データをディーラーや部品保管倉庫、サービス技術者と共有する）、そして機能横断的プロセス（たとえば整備や修理、売り上げを管理する営業、サービス、請求、ディーラー間の連携）を必要としている。

強力なデジタル・ケイパビリティを獲得し、より良い成果を実現するには、従来型のリソースとプロセス、デジタルのリソースとプロセスのすべてが噛み合わなくてはいけない。キャタピラーの場合、より良い成果のひとつが、建設現場での建機のダウンタイム短縮だ。そのような成果は新しいデジタル・ケイパビリティがなければ実現不可能である。

図8-3
従来型とデジタルの融合によるデジタル・ケイパビリティの形成

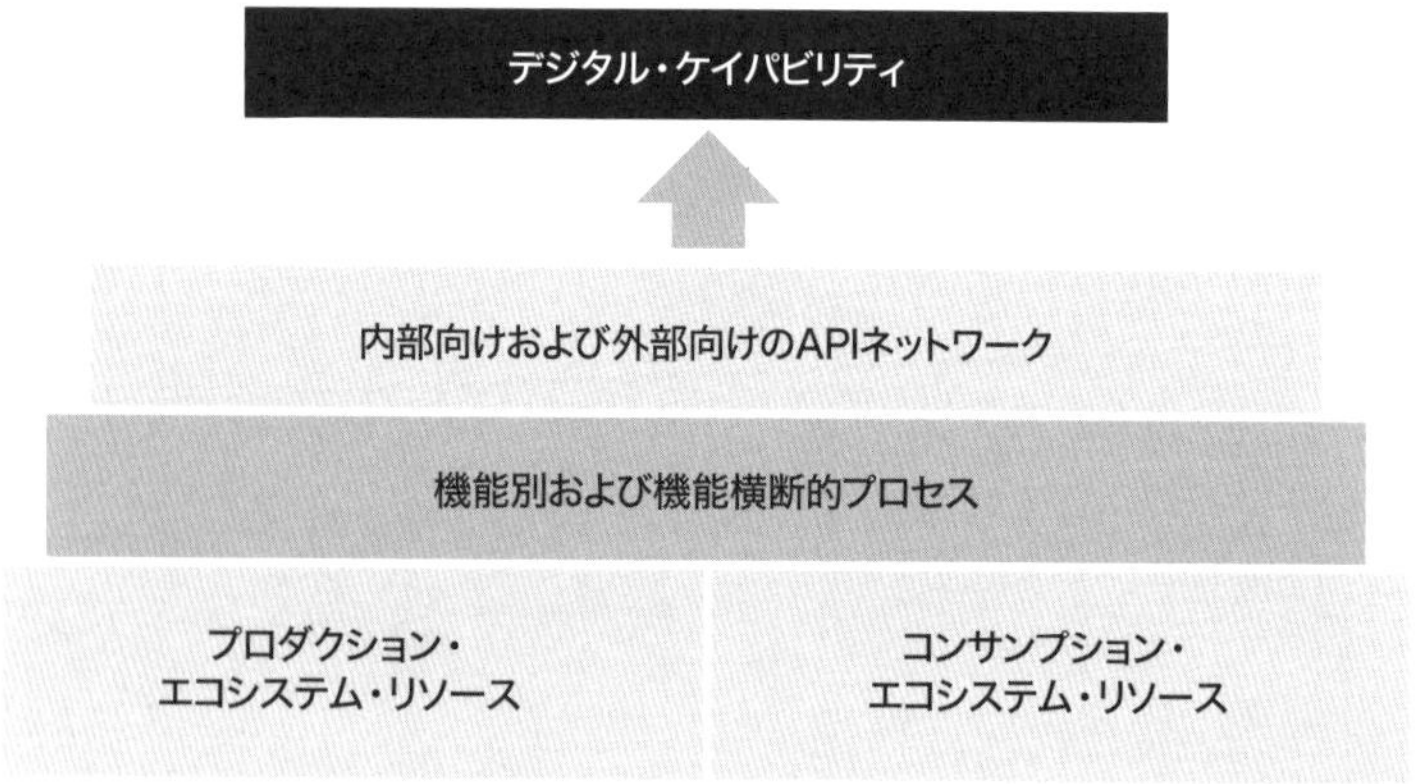

図8-3は、従来型のリソースとプロセス、デジタルなリソースとプロセスが融合して、デジタル・ケイパビリティが形成されることを示している。従来型リソースとデジタル・リソースは、プロダクション・エコシステムとコンサンプション・エコシステムのリソースに融合される。同様に、従来型プロセス（機能別および機能横断的プロセス）とデジタル・プロセス（内部向けと外部向けのＡＰＩネットワーク）も融合されて、新しいデジタル・ケイパビリティが形成される。

従来型企業は、そのように融合したリソースとプロセスをデジタル戦略目標の達成に向けて活用しなければならない。そのためには、デジタル・ケイパビリティが芽を出し、育まれるような組織風土を形成する必要がある。そのために組織に必要なのは、リーダーのビジョン、従業員のスキル、従業員の納得と賛同という3つの条件である（図8-4参照）。

図8-4
デジタル・ケイパビリティの構造

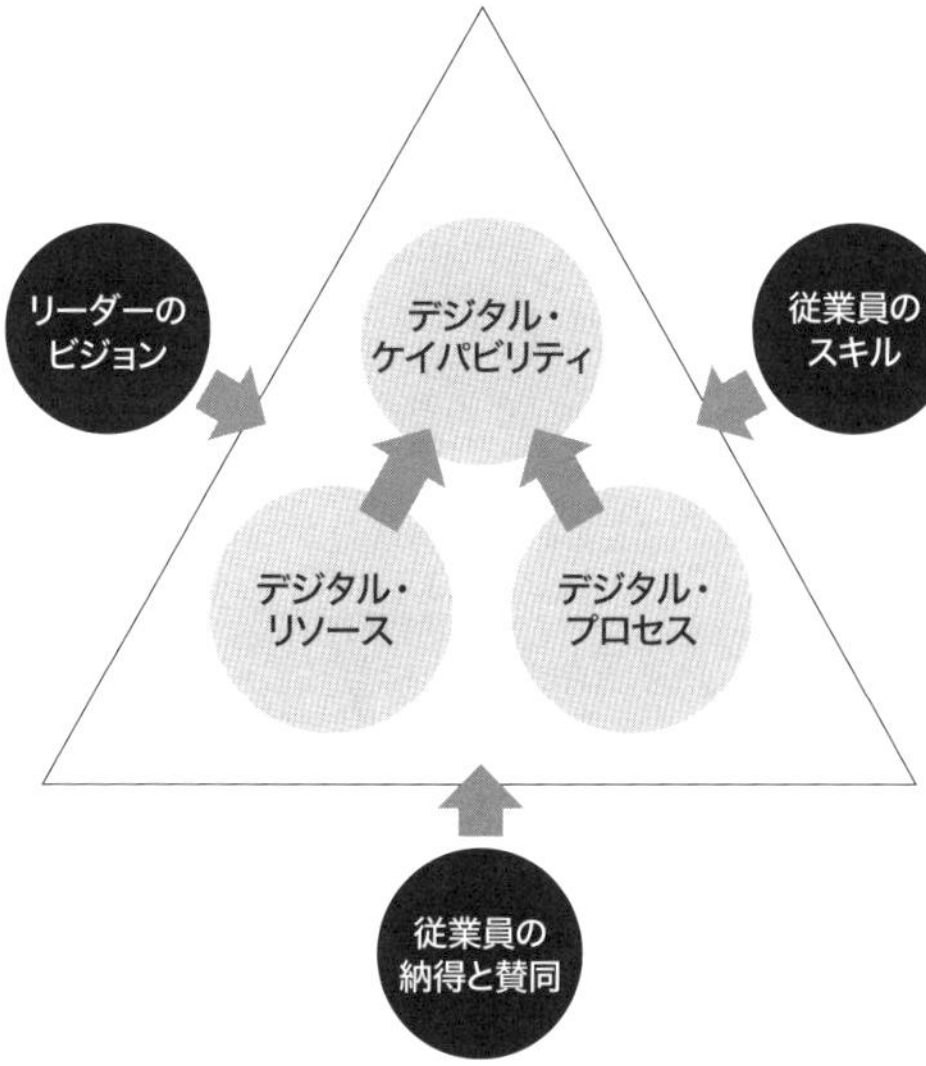

条件1 リーダーのビジョン

デジタル・ケイパビリティの発展はリーダーのビジョンから始まる。企業がデジタル戦略目標を設定できるのは、リーダーにビジョンがあればこそだ。リーダーのビジョンがデジタル・エコシステム・インフラを構築し、新しいタイプのデータを生成する能力を確立し、データの共有と統合を行うプロセスを構築するのに必要な資金の流れをつくり出す。

ビジョナリー・リーダーは、データにはまだ利用されていない価値があることを理解し、データがもたらす新しい機会を認識している。そして、業務効率の向上であれ、新しいデータドリブン・サービスによる野心的な戦略範囲の拡大であれ、新しい戦略目標を組織全体に明確に提示する。進化するデジタルの世界では実験が必要なことを認識し、マネジャーが必要なリスクを取れる文化を醸成するのもビジョナリー・リーダーだ。そのようなリーダーは、出現する競合企業を鋭く見抜き、それに対抗するためのデジタル・ケイパビリティの準備を怠らない。

DXの大部分は、新しいデジタル・ケイパビリティの形成だ。それは従来のリソースとプロセスを徹底的に見直し、戦略の新たな方向を設定することにかかっている。簡単な事業変革などどこにもない。戦略目標を達成できるかどうかも不確かなDXは、輪をかけて困難だ。

マッキンゼーの調査[16]によると、事業変革の成功率は30%未満である。調査に回答した企業のうち、DXの取り組みで何らかの成功を収めたと答えたのは16%にすぎなかった。リーダーとその戦略上の決意には変革の成否を分ける大きな責任がある。製品からデータにシフトすることは、リーダーシップのビジョンを正しく確立しようとするトップエグゼクティブに大きな負担を強いる。

条件2　従業員のスキル

新しいデジタル・リソースやプロセスには従業員の新しいスキルも必要だ。デジタル・エコシステムでは従業員に高いデジタル・リテラシーが求められる。専門的なソフトウェア・スキルも必要になる。それがあれば、従来型企業は、デザインの柔軟性、ユーザーフレンドリーなインターフェース、速い開発サイクル、アジャイルで反復的な開発プロセスなど、これまでにはなかった品質属性を実現することができる。このような属性は、品質の一貫性や信頼性など、従来型企業の従業員が以前から大切にしていた典型的スキルを補完するものである。

ソフトウェアのスキルやAPIを設計する能力、機械学習やAIアルゴリズムのためのプログラムを書く能力は、高度に専門化されている。フォードやP&G、ウォルマートなどの従来型企業は、そのような専門的人材の獲得をめぐって、フェイスブック、グーグル、アマゾンなどのデジタル先進企業としのぎを削っている。

だが、デジタル・リテラシーは一部の専門家だけのものではない。古いデジタル・インフラが新しいデジタル・インフラに置き換わるにつれ、従業員全体が、新しいデジタル・ツールやソフトウェアを使いこなさなくてはならなくなる。

その一方で、ソフトウェアとAIが古いスキルを不要なものにする。たとえば、相互に対話し、それ自体の動作を指示し、間違いを自動修正できるスマート・マシンは、人間が行っている仕事や、自動化が不完全なマシンを操作する仕事を引き継ぐ可能性がある。そのような機械のオペレーターには、機械を操作するスキルではなく、データ解釈に基づいた意思決定のスキルが求められるようになる。同じことが、ソーシャルメディアを管理するマーケティング担当者にも当てはまる。会計担当者には最新のソフトウェア・ツールを理解していることが求められる。

ほぼすべての機能で、古いプロセスが新しいデジタル・プロセスと混ざり合っている。適切なワークフロー・スキルがなければ、従来型企業は新しいデジタル・ケイパビリティを構築する取り組みで行き詰まることになる。

条件3 従業員の納得と賛同

従来型企業にデジタルの風が吹くと、古い権力構造に混乱が生じ、従業員のあいだに不安が生じる。GEのジェフ・イメルトCEO（当時）は、同社を工業製品の製造企業からソフトウェア企業に転換するという大胆な戦略的ビジョンを打ち出した。しかし、それは同時に不確実性を生み出し、多くの従業員が自分の役割に不安を抱くようになった。

数十年にわたってエンジニアが支配していた会社に、ソフトウェアの専門家が新たなエリートとして登場した。古くからのエンジニアリング・スキルが新たに求められているソフトウェア・スキルとどう組み合わさるのか、多くの従業員が明確な展望を持てずにいた。製品を売ってきた営業担当者は、成果反映型のサービスを売る自信が持てなかった。顧客も、製品機能は理解できてもデータの利点を理解できなかった。

GEがこのような問題に直面したのは、製造企業の中で先頭を切ってデジタル化に取り組んだからかもしれない。当時は、デジタル戦略に何が必要なのかもまだ明らかではなかった。

だが、いまは事情が違う。新しいデジタル機能を構築しようとするとき、立ち往生は許されない。古い機能と新しい機能を統合するとき、組織を麻痺させないためには、従業員の賛同が重要だ。経営トップが明確な意思を持つことは良い出発点だが、同じ明確さを従業員全体に浸透させる必要がある。

新しい取り組みについて、すべての従業員を納得させるのは容易なことではないが、デジタル・ケイパビリティを構築するためには避けて通れない。そのためには新しい種類のトレーニングプログラムや、戦略目標に向かわせるための新しいインセンティブとモチベーションが必要だ。

デジタル・ケイパビリティの獲得をめざす

デジタル・ケイパビリティは、従来型企業がデジタル化する世界で競争するうえで不可欠な要素だ。それは新しい能力だが、従来から培《つちか》ってきた能力の上に構築することができる。

本章では、デジタル・ケイパビリティはどこが違うかを強調したが、実際のところ、そのようなケイパビリティは他の能力と切り離されて存在しているわけではない。従来型ケイパビリティを支えるリソースが、デジタル・ケイパビリティに必要な新しいリソースと融合しているということだ。

従来のアセットはデジタル・アセットになり、従来の製品はデジタル製品になる。従来型顧客はデジタル顧客になる。それらすべては共存し、互いの特長を強化しあっている。

同様に、従来型ケイパビリティに関連するプロセスは、デジタル・ケイパビリティを強化する新しいプロセスと結びついている。従来型プロセスはAPIネットワークから恩恵を受ける。従来型企業が成功するには、従来型ケイパビリティとデジタル・ケイパビリティをシームレスに融合させる方法を見つけ出さなくてはならない。

最後に、デジタル・ケイパビリティは、特定の戦略目標を達成するために強化することができる。たとえば、インタラクティブな製品機能やマス・カスタマイゼーションに注力しようとする企業なら、データ・リソースや内部ＡＰＩネットワークを含めて、プロダクション・エコシステム・インフラに重点的に投資することになるだろう。バリューチェーンを製品連携プラットフォームに拡張しようとする企業なら、データ・リソースや外部ＡＰＩネットワークを含めて、コンサンプション・エコシステム・インフラの開発に投資することになるだろう。あるいは、新しいデジタル技術の能力を活用しながら、プロダクション・エコシステムとコンサンプション・エコシステムをバランスよく活用することもできる。

第10章では、このような考え方に基づいて、従来型企業にとってのデジタル競争戦略の包括的なフレームワークを提示する。しかしその議論をする前に、次の第9章で、データの倫理的使用に関するいくつかの重要な問題について議論しなければならない。

第９章

権利、セキュリティ、プライバシー

データ利用における企業の責任

「データ」利用の光と影

本書をここまで読まれた読者は、あと一歩で、デジタル競争戦略のフレームワークを考えられるところまで来ている。すでにデジタル・エコシステム、デジタル顧客、デジタル競合、デジタル・ケイパビリティといった重要な概念を理解した。それらはデジタル競争戦略のフレームワークを構築するためのツールとなり、競争優位の新しい源泉を開発する方法に影響を与える予期せぬ出来事や状況の変化に対処するための足場を提供してくれる。

その最終ステップに進む前に、本書のテーマである「データ」に、もういちど目を向けよう。物議を醸しているデータのもうひとつの側面について認識し、理解しておく必要があるからだ。

ここまでデータというものについて、ビジネスの可能性をデジタルの領域に広げる価値創出のツールとして論じてきた。そのようなポジティブな視点に立つと、データは従来型企業にとっての万能薬のように見える。企業の繁栄を復活させ、戦略的目標に新たな刺激を与えるのがデータの役割ということになる。

しかし、それがデータのすべてではない。だれもがデータについて前向きに考えているわけではないし、胸を躍らせているわけでもない。データの濫用が社会に深刻なダメージを与えると考える人も多い。確かに、企業の利益だけを目的としてデータを利用すると弊害が生じる恐れがある。

今後数十年、だれがデータを管理するのかという問題をめぐって、消費者団体、規制当局、企業など、さまざまなステークホルダーのあいだで議論が繰り広げられるだろう。入手できるデータが増えることにはメリットがあるが、その一方で、データを管理する者の市場支配力の集中や、プライバシーの侵害といった弊害がある。有害な結果を回避するために、データへのアクセスを制限する必要性も出てくるだろう。利害が対立する勢力のあいだで適切なバランスを模索する動きが続くと思われる。

こうした問題や議論に対して明確な結論を提示するのは時期尚早だし、本書は特定のステークホルダーを支持するものでもない。したがってこの章では、議論を呼んでいるデータの力や、データ利用の肯定派と反対派のまわりで生じている動きについて、ひとつの観点を提供することにする。デジタル戦略を構築しようとする従来型企業は、まずこの問題を認識しなければならない。デジタル戦略を策定する旅のゴールに向かう前に、いったん立ち止まり、本章が提起する問題について考える必要がある。

「修理する権利」

本章の議論の糸口となる格好の事例がある。2020年に米国マサチューセッツ州で行われた、自動車修理権法の是非を問う住民投票だ。データの利用に関して企業が直面する利害の対立を反映しているものだ。

あなたは以下に要約する法案に賛成しますか。これは2020年5月5日時点で、上院でも下院でも未採決の法案です。この法案が成立すれば、マサチューセッツ州では、自動車の所有者や独立系修理工場に対し、自動車のメンテナンスや修理に関する機械的データへのより広範なアクセスが付与されることになります。

右のような説明から始まる住民投票は、2020年11月の投票に向けて大きな注目を集めた。テレビは数週間にわたり、賛成派と反対派が流す数百万ドル相当の宣伝広告であふれた。

賛成が上回れば、自動車メーカーは、車の所有者が系列外の修理工場を選んだ場合でも、自社が収集したセンサー・データを当該工場に開示することが義務づけられる。車の所有者の立場から言えば、自分の車を自分の好きな施設で修理できる権利が強化されるということだ。

反対が上回れば、自動車メーカーはセンサー・データを公開する範囲を限定できる。自社の販売店や一部の修理工場など、系列の会社に限定するのが一般的だ。所有者はメーカーが決めた場所でしか自分の車を修理できないことになり、権利が制限されたことになる。

「修理する権利《ライト・トゥ・リペア》」という言葉が飛び交った。「自分が買った製品は、いつ、どこで修理するのも買った本人の自由」という意味で、消費者の選択権拡大に向けた一連の立法措置を指すキャッチフレーズになった。

賛成票を投じた消費者にとって、法案は考えるまでもない。その車は自分の車なのだ。好きな場所で修理して何が悪い。どう言い繕《つくろ》おうと、修理する権利を制限することは、自動車メーカーによる不当な支配にほかならない。修理方法の選択肢が増えれば修理代も安くなるはずだ。独立系の自動車修理工場の選択も明快だ。可決されれば、最新の自動車を修理するために必要なデータが得られ、否決されれば得られない。車のデジタル化が進むなか、多くの独立系の小規模修理工場は事業が立ち行かなくなるという不安から、団結して賛成票を投じるキャンペーンに参加した。[1]

自動車OEMテレマティクスの世界市場レポートによると、2018年に世界で販売された新車の41%、北米では53%にテレマティクスシステム（センサー）が搭載されていた。[2]

自動車メーカーにとっても法案の意味は明らかだった。賛成が上回れば、デジタル競争戦略の重要な基盤がぐらつく恐れがある。センサーやセンサー搭載製品への投資リターンが不透明になるし、自社が集めたデータをコントロールできなくなる。

つまり、本書で説明した製品連携プラットフォームが揺らぐということだ。センサー・データを活用した自動車修理は、自動車メーカーが製品連携プラットフォームを通じて提供する機能のひとつで、自動車ユーザーと特定の修理工場のあいだでのデータ交換を容易にすることで効果が生まれる。

自動車メーカーの立場からすると、自動車修理工場は、デジタルドリブンの修理の品質を決定する重要なプラットフォーム・ユーザーだ。だれが自社のデータにアクセスできるかを決める権限を失うということは、だれを補完機能の提供者として選ぶか、だれをプラットフォーム・ユーザーとして招き入れるかを選ぶ権利を失うことであり、デジタル体験をデザインする独立性を失うことだ。より根本的な言い方をすれば、自社製品が生成するデータに対する権利が揺らぐことになる。

プライバシーとサイバーセキュリティへの懸念

マサチューセッツ州の住民投票での反対票の中には、車のセンサー・データへのアクセス制限がなくなることから生じるサイバーセキュリティの脅威を懸念する団体で活動している人びとのものもあった。たとえば「安心で安全なデータのための連合《コーリション・フォー・セーフ・アンド・セキュア・データ》」という団体は、2020年の投票に向けて、他人の家のガレージをクリックひとつで開ける男が登場する広告を使って主張を展開した。広告は、車のセンサー・データが広く共有されたら、悪者がそのデータを使って車庫から個人の家に侵入できると警告した。

一部の家庭内暴力の被害者支援団体も反対派に回った。彼らは車のセンサー・データが開示されるとストーカー行為や虐待につながるという懸念を示した。あるCMは、暴力的パートナーが女性の居場所を見つけたり、車を利用できなくしたりする可能性があり、身を隠している女性がリスクにさらされると訴えた。

この住民投票をめぐる議論において、もうひとつの争点がサイバーセキュリティの脅威だった。データ管理が不十分だとサイバーセキュリティの脅威が高まる、と主張する人もいた。それに対し、住民投票が問うているのは自動車の「機械的データ」であって、プライバシー侵害につながるGPSデータや携帯電話のデータではないのだから懸念は大げさだ、と主張する人もいた。後者の人びとの中には、権利を規制してもハッキングはなくならないのだから、投票の賛否にはあまり意味がないと考える人もいた。[3]

有権者の意見は、多くの住民投票がそうであるように、賛成派と反対派に分かれた。消費者の立場から見れば、自動車メーカーがすべての修理工場にデータを開示するのが当然と思える。そうなればどこでも好きなところで車を修理できるからだ。

しかし、車のセンサー・データの開示が義務づけられれば、それを補完する事業者に対する縛りがなくなる。メーカーにとっては、自社製品を補完する製品やサービスを管理する権限は重要だ。カミソリ・メーカーは、自社製品を補完できる刃の種類を限定している。スマートフォンのメーカーも、独自のコネクターしか使えない充電ポートを採用している。データも同じことで、同様の権利が与えられてしかるべきものだ。データを管理する権限があってこそ、製品の品質を監視できるし、ユーザー体験を設計することができる。

最終的に、住民投票は75%の賛成で可決され、所有者に「修理する権利」が与えられた。しかし、この住民投票が提起したデータの適切利用をめぐる議論の根底にある問題は解決にはほど遠い。この先には、企業によるデータ利用の許容範囲をめぐる新たな論争や対立が迫っており、この住民投票はその前触れと言える。その意味で、住民投票の根底にある問題は、自動車メーカーやマサチューセッツ州という範疇をはるかに超えている。それはすべての従来型企業に関係するもので、世界的な影響をおよぼすものだ。

あらゆる企業に投げかけられている問い

では、従来型企業はどうすればよいのか？　この問題をめぐる議論に敏感であること。倫理的であること。そして、社会的懸念と規制強化への対応と、競争優位のためのデータ活用を両立させる、針の穴を通すような道筋を見つけることだ。そこで、従来型企業が敏感であるべき2つの大きな力——データ利用の拡大に対する社会的懸念と規制——について詳しく見ていこう。

データ利用の拡大に対する社会的懸念

なぜ無制限なデータ利用を危惧しなければならないのか。新聞、雑誌、書籍にはその理由を論じる考察があふれている。「プライバシー・プロジェクト」と題したニューヨーク・タイムズの数カ月にわたる連載記事（2019年秋冬）もその一例だ。[4] 同紙は、その冒頭で次のように指摘した。

企業や政府は、インターネットを利用して世界中の人びとを追跡し、そのゲノムを覗き見ることすらできる力を手に入れようとしている。この進歩の恩恵は何年も前から明らかになりつつあったが、ここにきて匿名性、さらには自律性の面での代償も明らかになってきた。守られるべきプライバシーの境界が議論され、その未来を不安の影が覆っている。市民も、政治家も、ビジネスリーダーも、社会が賢明なトレードオフを選択できるよう、知恵をしぼらなくてはならない。

医療データをめぐって

連載記事はトピックのひとつとして、ラスベガスで開催された科学会議を取り上げている。会議には医療技術関連企業や専門家が招かれ、医療機器へのハッキングの可能性が評価された。病院を想定した環境を構築したうえで、スマート医療機器のデータをハッキングするという、セキュリティに対するストレステストが実施された。

ところが、会議に参加した主要な科学者の一人へのインタビューによって、会議の議論は想定外の方向に進んだ。この科学者によると、医療データのセキュリティに関しては、スマート・ペースメーカーやスマート心電計といった機器は主たる懸念事項ではない。はるかに大きな懸念は、日常生活に浸透したデジタル技術が私たちの健康状態に関する知見を収集する、「デジタルフェノタイピング」[5]と呼ばれる新技術にあるという。

フェノタイピング（表現型）とは観察可能な人間の特徴のことで、デジタルフェノタイピングとは、スマートフォンやウェアラブル機器などのコネクテッド・デバイスを通じて収集した個人データを集約する技術のことだ。このような集約されたデータは、健康や病気に関する個人の傾向や特徴を明確に示すものになりうる。

たとえば、キーボードの叩き方でパーキンソン病の初期症状が発覚することがある。ソーシャルメディアへの投稿内容によって、うつ病が露呈する可能性がある。オンラインショッピングの行動から購入者が妊娠しているかどうかがわかることがある。このように私たちを取り巻く広範なデジタル環境は、私生活を侵害する恐れがあるのだ。

そうした環境の大部分はフェイスブック、グーグル、アマゾンといったデジタル先進企業によって築かれたものだ。彼らは先駆者として、未開拓だったデータの可能性を前例のない規模で引き出し、膨大な量の個人情報を蓄積するビジネスモデルを構築した。したがって、データの取り扱いや、日常生活におけるデータの影響について、彼らに懸念の目が向けられているのは驚くことではない。

デジタル先進企業が生み出した社会的懸念は、自社製品を通じてインタラクティブ・データを生成しようとするすべての従来型企業にも予期せぬ影響をおよぼす。スマートペースメーカーやスマート心電計でも、小さいとは言えプライバシーへの懸念が生まれる。従来型企業はこの現実を考慮しなければならない。

未来都市プロジェクトをめぐって

こうした不安の大きな要因は、デジタル先進企業が収集するデータの規模の大きさにある。アルファベット（グーグルの親会社）傘下のスカイウォーク・ラボが立案した未来都市計画を見てみよう。カナダのトロントにある12エーカー〔約5万平方メートル〕のウォーターフロントを、未来的なSF映画に出てくるようなスマート・マイクロシティに変貌させるというプロジェクトだ。

このプロジェクトでは、木造の高層タワー、雪を溶かす温熱道路、AI交通信号機、空気圧を活用したごみ収集システムなどが計画されている。[6] この取り組みの目玉は広範なセンサーの活用で、住宅のコンクリートや道路や歩道にセンサーが埋め込まれる。その目的は、ヘルスケアからゾーン規制、温室効果ガス排出、交通の流れに至るまで、あらゆるものをモニタリングすることだ。[7] 市政府と企業が連携して市民や来訪者のデータを幅広く収集するという計画から、多くの人はテクノロジーが市民の行動に目を光らせる監視国家を連想する。

ハーバード・ビジネススクール名誉教授のショシャナ・ズボフは自著『監視資本主義——人類の未来を賭けた闘い』で、そうした不安の根底にある理由についてひとつの見解を示している。[8] 産業資本主義は天然資源の搾取と支配の上に成立しているのに対し、彼女が監視資本主義と呼ぶものは人間の本性の搾取と支配の上に成立すると論じている。

彼女の分析の多くは、フェイスブックやグーグルといった企業の行動に基づいている。強力なデジタル先進企業が収集した個人情報は、私たちの行動を予測できるだけでなく、行動に影響を与え、変えることもできるというのが彼女の主張だ。このような並外れた権力は民主主義、自由、人権に弊害をもたらすとしている。

スカイウォーク・ラボによるスマート・マイクロシティ・プロジェクトはいまのところ棚上げされている。必ずしもプライバシーの懸念だけによるものではなく、2020年の新型コロナウイルスのパンデミックとそれに伴う経済の不透明感が一因でもある。

だが近い将来、このような都市計画がありふれたものになることは想像に難くない。政府は渋滞の緩和、犯罪率の低下、交通事故の減少などのメリットのほうが、プライバシー侵害の懸念より大きいと考えるかもしれない。実際にプライバシーの問題があるとしても、ほとんどの人は、インターネットやスマートフォンなしの生活を望まないだろうから、もはや選択の余地はないのかもしれない。

個人の見解に影響を与えるのは大規模な社会運動だけだ。マサチューセッツ州で住民投票が実現したのも社会運動の成果だ。データの役割に対して社会的懸念が高まれば、政府も腰を上げて規制を行わざるを得なくなる。

データによる市場支配と反トラスト法

米国政府が私企業の活動を規制する手段として最も古くからあるのが、不正な市場支配力や独占を制限する反トラスト法である。

スタンダード石油を解散させた「合理の原則」

有名な事例として、1911年にスタンダード石油を解散させた法的措置がある。当時、スタンダード石油は米国における石油と灯油の生産を独占していた。こうした独占的支配は、その気になれば一企業が、生産や供給を抑制することで、政府や軍の機能さえ停止できることを意味し、危険とみなされた。さらに政府は、スタンダード石油が市場支配力を利用して不当に競争を制限しているとも考えた。

最高裁はこの画期的な訴訟で、それ以後のすべての反トラスト法訴訟の根拠となる「合理の原則《ルール・オブ・リーズン》」[9]〔競争制限につながる行為、すなわち独占的支配が市場に与える影響が、その行為の利益よりも大きい場合には、その行為は違法とされる〕を認めた。この原則は、企業が不当な手段で市場を支配しているかどうかを政府がケースバイケースで判断する際の指針となり、そのような企業があった場合はより小規模な会社に分割されることとなった。また、独占的支配につながる可能性のある合併や買収は認められないことになった。

司法省vsグーグル

反競争的慣行の疑いでの調査は今日も続いている。規制当局は、少数の企業が市場を支配している場合、企業間で暗黙の共謀や談合が行われる可能性があることを懸念している。少数の企業が市場を支配すると、固定価格の設定や人為的な供給不足の創出、その他の反競争的行為が容易になる。

最近では、市場支配力の悪影響に対する懸念の対象が、従来型産業の企業からデジタル先進企業に移っていることも理解できる。データは価値創出の新たな原動力であり、市場支配力の新たな源泉でもあるということだ。

米司法省による2020年10月のグーグルに対する提訴について考えてみよう。[10] 司法省はグーグルが米国の「検索《サーチ》マーケット」で市場シェア88％を占めており、さらにモバイル検索の94％はグーグルのプロダクトを通じて行われていると主張した。グーグルが巨大な市場シェアを占めることで検索エンジンの選択肢が減り、より質の高い選択肢を生み出す技術革新を阻害し、消費者に損害を与えているというのが司法省の主張だ。

これに先立つ2017年、EUは反トラスト規定に違反したとしてグーグルに27億ドルの制裁金を科した。EUの申し立てでは、グーグルが検索エンジンやスマートフォンのOSにおける優位性を不当に利用し、ショッピングサービスや広告出稿サービス、スマートフォンアプリの競争を妨げているというものだった。

今後、政府とデジタル先進企業とのあいだで、このような対立が増えると予想される。結局、彼らはデータによって過度の市場支配力を手中に収めており、そこには必ず反トラスト法違反の調査の目が向けられる。

しかし、従来型産業の市場支配力とデータドリブン型の市場支配力の力学は異なるため、市場独占の立証や規制についても違いが存在する。

データドリブン型独占の立証困難性

従来型産業の場合は、独占による反競争的影響は比較的容易に判定できる。寡占企業が利益を最大化するために供給を制限すれば明らかだし、好きなように価格をつり上げたりすれば消費者の利益が侵害されたことは顕著になる。

一方、データドリブン型の独占では、反競争的影響はそれほど簡単には特定できない。グーグルは検索エンジンで圧倒的な市場シェアを占めているが、それを無料で提供しており、価格操作の問題は生じようがない。グーグルは、自分たちは競合ショッピングサービスを妨げているわけではなく、検索エンジンによって多様なショッピングをサポートしているだけだと言うかもしれない。消費者の福祉を高めているとさえ主張するかもしれない。

さらに、検索エンジン市場で88%ものシェアを占めていても、グーグルが不当な市場支配力を有する地位を享受していると司法省が立証できるかどうかは定かではない。私たちはさまざまな方法で検索する。検索エンジンを使うとは限らない。ツイッターやフェイスブックでニュースを検索したり、エクスペディアで航空便を検索したり、オープンテーブルでレストランを見つけたりもする。[11]

言い換えれば、つながりのある複数のデジタル・エコシステム間で競争が展開されている場合、特定のデータドリブン・サービスが不当な市場支配力を有する地位にあると立証するのは困難だということだ。[12] その点は、境界が明確に存在する従来型の業界での市場支配力の独占とは異なる。

ＡＰＩ共有方法に対する規制の行方

また、反トラスト関連の法律を執行するためのメカニズムも、従来型産業の市場とデータドリブン型の市場では異なることがある。従来型産業においては、企業の合併や提携を差し止めるのが市場支配力の集中を防ぐための一般的な手法だ。

データドリブン型のビジネスモデルでは、企業間の提携はＡＰＩを通じて行われることがある。ＡＰＩによる提携では、合併の場合とは違い、製品の市場支配を高めることが目的ではない。提携する企業がそれぞれの顧客に関する情報を最大化することが重要な目的だ。

ネットフリックスは私たちの人格の一部がわかるデータを持っているかもしれない。アマゾンには別の一部に関するデータがあり、フェイスブックにもさらに別の一部に関するデータがある。これらの企業がＡＰＩを通じてデータを共有することに合意すれば、理論的には、各社は顧客について複合的な人間像を把握し、ニーズや欲求を予測する精度を高めることができる。そして、それを自社の利益につなげることができるだろう。

この場合の共謀の脅威は、これらの企業がどのような方法でＡＰＩを共有するかという点にあり、市場シェアの支配にあるのではない。今後、ＡＰＩの共有方法に対する規制は、企業合併による市場シェアを規制するのと同じくらい重要になるかもしれない。このような変化に対応する反トラスト政策が遠からず施行される可能性がある。従来型企業は反トラスト法の動向を注視し、進化する自社のビジネスモデルにどのように適用されるかを見きわめなければならない。

プライバシー保護をめぐる規制

反トラスト法だけでなく、消費者の権利やプライバシーの保護をめぐっても、新たな規制の動きが生まれている。ヨーロッパでは、企業によるデータの利用を規制する方法について抜本的な変革が進められている。その一環で2018年に導入されたのが一般データ保護規則（GDPR）である。この新たな規制は、個人が自分の個人情報を管理できるようにすることを目的としている。また、欧州全体で共通の規則を定めることで、EU加盟国内の何百万もの企業に対する規制環境の簡素化もめざしている。

GDPRの重要な規定としては、個人からデータを取得するときの事前同意、匿名性の確保、データ流出があった場合の報告、組織体制の整備（たとえばデータセキュリティ責任者の設置）などの義務が挙げられる。この規則は、EUの居住者を顧客とするビジネスであれば、会社の所在地に関係なく適用される。

これらの規制は企業に何らかのコスト負担を強いる。企業はデータの管理について新たなプロセスを確立しなければならないし、コンプライアンス違反に対する罰金として2000万ユーロまたは全世界の売り上げの４%のいずれか高いほうが適用される可能性があり、これにも備えなければならない。

こうした規制の負担はすべての企業に均等とは限らず、小規模な企業ほど影響が大きくなる可能性がある。銀行のようにデータコンプライアンスの歴史が長い企業であれば、他の業界の企業より新たな規制にうまく適応できると考えるだろう。[13]

「情報の受託者」という考え方

データの利用に関わる改革の中に、企業を「情報の受託者《インフォメーション・フィデューシャリー》」と位置づけるというアプローチがある。[14] 受託者とは、他者の利益を守る義務をともなう業務を請け負う個人または企業のことだ。一般的には医師、弁護士、会計士などが該当する。たとえば、医師は患者のプライバシー情報を秘匿する義務がある。同様に、企業が受託者となり、消費者データに関して信頼できる代理人として行動する義務を負うという考え方である。

ジャック・バルキンとジョナサン・ジットレインがアトランティック誌に書いているように、「グーグル・マップは、アイホップ（米国のパンケーキチェーン店）が20ドル払ったからといって、店の前を通るルートを空港から会議場への最適経路として表示するべきではない[15]」。GDPRのような厳格な規制と比較すると、このアプローチが企業に与える負担は小さいと考えられる。

データドリブン型のビジネスモデルには、医師や弁護士の場合ほど単純に受託者の役割を適用できない可能性があると指摘する人もいる。[16] 医師や弁護士の場合、患者や顧客の情報を秘匿することによって利益に影響が出ることはまれにしかない。彼らのビジネスは、機密情報を第三者と共有することによって利益が生まれるものではないからだ。

だが、データドリブン型のビジネスモデル、特にデジタル・プラットフォームは情報の共有によって利益を得るものが多く、外部事業者とのデータ共有が市場優位の核となる。したがって、データドリブン型の企業がどこまで忠実な受託者として自発的に行動するかは未知数だ。

とは言え、この考え方は関心を集めており、フェイスブックのマーク・ザッカーバーグCEOは支持を表明しているようだ。[17] また、この概念に基づく法案の成立に取り組んでいる上院議員もいる。[18] 従来型企業はこうした動向も注視すべきである。

良き企業市民としての責任

市場支配力は競争戦略の暗黙の目標であり、勝利の象徴だ。だが、市場支配力を持つというのは、ある産業において、唯一の生産者となって市場を独占することではない。スターバックス、ナイキ、コカ・コーラには圧倒的な市場支配力がある。それぞれコスタコーヒー、アディダス、ペプシコという強力なライバルがいるが、業界で絶大な影響力を行使し、多大な利益を得る力がある。

完全競争市場でビジネスを行いたいと考える企業はない。自社製品の差別化ができておらず、収益性が低く、どこにも参入障壁がないのが完全競争市場だ。

一方で企業は、株主の富を最大化すること（市場支配力によって実現する）と社会の福祉に貢献することのあいだでバランスを取らなければならない。従来型企業は長い年月をかけてその方法を学んできた。業界の反トラスト政策を理解し、規制の範囲内で事業を遂行する方法を確立した。また、ブランドの維持や長期的存続のためには、利益を上げることだけでなく、良き市民であることが重要なことも認識している。

デジタルの世界でも、その点では違いはない。従来型企業は顧客に刺激的なデジタル体験を提供することとプライバシーに関する社会の期待に応えることのトレードオフを常に意識し、データの恩恵を最大化することと良き市民であることを両立させなければならない。

そのためには、組織に新しいスキルや専門的能力を導入する必要があるし、データを適切に管理するためのガバナンスを実現する必要もある。具体的には、たとえば以下のような方法がある。

- ●組織に構造的な変更を加える。たとえば最高データ責任者（CDO）を任命し、データの倫理、法、およびセキュリティ上の影響に責任を持たせる。
- ●データの利用に対する社会の考え方の変化や、規制の変化に関する情報を収集するための、新しいプロセスを取り入れる。
- ●厳格な「データ品質」の措置とプロセスを導入する。強力なデータ暗号化、データ匿名化、およびデジタル顧客オプトイン〔ユーザー側の明示的同意〕のための抑制と均衡《チェック・アンド・バランス》を提供し、それを維持する。
- ●顧客がデータからどのような利益を期待できるのか、また、そのために顧客のデータがどのように利用されるのかについて、透明性を向上させる。

データ・ガバナンスのための新しい社会契約

データの利用に対する社会的懸念や規制当局の活動は、ほとんど巨大デジタル企業に集中している。しかし、企業が利益のためにデータを使うことに対する社会の意識や、新たに定められる規制は、あらゆる企業に影響がおよぶものであり、従来型企業もデジタル社会に飛び込めばその渦中に巻き込まれることになる。

その変化に正しく対応するため、企業は社会の認識や新たな規制の枠組みを注視しつづけることが必要で、すぐれたデータ・ガバナンスを導入することは必須だ。いま、データの取り扱いに関して、企業と消費者のあいだで新たな社会契約が結ばれようとしている。従来型企業は善良な立場でこの社会契約を結ばなければならない。

とは言え、本書の目的はデジタル競争戦略を論じることにある。データを使って競争優位を最大化することを、いささかなりとも否定するものではない。もちろん、データドリブンによる優位性を最大化するための手法は倫理的な境界を越えてはならないし、故意に社会を傷つけてはならない。デジタルの世界で新たな繁栄を築こうとする従来型企業は、困難なトレードオフに直面するだろう。そこに簡単な答えはない。

第10章

デジタル競争戦略

4つの選択肢

40年続いた競争戦略の前提が変わった

経営戦略の世界では、かれこれ40年以上、製品を中心に据えて競争戦略を考え、産業構造の中で戦略のフレームワークを論じてきた。その結果生まれた競争戦略は、長年にわたって従来型企業を支えてきた。その戦略の基礎には確固たる経済理論がある。その実際的効果を証明する実証研究もあり、産業と産業の属性が企業のパフォーマンスにおよぼす影響も解明されている。製品を武器に業界の中でライバルと競うという考え方は、従来型企業の戦略として広く受け入れられてきた。

しかし、従来型企業がそんな考え方を変えるべき時が到来した。製品と業界構造に基づく戦略思考では、新しいデジタル世界を生き抜くことはできない。最新のデジタル技術によって、これまで想像もしていなかった方法でデータを活用できるようになり、その結果、競争優位の牽引力が製品からデータに変わったことは明白である。

そのようなデータの価値を解き放つために、企業はデジタル・エコシステムを活用しなければならない。業界の構造が製品の力を増幅させるように、デジタル・エコシステムはデータの力を増幅させる。競争の鍵が製品からデータに移行することに合わせて、競争戦略の重点も業界からデジタル・エコシステムへと移行させなくてはならない。

データがデジタル・エコシステムを通じて大きな価値を創出できる世界では、製品や業界ばかり見ている企業は他社に後れを取ることになる。データを中心に据えた戦略的思考が求められており、デジタル・エコシステムにおいて競争戦略を確立しなければならない。

ただし、そう考える従来型企業も、いま持っている優位性の源泉を無視したり、失ったりしてはならない。重点がデータやデジタル・エコシステムに移っても、製品や業界が重要でなくなるわけではない。製品や業界の基盤はこれまで通り必要であり、本書でもその点は何度も強調した通りである。

ここで、これまでの章で紹介した重要な概念を振り返っておこう。

- デジタル・エコシステムは業界ネットワークから発展し、それを変革する。
- プロダクション・エコシステムはバリューチェーンから発展し、新しい方法でそれを強化する。
- コンサンプション・エコシステムは既存の補完ネットワークをもとに形成され、技術進歩によって強化された接続性によってそれを拡大する。
- 従来型顧客がインタラクティブ・データを提供しはじめるとデジタル顧客になる。デジタル顧客から新たなインタラクティブ・データを取得するためには、いまある製品が欠かせない。
- デジタル競合企業との競争は、業界で行われていた従来の競争の延長という面もあるが、そこには新たな競争力学も働く。デジタル競合企業の多くは、業界にいる古くからのライバルであり、データを使った新たな方法で競うことになった競合である。
- デジタル・ケイパビリティはデジタル以前のケイパビリティをもとに発展したもので、企業に新たな機会をもたらしてくれる。デジタル競争戦略を効果的に推進するためには、デジタル・ケイパビリティを既存のケイパビリティと融合させなければならない。

この最終章では、これらの概念を用いてデジタル競争戦略のフレームワークを提示する。つまり、他社と競争し、競争優位を獲得するための戦略的オプションを提示する。また、デジタル競争戦略を考え、選択し、実行する際に考慮しなければならない不測の事態（業界の動向、市場の変化、技術の進歩など）についても論じている。

これは、データからデジタル戦略へと続く旅の終着駅であり、最終目的地である。

デジタル競争戦略のフレームワーク

デジタル競争戦略は、従来型企業が自社のプロダクション・エコシステムとコンサンプション・エコシステムを利用してデータの価値を解き放つときに姿を現す。図10-1はこれまでの章で紹介した理念やコンセプトを統合し、デジタル競争戦略のフレームワークを示したものだ。いわば本書の考えの集大成である。以下、その詳細について論じていこう。

絵の横軸はプロダクション・エコシステムでのデジタル・ケイパビリティ、縦軸はコンサンプション・エコシステムでのデジタル・ケイパビリティを表している。ケイパビリティの違いは、リソースとプロセスの組み合わせの違いから生まれる（第8章参照）。

製品連携プラットフォームを通じてデータによる価値創造の範囲を拡大するのが、コンサンプション・エコシステムにおけるケイパビリティだ。他社のプラットフォームのサプライヤーだった企業が、

図10-1
デジタル競争戦略のフレームワーク

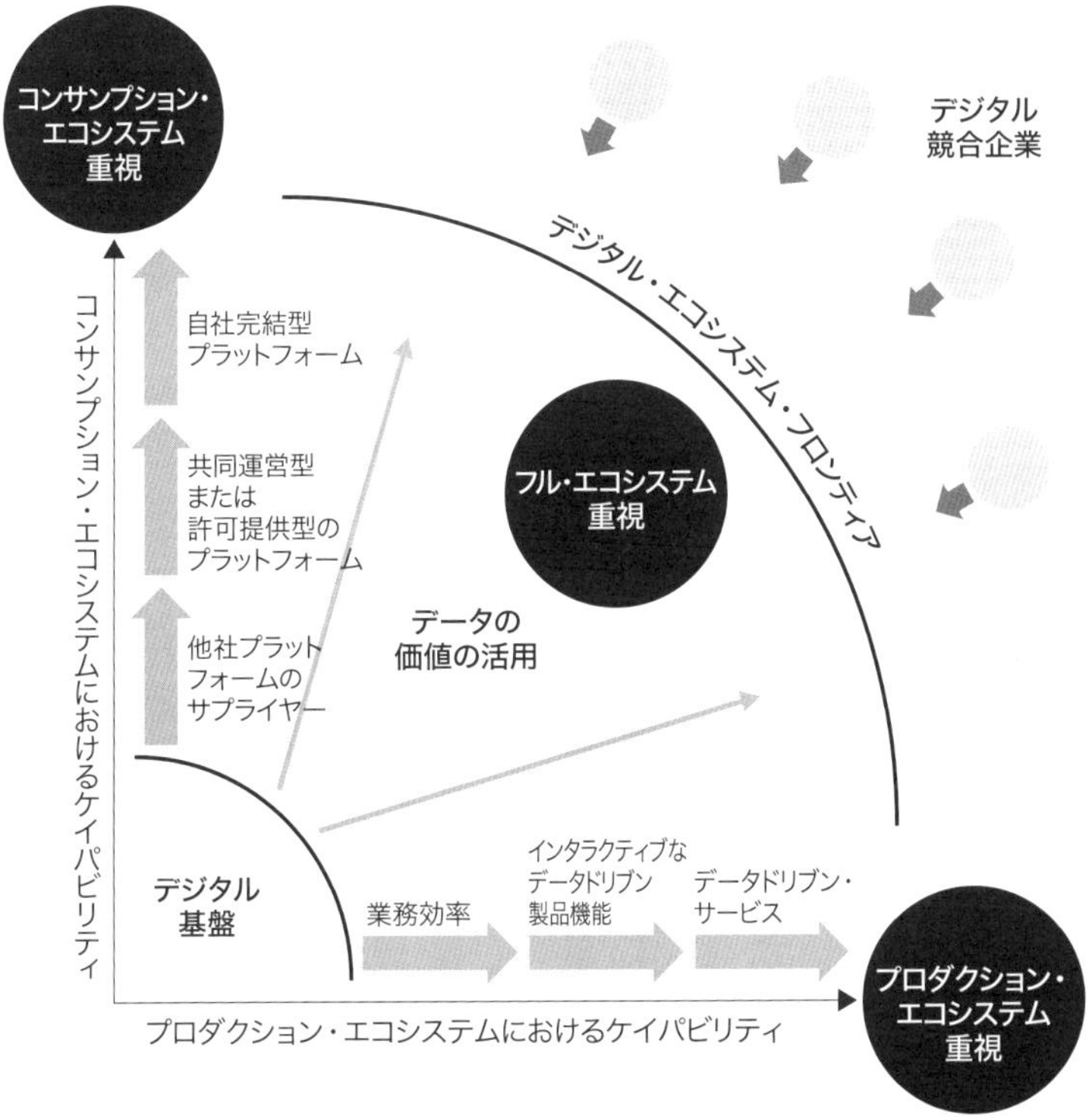
コンサンプション・エコシステム重視
デジタル競合企業
デジタル・エコシステム・フロンティア
自社完結型プラットフォーム
共同運営型または許可提供型のプラットフォーム
他社プラットフォームのサプライヤー
フル・エコシステム重視
データの価値の活用
コンサンプション・エコシステムにおけるケイパビリティ
デジタル基盤
業務効率
インタラクティブなデータドリブン製品機能
データドリブン・サービス
プロダクション・エコシステム重視
プロダクション・エコシステムにおけるケイパビリティ

許可提供型プラットフォームや共同運営型プラットフォーム、あるいは自社完結型プラットフォームに変化すると、縦軸方向での価値が増大する（各プラットフォームについては第5章参照）。

一方、データの価値を利用して業務効率を向上させ、価値創造の範囲を拡大するのがプロダクション・エコシステムのケイパビリティだ。インタラクティブなデータドリブン製品機能やデータドリブン・サービスから得られる新たな収益というかたちで価値が拡大する（第4章参照）。

従来型企業がデジタル・ケイパビリティを構築するためには、まずデジタル基盤を確立しなければならない。それはプロダクション・エコシステムとコンサンプション・エコシステムのインフラへの投資、データリソースへの投資、APIネットワークの整備によって確立される。

そのためには、アセットをデジタル接続してネットワーク化し（第8章参照）、デジタル顧客を開拓しなければならない。インフラを使って新しいデータリソースを開発する必要もある。そしてAPIネットワークを徐々に複雑化することで、データの共有や統合のプロセスを活性化しなければならない。

従来型企業がデータを使って他社と競うための土台がデジタル基盤だ。これが強くなるほど、プロダクションとコンサンプションの両方のエコシステムでデジタル・ケイパビリティが高まる。そうなるとデータの価値がさらに引き出され、企業はそれまで未開拓であったデジタル・エコシステム・フロンティアへと乗り出していくことになる。

デジタル・エコシステム・フロンティアとは、企業が自社のデジタル・エコシステムから生み出せる最大限のデータの価値を意味する。図では弧を描く線で示されており、2つの力が弧の形と広さを決める。ひとつは内部的な力で、企業のデジタル・ケイパビリティが高いほど弧は広くなる。もうひとつは競争環境の影響を受ける外部的な力だ。強力な競合企業が存在すると、企業が自社のために生み出せるデータの価値は小さくなり、フロンティアは押しとどめられる可能性がある。

効果的なデジタル競争戦略は企業のエコシステム・フロンティアを最大化する。それによって企業は競合他社より優位に立つことができるし、エコシステム・フロンティア上の最適なポジションを特定し、到達し、そこで活動するためのケイパビリティを獲得することができる。

従来型企業は、デジタル・エコシステム・フロンティア上のどの地点でも事業を展開することができる。弧の上の任意の点が、デジタル競争戦略の選択肢のひとつと対応する。各点が、データの潜在能力を最大限に引き出し、それによって競争優位を築くために企業が取りうるひとつの方針を表している。

どのエコシステムを重視するか

一般化されたこれら3つの戦略は、デジタル・エコシステムフロンティア上での選択肢を表している。もちろん実際の選択肢は3つに離散的に区別されるものではなく、多数の選択肢が連続するかたちで存在するが、これら3つは重要な参照点として機能し、企業がデジタル・エコノミーにおける戦い方を決定するのに役立つ。

●プロダクション・エコシステム重視——価値を引き出すポイントが、業務効率の向上からインタラクティブなデータドリブン製品機能やデータドリブン・サービスへと発展していくのにつれて、データからより多くの価値が生まれる(第4章参照)。

●コンサンプション・エコシステム重視――他のプラットフォームへのサプライヤーという立場から、自社でもプラットフォームを開発して、共同運営型プラットフォーム、許可提供型プラットフォーム、あるいは自社完結型プラットフォームなどに展開し、データから生み出す価値を徐々に高めていく(第5章参照)。

●フル・デジタル・エコシステム重視――プロダクションとコンサンプションのエコシステムの両方で、ケイパビリティをバランスよく発揮して、データから価値を引き出す。

このようにデジタル競争戦略を大きく3つに分けると、デジタル・エコシステム・フロンティア上のポジションを選択する際のトレードオフが理解しやすくなる。たとえば、プロダクション・エコシステム重視とフル・デジタル・エコシステム重視のあいだのポジションを選択した企業なら、その戦略的地点で他社と競うのに必要なケイパビリティの組み合わせを理解することができる。また、選択したポジションにおける競争上の脅威に対して自社にどの程度の抵抗力があるかも評価できる。

覚えておきたい事実は、ほとんどの従来型企業は、プロダクション・エコシステム重視からスタートして、フル・デジタル・エコシステム重視へと接近する線上のどこかの地点に、自社の戦略的ポジションを定めているということだ。結局、製造業であれサービス業であれ、ほとんどの従来型企業はバリューチェーンに立脚している。したがってデジタル競争戦略の出発点としては、プロダクション・エコシステム重視の戦略が選ばれる可能性が高い。

純粋にコンサンプション・エコシステムを重視するという戦略は、事業の主要な価値がデジタル・プラットフォームから生まれるようなポジションを選択することにほかならず、すでにバリューチェーンをよりどころとしている多くの従来型企業にとっての選択肢ではないと思われる。バリューチェーンを製品連携プラットフォームに拡張する場合であっても、フル・エコシステム重視に近いものであって、純粋なコンサンプション・エコシステム重視ではないと思われる。

自社製品がなく、他社製品に後付けしたセンサーからのデータを使ったビジネスモデルで戦う企業は、コンサンプション・エコシステムだけを重視する戦略を選ぶ可能性が高い。また、バリューチェーンがコモディティ化し、プロダクション・エコシステムから引き出せる価値はほとんどないと考えている企業も、コンサンプション・エコシステムを重視する戦略を選ぶ傾向がある。そのような企業にとって、新たな価値を生み出す機会はコンサンプション・エコシステムの中にしかないのかもしれない（この点についてはこのあと本章でさらに論じる）。

3つのデジタル競争戦略と企業のケース

本書で取り上げたいくつかの企業のケースは、3つの一般的なデジタル戦略のいずれかと対応させることができる。

● キャタピラーの戦略はプロダクション・エコシステム重視だ。同社は製品にインタラクティブなデータドリブン機能を搭載し、そのデータを使って製品のダウンタイムを短縮するための予測サービスを提供している。

● ヘキサゴンとトリンブルは、コンサンプション・エコシステム重視の戦略を選んでいる。キャタピラーやコマツなど他社製の建設機械にセンサーを後付けして運用したり、建設作業を調整できる独自のデジタル・プラットフォームを提供したりしている。

● フォードはフル・エコシステム重視を選んだ。この従来型自動車メーカーは、プロダクション・エコシステムを利用してインタラクティブなデータドリブン製品機能を提供しているほか、ドライバーと自動車修理工場をつなぐプラットフォーム・サービスを通じてコンサンプション・エコシステムでもビジネスを展開している。

企業がデジタル・フロンティアの弧の上でどの地点を選ぶかは、その企業が属する業界によるところが大きい。業界によってデジタル・エコシステムへの進化の程度や道筋が違うからだ。その進化のパターンが、データの価値を引き出す機会がどこで生まれるかを決める。

しかし、業界の動向だけで企業のポジションが決まるわけではない。企業は自らの選択で自社のポジションを決めることができる。新しい価値を追求することのリスクとリターンについての自社なりの認識に基づいて、独自の進路を描くことができる。

次のセクションでは、デジタル・エコシステムに変貌しつつある従来型産業として、石油・ガス、通信、保険の3つを取り上げ、それぞれのデジタル競争戦略を論じる。どの業界もさまざまな力の影響を受けながらデジタル・エコシステムへと移行しており、各社はそのなかで、リスクとリターンのトレードオフを勘案して競争戦略を選択している。

競争の場がデジタル・エコシステムに移行する理由

以下で論じる3つの産業は、性格は異なるが、どれも米国経済を代表する重要な部門だ。その動向分析から、これら3つの産業をデジタル・エコシステムに変容させつつある力が見えてくるだろう。そして、その力が、エコシステム・フロンティア上で理想のポジションを見つけようとしている企業の選択に、どんな作用をおよぼすかを理解することもできるだろう。

以下のケースは、事業の特性にかかわらず、あらゆる企業にとって最適なデジタル競争戦略を導き出すための参考になるだろう。まずは石油・ガス事業から見ていこう。

業務効率化に対するインセンティブ――石油・ガス事業

石油・ガス業界の事業規模は3・2兆ドルである。[1] この事業に携わる企業は埋蔵石油・天然ガスの探査のほか、油田・ガス田を管理し、石油製品の採掘・精製・生産・流通を行う。最大の生産品目は燃料油とガソリンである。この分野の大手企業にはエクソンモービル、ブリティッシュ・ペトロリアム（BP）、シェブロンなどで、最大手の中国石油化工集団（シノペック）の2019年の売上高は約4330億ドル、[2] 2位のロイヤル・ダッチ・シェルの同年の売り上げは約3830億ドルだった。[3]

石油・ガス事業の工程は3つに分かれる。上流工程では油田を探査し、油井から石油やガスを抽出し、中流工程では抽出した資源を油井から製油所まで輸送する。下流工程では石油を精製し、ガソリンやジェット燃料などの製品にして販売する。

3つの工程のいずれかひとつに注力している企業もあれば、エクソンモービルのようにすべての工程で事業を展開している大手企業もある。全工程をカバーする企業は油田、パイプライン、製油所などを自社で保有し、一気通貫で事業を運営している。

石油・ガス事業はきわめて資本集約的な事業だ。[4] 油田、パイプライン、製油所などには数十億ドルにもおよぶ巨額の投資が必要だが、市場が急変することもあり、投資には大きなリスクがともなう。当然ながら、この事業では業務効率の向上は強力なインセンティブであり、可能な限りコストを削減し、不確実な市場環境の中で、できる限り迅速に投資価値を回収することが重要な目標となる。そして周知の通り、先進デジタル技術はこの目標を達成するために有用なソリューションを提供している。

たとえば、不確実かつ不正確な予測の下で行う探査活動には多大なコストがかかる。採掘場所や産出量の予測を誤ると何百万ドルもの損失につながる可能性がある。この分野では、AIなどの先進デジタルツールや埋蔵資源発見の可能性を高めるためのモデリング技術を活用することによって、事業経費を最大で50~60%削減することができる。[5]

石油やガスのパイプラインは全長何千マイルにもおよび、国や大陸をまたぐことも多い。土壌の状態やパイプ内の資源の状態に関するセンサー・データは、膨大な数のパイプラインの内部で腐食がいつどこで始まり、どのように広がるかを予測するのに役立つ。データを活用することで、パイプラインが損傷する前に腐食を管理することができ、大幅なコスト削減を実現できる。

多くの製油所は安全に操業されているが、まれにしか起こらない事故に大きなリスクがともなう。そのため、危険な作業を自動化し、人間の活動をAI対応技術に置き換えることに強いインセンティブが働く。石油・ガス事業は上流、中流、下流を問わず、あらゆる場面で高額な設備を使用しており、どの工程も資本集約的だ。予測サービスを利用すれば、ダウンタイムの短縮や事業費の削減の面で大きな効果がある。

業務効率向上に対するこのようなインセンティブや、利用できるさまざまな先進技術があるため、石油・ガス事業ではプロダクション・エコシステムを重視したデジタル競争戦略が魅力的な選択肢となっている。実際、石油・ガス業界の企業はこの戦略的ポジションに大きく傾倒している。ほとんどの企業のデジタル化推進は、業務効率を向上させるためのデジタル・ケイパビリティの構築と活用を目的としている。

コンサンプション・エコシステムでの新たなビジネス・チャンス——通信と5G

通信分野のビッグニュースと言えば5G、すなわち第5世代のセルラーネットワークの登場である。5Gは無線周波数帯で動作するが、従来の世代より性能を大きく向上させる新しいスペクトルが含まれている。この改良により、米国ではベライゾン、AT&T、Tモバイル、世界ではNTT、中国電信、ドイツテレコムといった通信事業者に、進化著しいデジタル・エコシステムの中でデジタル戦略を構築する新たな機会がもたらされようとしている。

5Gセルラーネットワークが I o Tアプリケーションにつながることによる変化について考えてみよう。

I o Tを機能させるには、さまざまなアセットをインターネットに接続して、データを共有できるネットワークを形成する必要がある。W i-F iはアセットを企業のネットワークやインターネットにつなぐために使われる、一般的に普及している規格だが、その接続範囲は狭い。近年はより広い範囲の接続を維持するために、ナローバンドI o T（NB-I o T）やローラといったI o Tに特化した規格の利用が拡大している。ブルートゥースやジグビーなどの無線規格を使う方法もあるが、接続範囲はさらに狭くなる。

I o Tアプリを利用するに当たり、5GネットワークにはW i-F iやその他広く使用されている規格を上回るいくつかの利点がある。

5Gネットワークは大容量のデータを高速で転送する。5Gネットワークのレイテンシ〔転送要求を出してから実際にデータが送られてくるまでに生じる通信の遅延時間〕は1～2ミリ秒ほどで[6]、データ転送の信頼性も格段に向上する。そのため5G技術は、アセットが大量のデータを共有するだけでなく迅速に反応することも求められるI o Tアプリケーションにおいて特に大きな強みがある。

たとえば、自動運転車は衝突を回避するために反応しなければならない。遠隔手術を行う外科医療ロボットにも素早い反応が求められる。中国の外科医が5Gを利用して脳外科手術を遠隔操作で行った事例があるが、複雑な作業において、遠隔ロボットがリアルタイムで反応できれば大きなメリットがある[7]。製造の現場でも、機械の不調が検知されたら即座に他の機械に作業を切り替えるといった方法で損失を抑えられる。このようなアプリケーションでは、５Gが実現するミリ秒単位のレイテンシの短縮でさえ大きな違いを生むことになる。

また、５Gのレイテンシの低さはエッジコンピューティングに携わる企業にとっても有益である。エッジコンピューティングとはデータが生成・共有されるその場（つまりネットワークの周縁《エッジ》）でデータを処理することである。一例としては、複数の機械やロボットがインタラクティブな作業を行い、リアルタイムで大量のデータを生成している工場のようなところが考えられる。

従来は集中管理型サーバー（のちにクラウド）への膨大なデータの転送を繰り返しながら計算、分析し、推奨されたアクションを実行しなければならなかった。このデータ転送規格では機械やロボットが行うインタラクティブな作業の相互作用に遅れが生じる。エッジコンピューティングとは、いわばクラウドをエッジに近づけるということだ。５G技術のスピード、性能、信頼性がそれを可能にし、その過程でさまざまな異なるＩｏＴアプリケーションの機能も向上する。

５Gにはさらに別の利点がある。セルラーネットワークには数マイル先にも届く強力な無線信号があり、携帯電話の基地局は最大約45マイル（約72キロメートル）離れた携帯電話に接続することができる。[8] それに対してＷｉ-Ｆｉネットワークの接続範囲はかなり狭く、自宅やカフェ、オフィスビル内など約１００フィート（約30メートル）内の範囲しかカバーできない。

さらに、Ｗｉ-Ｆｉネットワークの所有者は、自身以外の接続に対してアクセス権を付与する必要がある。たとえば、来客がインターネットにアクセスするために自宅のＷｉ-Ｆｉのパスワードを教えるという経験はだれにでもあるだろう。セルラーネットワークではそのような手作業による許可は不要で、独自の自動認証プロセスを備えている。周知のように、人びとはどこにいようとネットワークの基地局を通じた携帯電話サービスによって電話を掛けて音声を届けたり、データ通信を実行したりしている。

これらの特徴により、5GネットワークはWi-Fiと比較して、IoTネットワークを管理するうえではるかに高い柔軟性を提供できる。看護師が患者の自宅を訪問し、心電図や血圧のデータを病院にある接続機器に転送するという場面を想像してみよう。5G回線を使えば看護師は簡単にインターネットにアクセスできるようになる。一方、Wi-Fiネットワークを使う場合、看護師は患者の自宅のネットワークを介してインターネットにアクセスするため、患者の許可を得る必要がある。

コカ・コーラのボトラーも同様で、トラック運転手が自動販売機のデータを途切れなく共有できれば、あちこちの建物に設置したスマート自動販売機への補充が容易になるかもしれない。Wi-Fi環境では、運転手は自動販売機ごとにアクセス権を設定しなくてはならないが、5G環境ではこのような制約がなく、インターネットにアクセスすれば、運転手は自分のセンサー対応機器をどの自動販売機とでも簡単にリンクさせて補充作業を行うことができる。セルラーネットワークの接続範囲は広いので、何マイルも離れた場所からでも、自動販売機に補充する適切なタイミングを検知できる。

5Gネットワークの利点によって、ベライゾンやAT&Tなどの通信事業者にさまざまなビジネスチャンスが生まれるのは明らかだ。最もわかりやすいのは、個人顧客にも法人顧客にもすぐれたデータ接続サービスを高額料金で提供するというものだ。

また、コネクテッド・カー、遠隔医療サービスへのアクセス、スマートシティ、物流をはじめとするIoTアプリケーションなど、さまざまな用途で多くの顧客にデータ接続サービスを販売することもできる。こうした方法で新たな価値がもたらされ、これまではデータ接続サービスを販売するだけであったビジネスモデルが強化される。

だがその価値は、これまでと同じことをより多く実行することによって生まれるものだ。ベライゾンやAT&Tにできる、これまでと違う新しいことはあるのだろうか？　データ接続サービスを売るだけでなく、そのデータ接続性から生まれる新しいサービスを売ることができるだろうか？　次の2つのシナリオについて考えてみよう。

●シナリオ1――ベライゾンは訪問看護師が持ち運ぶ医療機器に5G接続サービスを提供し、これに対して割増料金を課す。5Gのより広い接続範囲のおかげで、出張看護師がどこにいても確実にインターネットに接続でき、提携病院の接続機器とのデータ交換が容易になる。

●シナリオ2――ベライゾンは訪問看護師が持ち運ぶ機器に5G接続サービスを提供するだけでなく、ネットワークを構築して、生成されたデータの交換や利用ができる他の補完的アセットや企業や組織にセンサーを提供する。さらにベライゾンは、訪問看護師や医師、病院による遠隔医療サービスを管理・提供するプラットフォームを構築することもできる。それによって、訪問看護師が3D写真を撮影し、離れた場所にいる専門家にリアルタイムで共有することができる。撮影した高解像度の動画を共有して、その場で医療指導を受けることもできるはずだ。また、このようなサービスによって、ベライゾンは5Gネットワークに接続したさまざまな機器がどのように使われたかという貴重なインタラクティブ・データを入手することもできる。

シナリオ1では、ベライゾンはデータ接続サービスを売るパイプライン・ビジネスを続ける。[9] シナリオ2では、ベライゾンは自社のデータ接続サービスを利用する訪問看護師、医師、病院などから成るコンサンプション・エコシステムに事業範囲を拡大する。データ接続サービスの販売からより多くの価値を生み出すだけでなく、自社のパイプラインをプラットフォームへと拡張させている。

5Gによってデータ接続がさまざまなIoTアプリケーションへと拡大するので、ベライゾンをはじめとする通信事業者には、さまざまなコンサンプション・エコシステムに進出する選択肢がもたらされることに注目してほしい。コネクテッド・カー、スマートシティに存在するアセットや企業や組織、スマート工場内のロボット、その他膨大な数のアプリケーションのあいだでのデータのやり取りを促進することができる。

5Gの展開が進むなかで、大手通信事業者は、5G対応機器向けの音声・データ通信の販売という従来の役割の強化に重点的に取り組んでいるように見受けられる。この市場の少なからぬ可能性を考えると、この点に注力するのは理解できる。収益拡大のための彼らの戦略には、5Gが優位性をもたらす新たな分野の開拓や魅力的な携帯電話プランの販売等が含まれており、その一例がモバイルデバイスや固定デバイス向けの5G無線ルーターを通じたサービスである。このような5Gルーターを消防車、警察車両、救急車などに設置すれば、最初の一報を受ける担当者が高速で信頼性の高い接続性を活用できる。新築のビルや製造工場、建設現場に設置すれば、携帯電話の接続性を確立するための高価で時間もかかるケーブルの敷設が不要になる。

一方で、これまでになかった戦略が早くも出てくる兆しがある。ベライゾンが行った買収について考えてみよう。買収先のひとつは、スマートシティサービスのためのＩｏＴプラットフォームなどを提供するセンシティ・システムズである。[10] 車両管理およびモバイル人員ソリューションを提供するフリートマティクスも買収した（買収額は24億ドル）[11]。このような買収に、ＩｏＴソリューション分野のプラットフォームにもパイプラインを拡張しようとするベライゾンの意図がはっきり表れている。ＡＴ＆Ｔにも同様の動きがあり、たとえばシンクロノスとの提携によって、オフィスビルの省エネ化を支援するＩｏＴプラットフォーム・サービスを提供している。[12]

ＩｏＴアプリケーションが活況を呈しているなか、多くの企業が新しいプラットフォーム型ビジネスモデルを提供しようとするのは当然である。ベライゾンがセンシティ・システムズやフリートマティクスといった企業を買収したのがそれを示す一例だ。この買収がどう発展し、ベライゾンのような通信事業者がＩｏＴプラットフォーム・サービスの分野でどれほどの影響を与えられるかは、いずれ明らかになるだろう。

もし現在の取り組みが実験的なものにとどまるなら、あるいはこうした初期の取り組みから撤退するなら、通信事業者は他社プラットフォームのサプライヤーの役割にとどまることになるだろう。通信事業者が自社のコンサンプション・エコシステム、特に広範なＩｏＴアプリケーションにおいて存在感を示すためには新たなケイパビリティが必要になる。他社のプラットフォームへのサプライヤーではなく、独自のデジタル・プラットフォームを提供するためには、戦略的なビジョンと決意が必要だ。それは突き詰めて言えば、各通信事業者がリスクとリターンのトレードオフをどのように捉えるかにかかっている。今後どのように発展するのか、この分野は要注目だ。

データの役割の変化──保険事業

保険会社とデータのつきあいの歴史は長い。彼らは過去に蓄積した膨大なデータを分析し、リスクを評価して保険を引き受ける。保険数理を駆使して、リスクに影響のある重要なパラメータを発見する。生命保険のリスクを予測するのに役立つパラメータには、年齢、人口統計学的属性、病歴、居住地(郵便番号)、職業などがある。

保険会社は長年にわたるデータ分析の経験で培った保険引き受けのスキルを活用して、収益性の高い保険をつくっている。巨額の資本準備金があるため、広範なリスクを引き受けることもできるし、加入者数が多いので、リスクの低い保険の利益でリスクの高い保険の損失を補塡することもできる。さらに保険会社は複雑な規制を熟知している。これらすべての要因が保険業界への新規参入の障壁となり、既存企業はその恩恵を何十年も享受してきた。だが、いまそれが変わろうとしている。

先進デジタル技術が、厚い壁で守られて変化の少なかった保険業界をかき乱している。過去の集合的データを用いるのが従来のリスク分析だが、個人的データやリアルタイムのデータを用いてリスクを評価する新たな手法が登場している。先進テクノロジーによって、これまでは不可能だった方法で、個々の保険のリスクを少ない誤差で正確にチェックできるようになった。

たとえば、年齢や人口統計学的属性といった集計データから推測されるパラメータでリスクを予測するのではなく、個々の顧客を直接モニタリングすることでリスクを予測できる。運転習慣の観察データを活用すれば、顧客の自動車保険のリスクをより正確に予測することもできる。また、そのデータによって運転習慣を安全なものに変えさせ、保険のリスクを軽減することもできる。これに限らず、さまざまな面で従来からの保険ビジネスの手法が変わりつつある。

その一例が保険金請求の受付、処理、決済という、バリューチェーン内の業務だ。これを自動化することで、請求処理にかかるコストを最大30％削減することができる。[13] 自動車事故の場合なら、事故発生の場所や経緯などの情報や、車両の損傷状況の詳細画像を遠隔で入手することができる。

アリババの子会社であるアント・フィナンシャルは、事故に関連するデータを、ＡＩやディープラーニング、画像認識などのツールを駆使して分析し、文字通り事故現場を再現できる定損宝《ディンスンバオ》というサービスを提供している。[14] この技術を使えば、保険会社は数秒で正確な被害状況を査定でき、ペーパーワークなしで請求処理も迅速に実行できる。ＡＩベースのツールで不正請求を検出し、その削減につなげることもできる。

アセットや保険対象をリアルタイムにモニタリングしてリスクを評価できるようになったことで、従来型の保険会社は、新規参入企業の攻勢に遭うかもしれない。保険ビジネスのリスクを抑えるためには膨大な数の契約の経験を要するという、従来のシステムが業界参入の障壁となっていたが、もはやそれは新規参入の抑止力ではなくなった。個人レベルのデータにアクセスできるようになったため、新規参入企業はリスクの低い契約だけを結べるからだ。自動車保険や住宅保険など一部の分野は、特に新参のデジタル競合企業の猛攻に直面するかもしれない。

競合企業は複数の方角からやってくる可能性がある。天候や土壌のデータを収集するセンサーを提供して農業生産を最適化するサービスを提供する企業なら、農家に対して農作物保険を売ることができる。そこで生成されるデータは正確なリスク分析に役立つだけでなく、害虫や悪天候による被害が生じた場合の迅速な保険請求処理にも役立つ。同様に、水漏れや火災などのリスクを監視する住宅向けのセンサーを取り扱う企業は住宅保険を売ることができる。自動車向けのテレマティクスを取り扱う通信事業者は自動車保険を売ることができる。

新規参入企業はリアルタイム・データと継続的なモニタリングにより、リスクを予測するだけでなく、リスクを軽減するために能動的に介入することもできる。たとえば、住宅の水道管の破裂をセンサーが感知したら自動的に水道を止めるというようなことができる。

マッキンゼーの研究は、顧客は近い将来、損害を補償してもらうためではなく、リスクを予防してくれるサービスに保険料を支払うようになると予測している。[15] そのような顧客が求めるサービスを提供するために、保険会社にとってはデータの活用方法の見直しが喫緊の課題である。

保険というのは、通信事業と同様、昔からバリューチェーンに依拠した事業であり、標準的なビジネスモデルは保険の引き受けと販売だ。この伝統的ビジネスに、先進テクノロジーはプロダクション・エコシステムの中で価値を生み出す機会をもたらす。保険会社は保険金の請求処理のデジタル化や不正行為の検出と防止のために高度な分析を行っているが、これは業務効率を向上させるための方策の一例である。また、アプリを通じて取得した個人レベルのインタラクティブ・データによって、保険契約者の差し迫った健康リスクを予想して警告するといった新たなサービス機能を提供することもできる。さらにこの種のデータは、顧客がリスクを減らす行動を取ると保険料が安くなる、インセンティブ付き保険をマス・カスタマイズする際にも活用できる。

さらに、保険ビジネスの最近の傾向に鑑みると、従来のバリューチェーンをプラットフォームに拡張する必要もあるだろう。保険の引き受けと販売だけではもはや経営が成り立たないのかもしれない。いま重要なのは、リスクに影響を与える外部要因を把握し、そこに働きかけることによって保険ビジネスの収益率を向上させることだ。

生命保険や医療保険なら、保険加入者が健康増進や長寿をめざして生活習慣を改善してくれれば収益率が高まる。そのためにはデジタル・プラットフォーム上で事業を展開して、ウェアラブル機器などの健康改善機器やヨガ・インストラクターやフィジカルトレーナーなどと顧客をつなぐ必要があるかもしれない。

言い換えれば、保険会社はプロダクション・エコシステムの強化だけでなく、コンサンプション・エコシステムにも関わる必要があるということだ。実際にそれを実践している企業もある。中国の平安保険は医療、自動車販売、不動産といった分野でさまざまなアプリやプラットフォームを提供している。これらのアプリやプラットフォームを通じて、平安は医療、自動車、住宅分野の保険事業でコンサンプション・エコシステムに関わっている。

テンセントのスーパーアプリ微信《ウィーチャット》（第7章参照）は、2017年にネット保険事業に参入した。同社がこのアプリを通じて収集した膨大なインタラクティブ・データを活用し、銀行のコンサンプション・エコシステムにおいて優位性を手に入れたのは周知の通りである。保険事業でも同様の成功を収めるかどうかは、時間が経てば明らかになるだろう。

デジタル競争戦略——4つの選択肢

以上さまざまなビジネスに表れている傾向から、注目すべき3つのポイントがあることに気づく。

①データからの新たな価値を活用する機会はプロダクションとコンサンプションの両方のエコシステムから生まれる。

②新たな機会に対応することのリスクは企業によって異なる。ある企業にとってはリスクが高い選択でも、別の企業には魅力的な選択肢と思えることがある。したがって、デジタル化を推進するなかで注力するポイントは企業によって異なる。

③企業がその注力点をどこに置くかによって、デジタル・エコシステムにおける競争の性質と力学が変わる。

石油・ガス業界では、新たな機会はおもにプロダクション・エコシステムの中で生まれ、従来型企業にとっても問題なく見つけやすいものが多い。ほとんどの競争もプロダクション・エコシステム内に限定されており、それは今後も変わらないかもしれない。

通信分野では、新たな機会が通信事業者のコンサンプション・エコシステムの中で生まれつつあり、関心を持つ既存企業が動きはじめている。既存企業が、新たなＩｏＴアプリケーションを使ってどの程度の存在感を示すか、自社のプラットフォームやサービスでどのような競争力を発揮するかは、今後しだいに明らかになっていくだろう。

保険事業では、プロダクション・エコシステムとコンサンプション・エコシステムの両方でデジタル競争の機運が高まっており、各企業がさまざまな戦略に注力している。社内の業務効率改善で満足している企業もあれば、野心的な新規のビジネスモデルを試行している企業もある。

言い換えれば、どういう戦略を選ぶかは、自社にどのような価値創造の機会があるかという認識や、デジタル・エコシステムの中でどのような競争圧力が生じるかによって左右されるということだ。**図10-2**（363ページ）は、そうした要因の下で、企業がどのようにデジタル競争戦略を選択するのかを示すマトリックスである。

このマトリックスの横軸は、企業が自社にとってのデータの価値をどこに見出しているかを示している。

ほとんどの従来型企業は、バリューチェーンに根を下ろして事業を行っているので、追求すべき価値をプロダクション・エコシステムの中にしか見出せないかもしれない。もちろん、コンサンプション・エコシステムにおいても追求すべき価値を見出す企業もあるかもしれない。

マトリックスの縦軸は、デジタル競争が生まれる場所を表している。デジタル競争は企業のプロダクション・エコシステムの中だけで起こることもあれば、コンサンプション・エコシステムで発生することもある。

選択1 デジタル適応戦略

左下の枠は、企業が、自社にとって追求すべき価値があるのはプロダクション・エコシステムの中にだけあると認識しており、かつ、競合企業も同じ考えだと認識している場合に選択できる「デジタル適応戦略《アダプター》」である。

たとえば石油・ガス事業のエクソンモービルは、先進デジタル技術による業務効率の改善に新たな価値があると考えており、多くの競合企業も同様のはずだと考えている。そうした企業が選択するのがプロダクション・エコシステムを重視する戦略であり、新たなケイパビリティのために投資することによって既存のバリューチェーンを強化し、プロダクション・エコシステムへと転換させようとするものである。その取り組みを進めていくなかで、新たなデジタルの現実に適応していくという戦略である。この戦略を選択する企業がデジタル適応企業であり、石油・ガス事業の大手企業はほとんどがこれに当てはまる。

選択2 デジタル開拓戦略

右下の枠は、コンサンプション・エコシステムに追求すべき新たな価値があると認識しているが、競合企業のほとんどはそう考えていないという場合に選択できる「デジタル開拓戦略《パイオニア》」である。

スマートサーモスタット・メーカーのネストは、コンサンプション・エコシステムにおける価値を最初に見出した企業だ。ネストは、他のどのメーカーよりも早く、その製品（スマートサーモスタット）

図10-2
デジタル競争戦略の類型

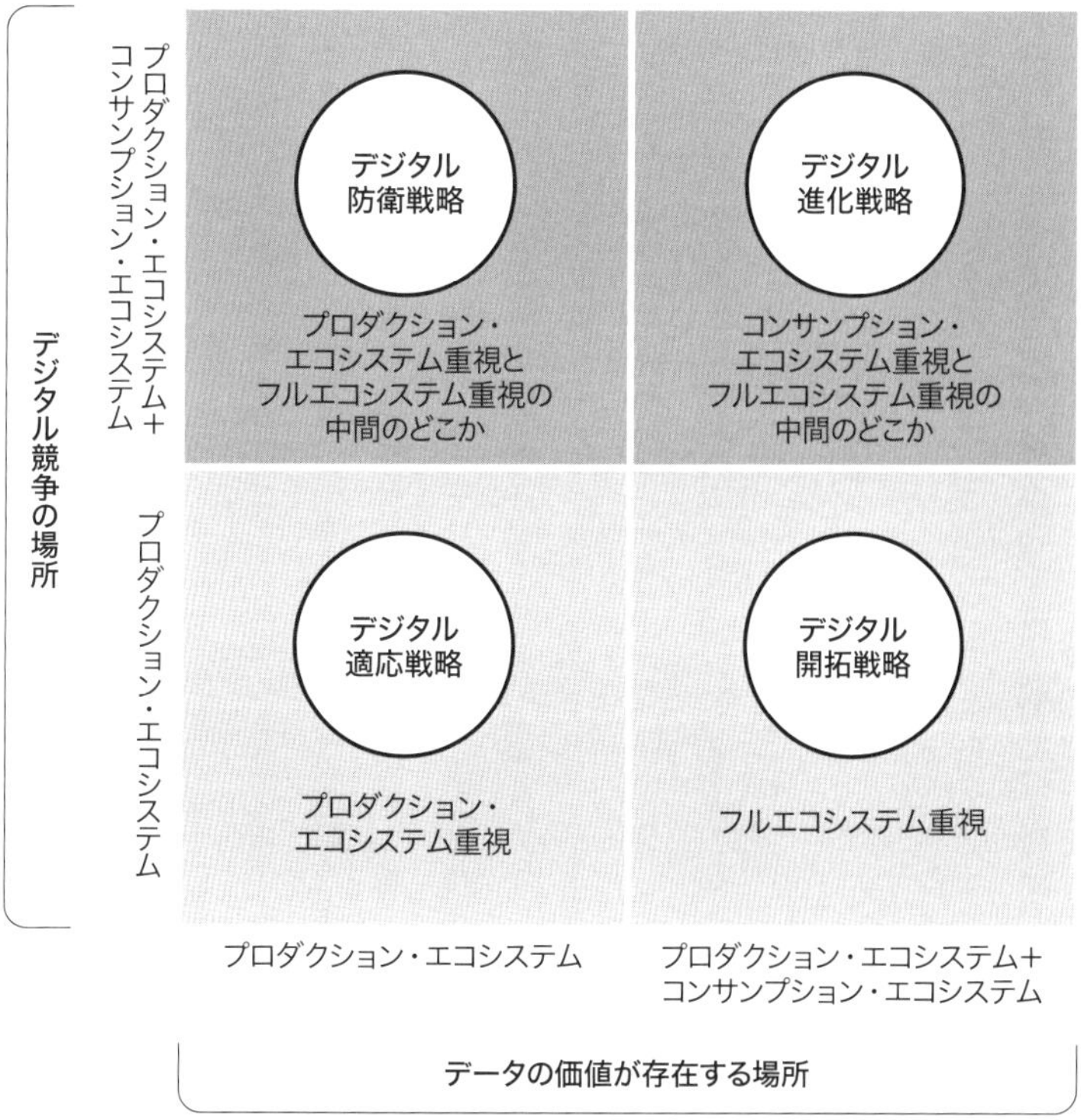
デジタル競争の場所
プロダクション・エコシステム＋
コンサンプション・エコシステム
プロダクション・エコシステム
デジタル
防衛戦略
プロダクション・
エコシステム重視と
フルエコシステム重視の
中間のどこか
デジタル
進化戦略
コンサンプション・
エコシステム重視と
フルエコシステム重視の
中間のどこか
デジタル
適応戦略
プロダクション・
エコシステム重視
デジタル
開拓戦略
フルエコシステム重視
プロダクション・エコシステム
プロダクション・エコシステム＋
コンサンプション・エコシステム
データの価値が存在する場所

をプラットフォームに拡張し、自動車、家電製品、セキュリティシステムなどに接続した。ナイキは、自社のコンサンプション・エコシステムで価値創造の機会があることを認識した最初のスポーツシューズ・メーカーで、ナイキ・コミュニティ・フォーラムを立ち上げてジョギング愛好家やアスリートのコミュニティを形成した。[16]

こうした動きによって、企業はプロダクション・エコシステム重視から完全なデジタル型運営に転換する。ナイキは他社に先駆けて早い段階でこの新しい戦略的ポジションに参入し、デジタル開拓企業となった。スマートトレーニング機器メーカーのペロトンも、ユーザーとトレーナーをつなぎ、健康志向の高い人びとの強力なコミュニティを形成したデジタル先駆企業のひとつである。ベライゾンとＡＴ＆Ｔも、他の通信事業者に先駆けてＩｏＴプラットフォーム・サービスで存在感を確立するなら、デジタル開拓企業になるかもしれない。

このような動きにはリスクがあるが（ナイキはのちにコミュニティ・フォーラムを停止した）、企業は、そのリスクと、ネットワーク効果の早期実現によって競合企業の参入障壁をつくることの利点を天秤にかけて検討しなければならない。

選択３　デジタル進化戦略

右上の枠は、コンサンプション・エコシステムにおいて追求すべき価値があるという認識が、多くの企業のあいだで広まっているような場合の選択肢となり得る「デジタル進化戦略《エボルバー》」だ。

たとえば保険ビジネスでは、事業のリスクを把握するために、消費者の幅広いライフスタイルに注目する保険会社は今後どんどん増えていくだろう。また、マッキンゼーが予測したように、保険は損害を補償するだけでなく、リスクの予測や予防が重視されるようになるかもしれない。[17] この傾向が強まれば、あらゆる企業が自社のコンサンプション・エコシステムに注意を向けざるを得ず、多くの企業が事業をデジタル・プラットフォームへと拡張させるだろう。このような展開をする企業がデジタル進化企業となる。

ここで、デジタル進化戦略をデジタル開拓戦略やデジタル適応戦略と区別することが重要だ。コンサンプション・エコシステムで価値を見出して、進んでデジタル開拓戦略を採用する企業は少数にとどまるが（デジタル開拓企業は例外的存在だ）、デジタル進化戦略を選択する企業は少なくない。デジタル開拓企業は他社に先駆けて新たな機会に気づき、リスクの高い賭けに出る準備もできている。だが、デジタル進化戦略を採用する企業は他のすべての企業が動きはじめてから行動を起こすのであり、彼らが動き出すころにはコンサンプション・エコシステムにおける不確実性ははるかに小さくなっている。

デジタル進化戦略はデジタル適応戦略とも違う。デジタル適応戦略はバリューチェーンに依拠するビジネスにとどまり、それをデジタル技術で補強するというものだ。それに対し、バリューチェーンをデジタル・プラットフォームに拡張するのがデジタル進化戦略だ。他のデジタル競合企業の動きを見ながら、プロダクション・エコシステム重視から、完全なデジタル型運営とコンサンプション・エコシステム重視の中間点にポジションを移すのがこの選択肢である。

デジタル進化企業がどこまで純粋にコンサンプション・エコシステムを重視するかは、その事業から生まれる価値がどの程度までコンサンプション・エコシステムに移行しているか、そして、従来のプロダクション・エコシステムでのポジションがどの程度維持されているかによる。

食料品店のビジネスについて考えてみよう。インスタカートは、オンラインの食料品配送サービスを通じてコンサンプション・エコシステムの領域に参入した。顧客から注文があると、ショッパーと呼ばれるスタッフが提携している食料品店で品物を購入し、顧客に配達する。顧客はすべて同社のアプリやデジタル・プラットフォームを利用するデジタル顧客であり、日々の食料品のニーズについて貴重なインタラクティブ・データを提供してくれる。インスタカートはそのデータを使って顧客のニーズを予測して買うべき商品を推奨したり、その他の革新的なデジタル体験を提供することができる。

このサービスを進めるなかで、インスタカートが低コストで食料品の在庫を保管してくれるサプライヤーを利用するようになるというのは想像に難くない。そのようなサプライヤーから食料品を配送すれば、都心の高級エリアにあるブランド食料品店から配送するよりもコストを抑えることができる。配送する商品にあわせて魅力的なデジタル体験を提供できれば、顧客は商品の調達元をそれほど気にしなくなるかもしれない。

このようなサービスを利用する顧客が増えれば、従来のような食料品ビジネスはやりにくくなるだろう。ビジネスの価値は、プロダクション・エコシステムでは低下し、コンサンプション・エコシステムでは上昇すると思われる。デジタルを利用した配送サービスが主流になるなかで、コンサンプション・エコシステムの領域に進出する企業が増えるだろう。店舗のブランド価値がコモディティ化するおそれが拡大するにつれて、食品販売のビジネスではコンサンプション・エコシステム重視の動きが進むだろう。

選択4 デジタル防衛戦略

最後はマトリックスの左上で、自社が追求すべき価値はプロダクション・エコシステムの中にだけあると考えているが、その一方で、コンサンプション・エコシステムにデジタル競合企業が存在することに気づいているという場合の「デジタル防衛《ディフェンダー》戦略」だ。

この区分に入る企業は、コンサンプション・エコシステムには追求すべき価値はないと判断し、プロダクション・エコシステム重視の戦略が望ましいと考えているが、競争上のリスクヘッジのためにコンサンプション・エコシステムに参入する可能性がある。そのため、エコシステム・フロンティア上の、プロダクション・エコシステム重視とフル・デジタル・エコシステム重視の中間あたりのポジションを選ぶ傾向がある。

キャタピラーとトリンブルの合弁企業がその一例だが（第4章参照）、このような場合、企業はコンサンプション・エコシステムに探りを入れることが多い。そこでのデジタル競合企業の能力を調べ、自社が築いた参入障壁の高さ（第7章で説明したように、デジタル競合企業に進出を思いとどまらせる）を評価しながら、プロダクション・エコシステムでの地位を堅持するための最善策を見きわめようとする。そのため、コンサンプション・エコシステムにおいて攻めより守りを重視するデジタル防衛企業となる。

以上がデジタル競争戦略の4類型である。従来型企業の大半はバリューチェーンに依拠して事業を展開しているので、まずはデジタル適応企業としてデジタル・トランスフォーメーション（DX）に取り組もうとする傾向がある。彼らの目には、プロダクション・エコシステムを重視するのが理に適った最初の一歩だと映る。

デジタル適応戦略を振り出しとして、デジタル開拓戦略、デジタル防衛戦略、デジタル進化戦略のいずれに進んでいくかは、いくつかの要因に左右される。その要因としては、事業の根本的な性質、デジタル競争の力学、新たな利益を追求する場合にリスクを取るかどうかという企業の性格などが挙げられる。

図10-2（363ページ）のマトリックスは、自社の進むべき方向を示し、自社と競合他社のデジタルの取り組みを比較する助けになるだけでなく、自社の事業領域におけるデジタル化の全容を把握するうえでも役に立つ。

デジタル競争戦略――5つのステップ

従来型企業はこれらのアイデアをどのように活かすことができるだろう。効果的なデジタル競争戦略を構築するためには、アクションプランを策定しなければならない。

従来型企業は、長年たずさわってきた従来の事業については、何をしなくてはならないかを知っている。すなわち、業界の動向を見きわめ、自社のリソースと能力を把握し、自社製品の競争上のポジションを認識し、競争優位を獲得するための最善の方法を見つける必要があることを知っている。デジタル競争戦略のために必要なことは、大筋では同じだが、具体的な内容が異なる。重視する対象も、従来の競争戦略が製品や業界であるのに対し、デジタル競争戦略ではデータとデジタル・エコシステムである。デジタル競争戦略は、以下の5つのステップで策定することができる。

ステップ1　自社のデジタル・エコシステムをマッピングする

従来の競争戦略では自社の業界を理解する必要があるのと同様に、デジタル競争戦略では自社のデジタル・エコシステムを理解しなくてはならない。デジタル化が進む世界で、自社が価値を創造するために活動する領域の全体像を理解することが、最初のステップとなる。それは以下の一連のタスクに分けることができる。

- 自社のバリューチェーン・ネットワークの青写真を描く。つまり、これまで行ってきたビジネスモデルを構成するすべての活動、アセット、部門、企業や組織をリストアップする。
- その中にある接続可能なすべての要素を特定する。バリューチェーン・ネットワークを構成する要素の把握が詳細になればなるほど、接続できる機会も増える。
- それらの構成要素の接続関係を可視化するチャートを描いて、プロダクション・エコシステムをマッピングする。ビジネスモデルの中にある物理的な相補関係のすべてを可視化し、どのようにすればその関係からインタラクティブ・データを生成・交換できるかを考える。

● 製品にセンサーを搭載する計画を立てる。研究開発部門に、革新的で創造的なセンサーを考案させる。スタートアップやハイテク企業が開発しているセンサーから目を離さないための社内的プロセスを確立させる。製品とユーザーのインタラクティブ・データを収集するソフトウェアやアプリを含め、センサーの多様な可能性を認識する。

● 補完ネットワークの青写真を描く。つまり、自社の製品生成データを補完できるすべてのアセット、部門、企業や組織を把握する。まず、製品の主たる機能に関連する既知の補完財から考えていくとよい。たとえばアイロボットのスマート掃除機なら、センサー・データを活用した交換用フィルターやごみの紙パックが既知の補完要素と言える。次に、ブレーンストーミングを行って新たな補完要素を見つける。スマート掃除機のセンサーがネズミのフンやシロアリを検知できるようになれば、害虫駆除サービスが新たな補完要素になる。そのような可能性を秘めたアイデアをすべてリストアップする。

● 補完要素の接続関係を可視化するチャートを描き、考え得るコンサンプション・エコシステムをマッピングする。補完要素と製品の相互関係を可視化し、その関係性の中でデータを生成・共有する方法を見つける。つまり、スマート掃除機のセンサー・データを交換部品の倉庫(すなわち補完要素)に接続して、ごみパックを自動的に配達する仕組みをつくるということだ。

● マッピングしたプロダクション・エコシステムとコンサンプション・エコシステムの中でデータを生成・共有するのに必要なデジタル技術をすべて予想する。

ステップ2　自社のデジタル基盤を把握する

最初のステップの目的は、自社のデジタル・エコシステムの広がりを理解することだった。第2のステップの目的は、その広がりの中で、自社が現在どこに立っているかを把握することだ。つまり、デジタル・エコシステムを活用するために使える自社のケイパビリティを評価するということである。そのためには以下の問いに答える必要がある。

- プロダクション・エコシステムのインフラを評価する。ステップ1でマッピングしたバリューチェーン・ネットワークの中で、アセット、部門、企業はどの程度まで接続されているか？
- バリューチェーン・ネットワークで生成されるインタラクティブ・データの範囲を評価する。アセット、部門、企業のうち、インタラクティブ・データを提供しているものの割合はどの程度か？
- 顧客のうちデジタル顧客がどれくらいいるかを推計し、彼らが提供するインタラクティブ・データの価値を評価する。製品とユーザーの相互作用をどこまで広く深く追跡できるか？　そのデータをどの程度使っているか？　何のために使っているか？
- コンサンプション・エコシステムのインフラを評価する。ステップ1でマッピングした補完ネットワークの中で、アセット、部門、企業や組織はどの程度まで接続されているか？　インタラクティブ・データを提供しているものの割合はどの程度か？　そのデータにはどの程度の価値があるか？　そのデータをどの程度使っているか？　何のために使っているか？

●ＡＰＩネットワークの青写真を描く。その範囲と複雑さを評価する。ＡＰＩネットワークのうち、内部向けのものがどの程度あり、外部に開かれたものはどの程度あるか？　それを活用してデータを流通させるために、どのようなガバナンスの仕組みを導入しているか？

ステップ3　どこまでフロンティアを押し広げられるかを考える

このステップの目的は、自社のデジタル・エコシステムが引き出すことができるデータの最大限の可能性を可視化することだ。めざすべき目標を描くステップということでもある。以下に挙げるような取り組みが考えられる。

●バリューチェーンにおいて効率化できる領域をすべて特定し、業務効率化に関連する目標をすべてリストアップする。目標を特定し、具体化することができるなら、先進テクノロジーによって業務効率を改善する方法が見つかるだろう。

●自社製品から生まれたデジタル顧客向けとして、考えうるすべてのデータドリブンな機能やサービスについて構想を練る。第4章で紹介したキャタピラーの事例を振り返ってほしい。**表4-1**（147ページ）は、考えうるすべてのデータドリブンな機能やサービスを包括的にリストアップしたものだ。自社の事業について、このようなマトリックスを作成する。

●デジタル競合企業が提供している競合サービスを評価する。自社のサービスと比較したときの競合の強みは何か？　自社のデータドリブン・サービスのネットワーク効果の大きさは？　そのネットワーク効果を、デジタル競合企業に対してどの程度活用できるか？

●製品連携プラットフォームを構築するために活かせる、製品生成データのあらゆる可能性を評価する。センサー・データの価値、ユニークネス、コントロールの可能性を評価する方法は第5章を参照のこと。

●製品連携プラットフォームから生成しうる、あらゆるデータドリブン・サービスを考えてみる。ステップ1で例示したアイロボットなら、可能なサービスとして、ごみパックの補充サービスや害虫駆除サービスをはじめ、ブレインストーミングによってさまざまなサービスを列挙することができるだろう。

●デジタル競合企業が提供している競合プラットフォーム・サービスを評価する。自社のプラットフォーム・サービスに対する強みは何か？

●エコシステムに自社が築いている参入障壁の高さを査定する。競合企業はプロダクション・エコシステムにおける自社の手法を容易に再現できるか？　コンサンプション・エコシステムにおいてはどうか？　何がネットワーク効果の原動力であり、どうすればそれを強化できるか？

ステップ4　エコシステム・フロンティア上で競う地点を選ぶ

このステップの目的は、デジタル競争戦略の現実的な目標を見きわめることだ。自社のデジタル基盤（ステップ2）と、自社のエコシステム・フロンティアにおいて特定した機会（ステップ3）がその土台になる。このステップでは、以下のような検討が必要になる。

●自社のデジタル・エコシステムに存在するあらゆる機会のうち、デジタル競合企業の強みも考慮して、実現可能な現実的ラインを評価する。業務効率の改善という面では何ができるか？　プロダクション・エコシステムからどのようなデータドリブンな機能やサービスを生み出せるか？　製品をプラットフォームに拡張できるか？　どのようなプラットフォーム・サービスを想定しているか？　そのサービスはデジタル顧客が提供してくれるであろうデータの価値に見合っているか？　計画を遂行するための資金調達は可能か？

●自社の戦略的志向性を考え、どの選択肢がふさわしいかを検討する。デジタル適応者を選択すべきか、デジタル先駆者を選択すべきか？　自社にはどの程度のリスク耐性があるか？　自社は成果が不透明な新しいデジタル領域で先駆者になることを望んでいるのか？　それとも競合企業の動向を見ながら歩調を合わせていきたいのか？　どの程度のスピードで投資を回収したいのか？

●自社の事業でのデジタル化の浸透を考える。すべての競合企業がコンサンプション・エコシステムの領域に進出しているだろうか？　どんな参入障壁をエコシステムに築くことができるだろうか？　デジタル防衛戦略とデジタル進化戦略では、自社にとってどちらが理に適っているか？

●自社に適したリスクとリターンのバランスに応じて、デジタル・エコシステム・フロンティアにおいて最適な地点を選択する。

ステップ5 デジタル競争戦略のためのケイパビリティを構築する

戦略的目標に向けて、実際に歩を進めるのがステップ5だ。そのためには、デジタル基盤における現在地から、エコシステム・フロンティア上の望ましい地点へと進むための手法を開発する必要がある。

- 自社のデジタル基盤を、エコシステム・フロンティア上の選択した地点に移行させる。そのために必要なデジタル・ケイパビリティを特定する。
- プロダクション・エコシステムとコンサンプション・エコシステムに欠かせないインフラを構築する。ステップ1で特定した、バリューチェーンと補完ネットワークの中にあるすべての要素が適切に接続されているか？
- 必要なデータ資産をつくり上げる。これまでのステップで特定した、プロダクション・エコシステムとコンサンプション・エコシステムがデータを生み出す可能性を最大化できているか？
- データ資産を活用するためにAPIネットワークを拡張し、選択した戦略的ポジションで優位に立つ。
- エコシステム・フロンティア上の望ましい地点に到達する。自社の立ち位置を評価しつづけながら必要に応じて改善、修正し、その地点において高レベルの能力を維持できるよう努める。

おわりに

本書の目的は、従来型企業がデジタル時代の競争に勝ち抜くために欠かせない、重要な見解を提示することであった。序章では以下の3点について概要を論じた。

- デジタル技術の進歩によって、データ活用法がまったく新しい次元に変容した。
- ビジネスの競争環境をデジタル・エコシステムとして捉える、新しい考え方が求められている。
- デジタル・エコシステムで競う際、データドリブン・サービスによって優位性を確立するという新しい戦略思考が必要である。

本書の各章で、私たちはこれらについて論じ、デジタル競争戦略のための枠組みを構築する旅を進めてきたが、ついにこの旅を締めくくる時が来た。

本書がめざしたのは、従来型企業のリーダーたちがデジタル近視眼に陥ることなく、戦略的ビジョンを拡大することだ。

製品や業界に依存して優位性を維持しようとするとデジタル近視眼に陥り、データの役割は製品をサポートすることだと考え、業務効率改善のためにしかデータを活用しようとしなくなる。インタラクティブ・データから得られる多くのメリットに気づかなくなる。製品の既存の機能の改善だけに注力して、製品を通じて新たなデジタル体験を提供する機会を逃してしまう。コンサンプション・エコシステムの存在が見えなくなる。製品をデジタル・プラットフォームに拡張することで実現できるあらゆる機会を逃してしまう。本書で紹介した概念や枠組みが、こうしたデジタル近視眼の罠に陥ることを防いでくれるはずだ。

これからの時代は刺激的で新たな機会にあふれている。その機会を活かせば、従来型企業は顧客とのあいだに生産的な関係を築き、革新的なデジタル体験を提供することができるし、成長のための新たな展望を切り開くことができる。

企業はこの機会をつかみ取らなければならない。新たな思考を取り入れ、戦略的枠組みを活用し、新たなケイパビリティを獲得しなければならない。デジタル時代にふさわしいデジタル企業にならなければならない。新たな競争戦略の時代はすでに到来した。さあ、いま動きはじめよう。

謝辞

この本が完成したことについて、多くの人に感謝したい。まず、初期の段階の原稿に辛抱強く目を通し、私のアイデアに耳を傾け、相談役を務めてくれた優秀な妻ミーラ、いつも父親を励ましてくれる可愛い娘キラン、そして私が執筆しているあいだ、いつもそばにいてくれた愛しいゴールデンドゥードルのラガに感謝したい。ラガは、脱稿の1カ月後、16歳になる数週間前に亡くなった。

MITプレス（マサチューセッツ工科大学出版局）のアクイジション・エディターであるエミリー・テイバー、先進的マネジメントシリーズのエディターであるロバート・ホーランドとポール・ミケルマンには、私の本の提案に早い段階で可能性を見出してくれたことに感謝する。エミリーの原稿に対する編集上の意見は卓越しており、一緒に仕事をするのが楽しかった。編集を手伝ってくれたデボラ・カントー・アダムスとマージョリー・パネルに感謝する。

MITプレスのアシスタント・アクイジション・エディターのローラ・キーラー、アートコーディネーターのショーン・ライリー、ブックデザイナーのエミリー・グーテインツ、制作マネジャーのジム・ミッチェル、シニアパブリシストのモリー・グロートを含むチームの全員に感謝の意を表する。

本の企画の初期段階でフィードバックと励ましをいただいたサンドラ・ワドック、ジョー・レイリン、ラジ・シソーディア、デブジャニ・ムカルジーに感謝する。各章の作成にあたり、マイケル・

ゴールドバーグのすばらしい編集協力に感謝する。

執筆にあたり、他にも複数の方にいろいろ助けていただいた。執筆中のすべての章、あるいは一部の章にフィードバックをくださった方もいた。また、特定の分野での専門知識を提供してくれたり、さまざまな分野の専門家やデータソースを紹介してくれたりと、私の考え方を具体化する手助けをしてくれた人もいた。アナンド・バンガロール、アシシュ・バス、ラジ・バクシ、ジョン・カーペンター、アイリーン・デイリー、リアム・フェイヒー、ランジャン・ダモダー、アラン・フェザーストン、ラホール・グハウス、ラジニーシュ・グプタ、プラカシュ・アイヤー、ラジ・ジョシ、アナンド・カパイ、ミヒル・ケディア、アシム・クマール、ニーラジ・クマール、ロヒト・メヘラ、ラフル・モディ、ヤシュ・モディ、シュリパッド・ナドカルニ、ヴァサント・ティラク・ナイク、ホルガー・ピエッチ、ラジニカーント・ラオ、ラヴィ・サンカー、シュブロ・セン、ラヴィ・シャンカヴァラム、アダム・シード、A・ヴァイディヤナサン、A・V・ヴェドプリスワル博士、アンキット・ヴェンバン、クマール・ヴェンバン、そしてティエイン・ユーに感謝する。

本書を支援してくださったボストン・カレッジ キャロル経営大学院のアンディ・ボイントン学長に感謝する。

本書を、すぐれた教育者であり、私の人生の道標となってくれた亡き両親、K・S・スブラマニアム博士とサヴィトリ・スブラマニアムに捧げる。

| 特別対談 |

インタラクティブ・データが競争戦略を変える

モハン・スブラマニアム
IMD教授

山口重樹
NTTデータ経営研究所代表取締役社長
NTTデータ代表取締役副社長（2022年・対談当時）

モハン・スブラマニアム（左）
スイスのビジネススクールIMD教授。専門は企業戦略とデジタル変革。コネチカット大学助教授、ボストン・カレッジ キャロル経営大学院准教授、IMD客員教授などを歴任し、2022年8月より現職。

山口重樹（右）
株式会社 NTTデータグループ顧問、株式会社 NTTデータ経営研究所代表取締役社長、株式会社クニエ代表取締役社長。NTT データで企業向け、政府自治体向けシステムの企画・設計・開発およびマネジメントに従事。

リアルタイムで利用できる「インタラクティブ・データ」の価値

山口　スブラマニアム先生は本書で、製品と業界に根ざした戦略的思考だけでは新しいデジタル領域で成功を収めるには十分でない、競争優位の原動力は製品からデータへとシフトしている、と述べておられます。

私たちもまた、企業がデジタル変革で成功を収めるには、既存の強みとデータを掛け合わせて、顧客に新たな価値を提供する顧客価値リ・インベンション（再創造）戦略を持つことが重要だと考えています。対談を通して、この主題を掘り下げたいと思います。

最初に、私たちのデジタル変革の枠組みを参考例として紹介させてください（385ページの**図A-1**参照）。

現在、多種多様なデジタル技術が進化していますが、これらの技術を変換、接続、アルゴリズム、認知の4つのカテゴリーに分けて整理してあります。こうした個々の技術が組み合わさると、社会や経済を大きく変容させることができます。

われわれの枠組みのユニークな点は、顧客接点のユビキタス化、パーソナライズ化、データ活用による不確実性やロスの低減などのデジタルによる影響に基づき、戦略、組織能力、組織構造に求められるものを論理的にまとめていることです。

では、顧客価値リ・インベンション戦略の枠組みとは何でしょうか？

顧客の真の課題を解決することがデジタル変革のおもな目的だと考えられますが、顧客価値リ・

インベンション戦略は、まさに顧客の抱える課題から出発します。課題解決のためには、企業は事業のデジタル化を進め、顧客データを活用することで、継続的に顧客価値を増大しつづけることが必要です。

デジタル技術の進化はデータ収集の領域を格段に広げ、データ分析の能力を高めました。たとえば、現実世界をデジタル化するカメラやセンサー技術における変換技術はとても進み、拡張現実（AR）や仮想現実（VR）が製造プロセスなどにも使われています。つい最近まで、ＩｏＴは魅力的なキーワードでしたが、いまでは人体に関連するセンサー技術が急速に発展しており、ＩｏＢ（Internet of Bodies/Behavior：身体・行動のインターネット）が次のキーワードとなっています。

アルゴリズムも絶えず進化を続けており、大量のデータを高速で処理し、新たな法則を見出し、より正確な予測を立てることが可能になっています。このような技術の顕著な進展がインタラクティブ・データを生み出し、データを分析することでさまざまな洞察を引き出すことが可能になるでしょう。

本書の中で先生は、これまでデータの役割は製品を支えることだったが、いまやデータが製品を支えるのではなく、製品がデータを支えている、と指摘されています。そして、それはセンサーやＩｏＴなどの先進デジタル技術の存在によって、製品が、新しい形の製品－ユーザー間のインタラクティブ・データを運ぶパイプとして機能しているためである、と説明されています。

まず、インタラクティブ・データについて詳しくご説明願えますか。単発的データとはどのように異なるのでしょうか。

図A-1
NTTデータのデジタル変革の枠組み

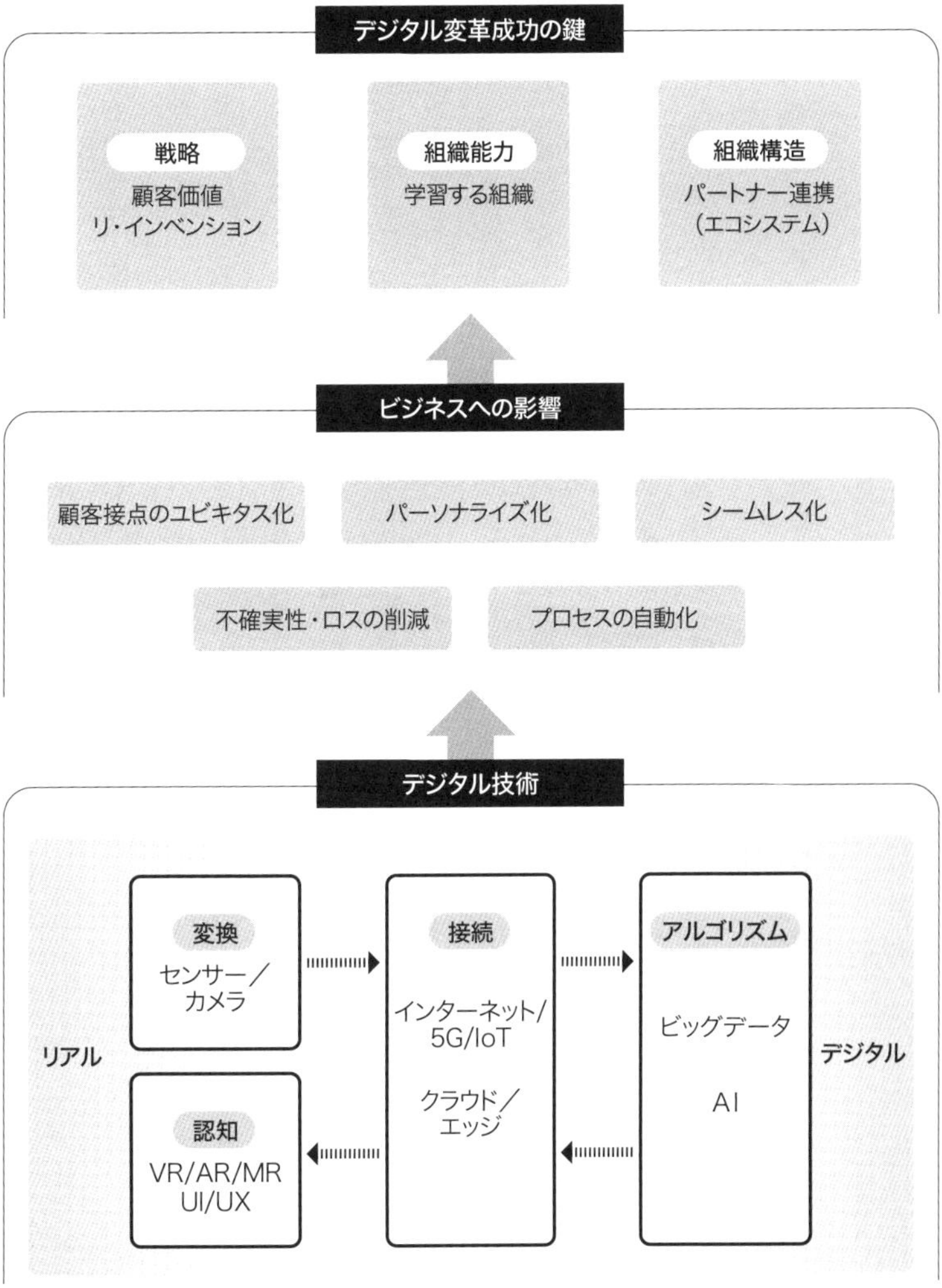

出所：NTT DATA

スブラマニアム　その質問はとても重要です。インタラクティブ・データを理解するには、従来型企業であるマクドナルドと、巨大デジタル企業のフェイスブックが取得するデータを比べるとわかりやすいでしょう。

マクドナルドは膨大な数のハンバーガーを売ってきました。興味深いのは、1994年に1000億個に到達してから販売した個数を数えるのをやめたということです。もはや、個数は重要ではなくなったからです。従来型企業にとって重要なのは、「いくら売ったか」でした。販売する商品、生産の方法、在庫の場所、こうしたあらゆることにかかわらず、データを合計しました。こうした個別の事象からもたらされるのが単発的データです。

一方、フェイスブックはどうでしょう？　フェイスブックはあくまでも、個々のユーザーを追跡します。たとえば、カップルが結婚を決める前に、フェイスブックは彼らがいつ結婚しそうかがわかります。なぜわかるのでしょうか？

それは彼らが、インタラクティブ・データを、自社のプラットフォーム上の絶え間ない人びとの交流から取得できるからです。これは製品から得ることはできません。マクドナルドの例のように、製品は売ってしまえば、それで忘れられてしまうのです。

インタラクティブ・データというのは、絶え間ないデータの流れのことです。単発的データは、完全に別個の、独立した事象ごとのデータです。そのため、この2つには多くの違いがあります（表A−1参照）。

表A-1
単発的データとインタラクティブ・データの違い

単発的データ	インタラクティブ・データ
断続的事象によって生成される	連続的事象によって生成される
事後的にのみ使える	リアルタイムでも事後的にでも使える
統合した全体についてだけ分析できる	個別の対象や目的に絞った分析もできる

出所：モハン・スブラマニアム

単発的データは一般的に事後にのみ利用します。ハンバーガーを売る場合、まさにその瞬間にはデータは使いません。それを控えて、保管しておきます。そして収集、統合して、事後にその知見を利用します。いくつハンバーガーを売ったのか、貢献利益はいくらか、在庫はどれくらい必要か、売上予測はどれくらいか、等々です。

インタラクティブ・データはリアルタイムで使うことができます。たとえば、私がフェイスブック上で興味を持った車について友人と話しているまさにそのときに広告が出る、というように。しかし同時に、彼らは事後にもデータを集めます。こうしたデータによって各ユーザーに関してとても正確に理解できるのです。これが、フェイスブックがカップル自身より先に、彼らの結婚のタイミングがわかる理由です。

今日ではセンサーとＩｏＴによって、従来型企業も製品からインタラクティブ・データを得ることが可能になっています。これはセンサーを自社の製品に埋め込むというだけの話ではありません。そこからどのようなデータを得られるか、それを利用して何ができるか、そしてどうすればそれをユニークに利用できるかについて考察することです。

インタラクティブ・データを利用すれば、予測ははるかに正確になります。たとえば「食洗機のブレードがいつ壊れるか」を予測できます。あるいは、「あなたが病気になる可能性」も予測できます。できることは、実にたくさんあります。

外部とリアルタイムで共有できるのもインタラクティブ・データの重要な特徴です。たとえば、ウーバーは運転手と乗客間のデータをリアルタイムで共有し、私たちはそれを当然だと思っています。しかし、単発的データはリアルタイムではないため、積極的に外部と共有されることはありません。

インタラクティブ・データが生み出すデジタル・エコシステム

山口 次に実際にインタラクティブ・データが企業活動にどのような影響をもたらすかについて議論させてください。私たちは、企業のデジタル変革の取り組みは、カスタマー・エクスペリエンスの変革「顧客価値リ・インベンション」と、バリューチェーンの変革「バリューチェーン・リエンジニアリング」という2つの狙いが重要であると考えています（図A-2参照）。

「顧客価値リ・インベンション」においては、デジタル技術を活用して顧客体験を再設計することで、製品・サービスの個別販売から、真の顧客課題を解決するアウトカム・ベースド・サービスにシフトすることを狙いとしています。

図A-2
企業のデジタル変革のポイント

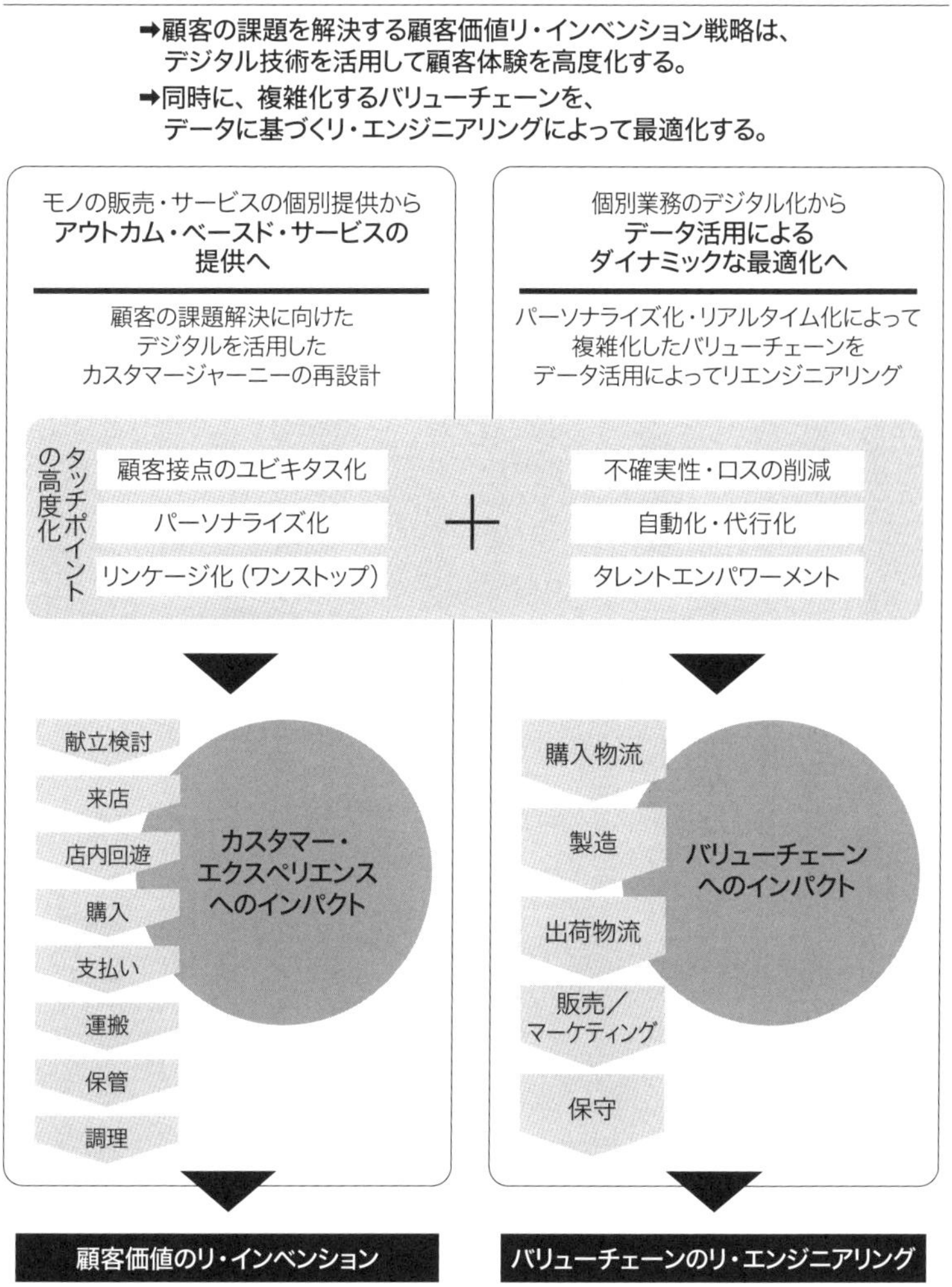

出所：NTT DATA

また、「バリューチェーン・リエンジニアリング」においては、パーソナライズ化とリアルタイム化が進んで複雑になったバリューチェーンを、データ活用によって最適化することを狙いとしています。

先ほど、外部との連携の話がありました。私たちはこれらの狙いを実現するには、自社の既存の製品・サービスにとらわれるのではなく、外部のパートナーとのエコシステムを構築することが極めて重要だと考えています。本書のインタラクティブ・データが新たなエコシステムを生むという理論には非常に感銘を受けました。この点について詳しくお話し願えますか。

スブラマニアム インタラクティブ・データをデジタル・エコシステムの中でいかに活用するかということについてお話ししましょう。まず、従来型企業のバリューチェーンと、私が「補完企業」と呼ぶものについて説明します。

自動車メーカーのフォードを例にすると、製品を生産し販売するには、サプライヤー、自社工場や外注先の工場、ディーラーや自社の部署も含めて、製品が売れるその瞬間までたくさんのパートナーが関わっています。この活動の流れがバリューチェーンです（**図A-3**参照）。

また、製品が売れると、そこに補完財というものが伴います。補完財は需要を増やすのに貢献します。極端な例では、道路やガソリンスタンドがなければ、だれも車を買いません。道路やガソリンスタンドが増えれば増えるほど、車の需要が高まります。これを補完ネットワークと呼びます（**図A-4**参照）。

図A-3

バリューチェーン・ネットワーク

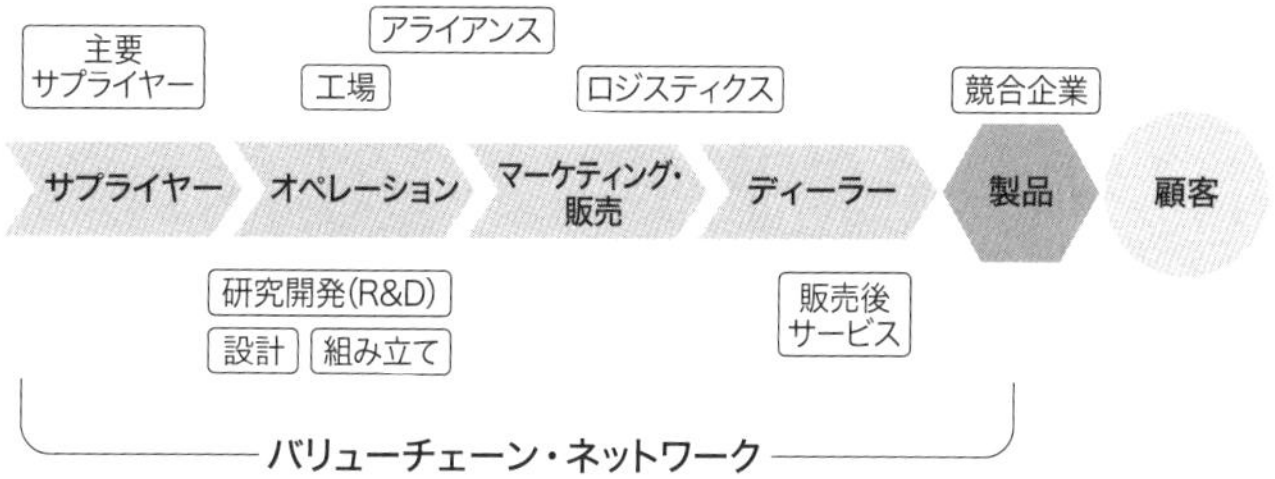

出所：モハン・スブラマニアム（本書 図3-3A再掲）

図A-4

補完ネットワーク

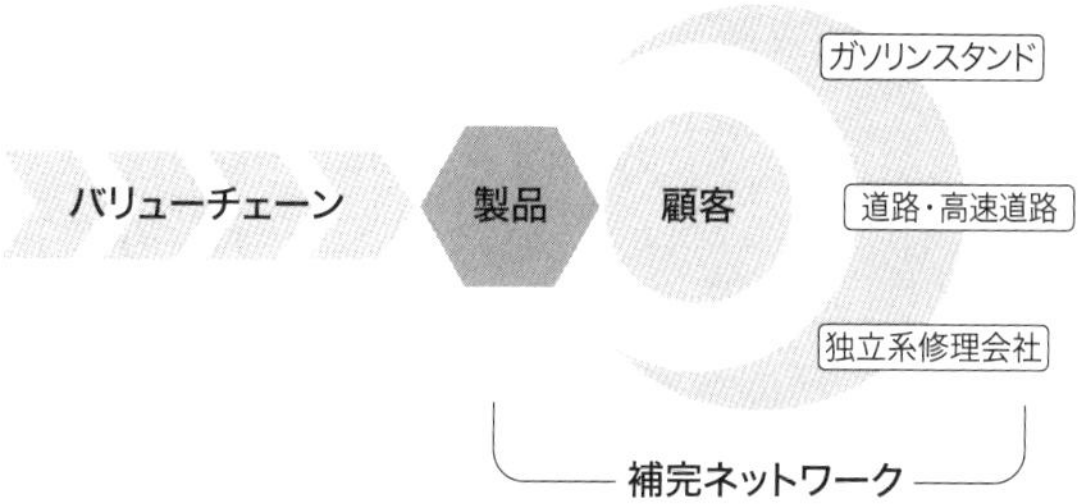

出所：モハン・スブラマニアム（本書 図3-4A再掲）

では、この多様なバリューチェーンと補完ネットワークに、インタラクティブ・データを加味するとどうなるでしょう。

まずはバリューチェーン側ですが、データのリアルタイム共有によってオペレーションの効率を格段に上げることができます。異なる機械同士が通信できます。人工知能がそれを指揮します。私たちはすでに、人手不要で稼働しつづける完全自動工場のコンセプトを知っています。

また、データを生み出す新たなサービスの原動力として使うこともできます。たとえばジェットエンジンからリアルタイムで飛行高度、追い風、向かい風、速度、角度などについての情報を提供できれば、航空会社の課題である燃費削減に貢献することができます。

私はこのバリューチェーン内のつながりを「プロダクション・エコシステム」と呼びます（図A−5参照）。

また、補完財という別の側面に目を向けると、今日では、道路やガソリンスタンド、駐車場が当たり前のように車とつながっています。もしガソリンが切れそうなら、最寄りのガソリンスタンドへ連れていってくれます。

これは現在のフォードの自動車の機能のひとつですが、アレクサに話しかけてコーヒーを注文すると、最寄りのスターバックスの店舗は私を認識し、私の注文と正確な到着時間を把握します。到着したらコーヒーを受け取ります。列に並ぶ必要も、レジで支払いをする必要もありません。ＩｏＴとアセットの接続のおかげで、すべてが魔法のようにバックグラウンドで行われます。

こうしたネットワークが「コンサンプション・エコシステム」です（図A−6参照）。

図A-5
プロダクション・エコシステム

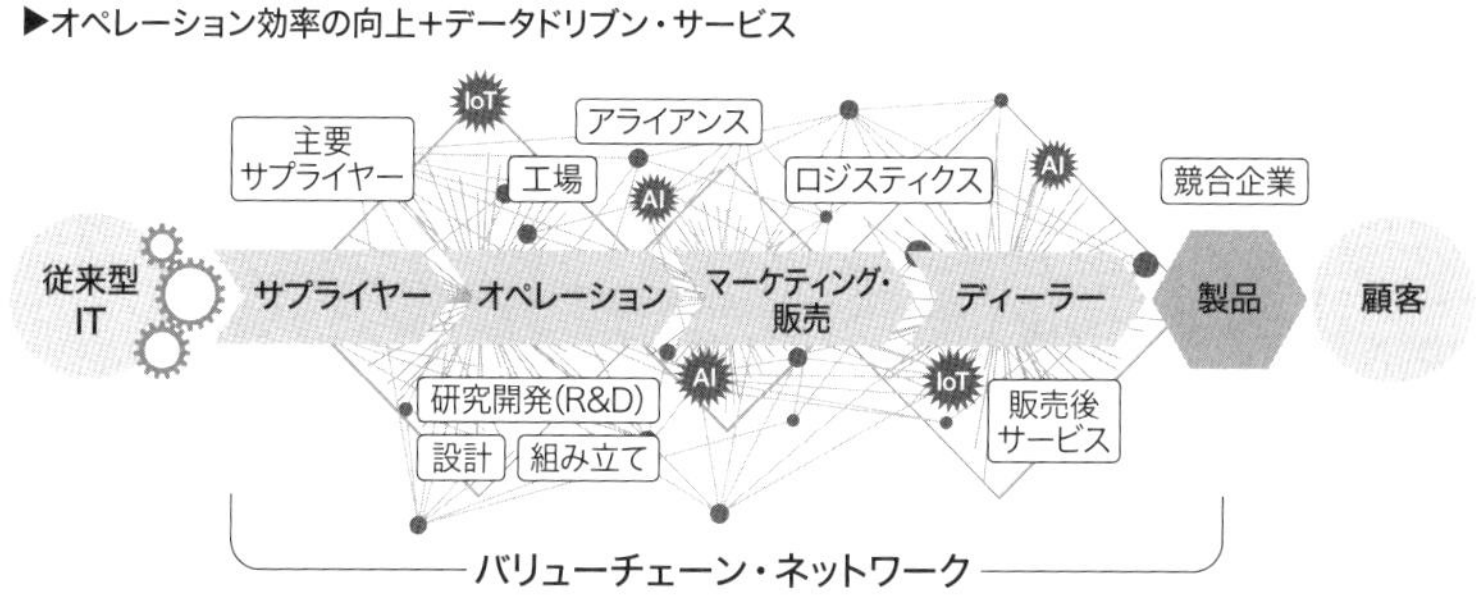

出所:モハン・スブラマニアム(本書 図3-3C再掲)

図A-6
コンサンプション・エコシステム

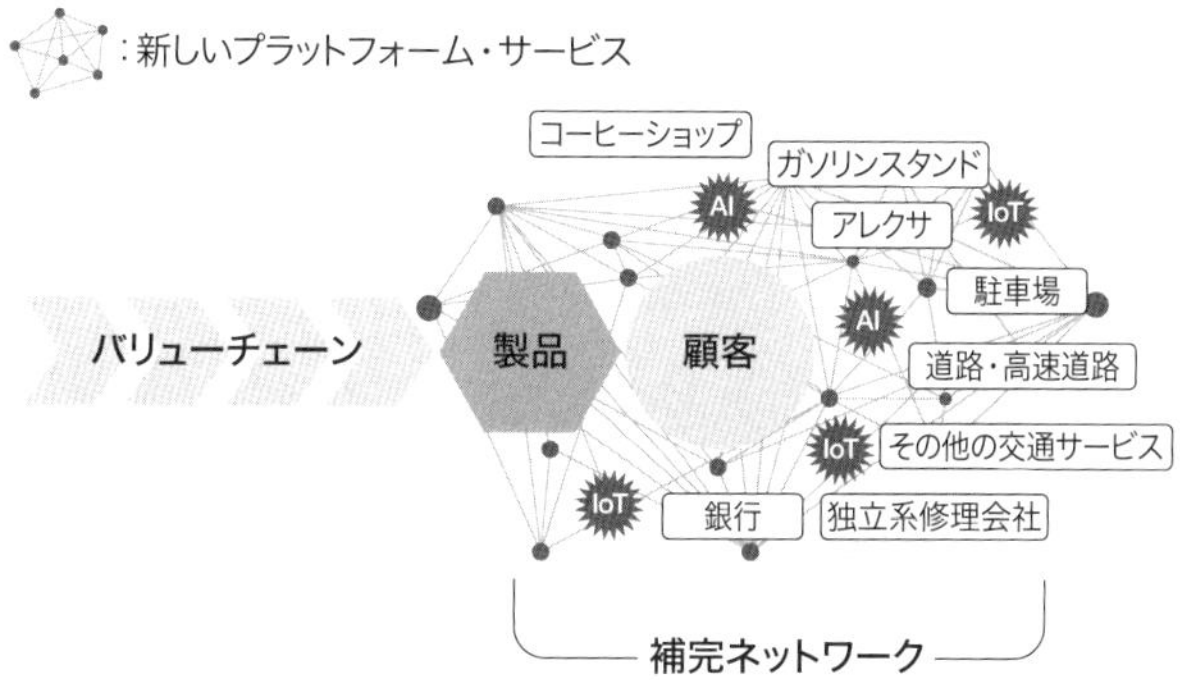

出所:モハン・スブラマニアム(本書 図3-4C再掲)

従来型企業が自社のデジタル・エコシステムを理解したい場合は、それをプロダクション・エコシステムとコンサンプション・エコシステムの両面で考えるといいでしょう。

山口　インタラクティブ・データはバリューチェーンをプロダクション・エコシステムへ、補完ネットワークをコンサンプション・エコシステムへと発展させることがよくわかりました。おそらく、日本の経営者の多くはコンサンプション・エコシステムという考えになじみがないと思いますので、理解を深めるために詳細について伺いたいと思います。コンサンプション・エコシステムの構築方法についてのお考えをお聞かせください。

スブラマニアム　いくつかの要素がありますが、基本はシンプルです。まず自社において従来の補完財はどのようなものか考えます。車の例では、ガソリンスタンドや道路などです。次に、製品から得られるインタラクティブ・データによって、新たに接続できる補完財について考えます。そしてAPIを通じてそれをいかに拡張していくかについて考えます。

イノベーションを考えるとき、ほとんどの従来型企業は、「どうすればより良い製品を作ることができるか」を問います。しかし、インタラクティブ・データについて考えはじめるようになれば、「データドリブン・サービスでいかにイノベーションを起こせるか」、「自社の製品をさまざまな他組織に接続することで、どのようにイノベーションを起こせるか」を問うようになります。

たとえば電化製品を扱うワールプールは、ヤムリーというレシピ提供アプリの会社を買収し、アプリを通して冷蔵庫をスキャンすることで、どんな材料が残っているか、わかるようにしました。また、APIを経由して世界中の人からレシピがどんどん出てきます。そしてアプリがユーザーに、食材に基づいた今日の献立を提案します。材料が足りなければ、アレクサとアマゾンが介入して注文してくれます。アレクサは調理中の音声ガイドとしても働きます。オーブンは余熱の加減を算出し、電子レンジは自動で処理を進めます。こうした体験はこれまでとはまったく異なるデジタル体験です。

これが、コンサンプション・エコシステムの良い例だとおわかりいただけるでしょう。従来考えられてきた補完財だけではなく、インタラクティブ・データを用いて、何が接続可能かに基づいて何が補完財かを判断するということです。

山口 コンサンプション・エコシステムでは、主要な供給者が、製品と結びついたデジタル・プラットフォーム上で、既存の補完財の供給者とつながり、顧客に新しい価値を提供するということを説明していただきました。実用的かつ示唆に富むアイデアです。しかしながら、補完財の供給者というのは非常に数が多く、それぞれを特定して優先度を決めるのは容易ではありません。

私たちは、カスタマージャーニーの分析とそれに基づく顧客体験の再設計によって、顧客の課題解決につながる補完財の特定と、その優先順位付けをしようとしています。

図A-7（396ページ）に示したのは、食品スーパーにおける消費者のカスタマージャーニーです。消費者の真の課題を「おいしい食事を家族とともに楽しむ」と仮定すると、献立を決めて店に行き、食材を購入し、支払いをすませ、家に持ち帰り、保存し、調理するまでが含まれます。エコシステ

図A-7

コンサンプション・エコシステムの構築方法

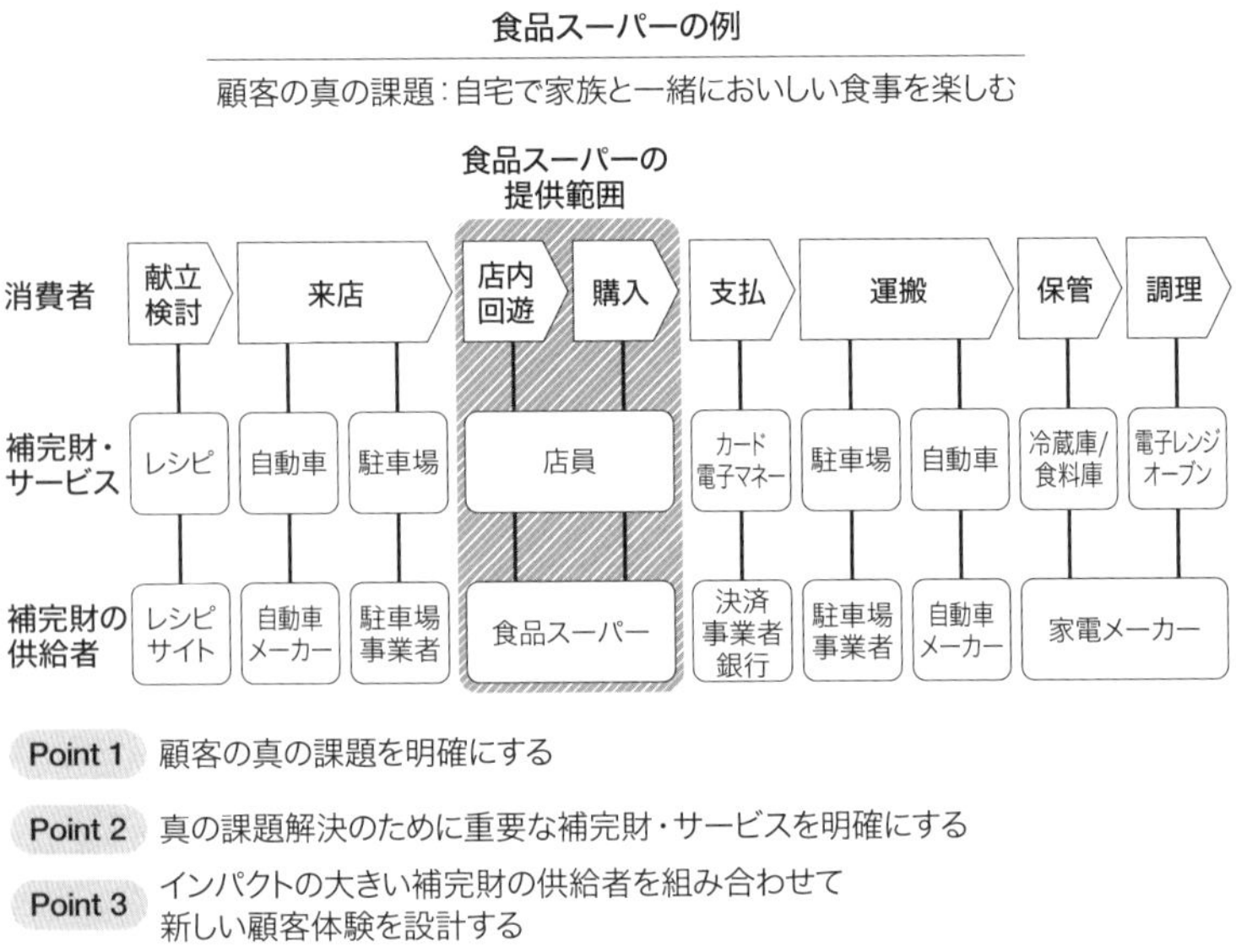

出所：NTT DATA

ム内における最適な補完財の供給者を選び、加えることで、顧客の価値を高めることができると考えています。

スブラマニアム　お示しいただいた食料品店におけるカスタマージャーニーの例は、コンサンプション・エコシステムを考えるうえで、実践的な要素が加えられていて、とても良いと思います。

企業間競争からエコシステム間競争へ

山口　コンサンプション・エコシステムは、企業間の競争環境に大きな変化をもたらすと思います。企業は製品やサービスのみで競合せず、エコシステムで競争することになると思いますが、こうした競争では、企業は競争戦略をどのように考えるべきでしょうか。

スブラマニアム　すばらしい質問です。従来の社会では同業の企業を競争相手とみなしますが、新しいデジタル・エコシステムにおいては、まったく異なるプレーヤーが競合相手となる可能性があります。必要な条件は、同じデータにアクセスできるか、だけです。たとえば、モーションセンサー付きの電球を販売する企業が、家にだれもいないはずのときに動きを感知すればセキュリティシステムに通報するというように、警備業界に参入するかもしれません。さらに言えばグーグルにもアマゾンにもこれはできます。このように、競争の範囲というのは、格段に広くなっているのです。

エコシステム間の競争については、デジタル競合企業を扱った第7章で詳しく述べていますが、既存企業は自分たちの製品だけでなく、コンサンプション・エコシステム全体に目を配り、数多くの潜在的な競合相手に注意を向けなければなりません。そして、自らの強みが生み出す障壁を理解し、競合相手から身を守る準備をしなければなりません。

山口　最後に私の関心事について2点共有させてください。

1点目は何がコンサンプション・エコシステム間の競争を決定づけるのかということです（**図A-8**参照）。小売企業は、顧客の日常生活のために、レコメンド、クーポン、キャッシュレス、eコマース、自宅への配送サービスなど、コンサンプション・エコシステムを拡大していますが、どの事業者が勝つのでしょうか。私たちは、この仮説を次のように検討しました。

エコシステムの競争戦略を考慮すると、カスタマージャーニー全体を通じて顧客にどんな価値を提供しようとしているか、という観点を持たねばなりません。つまり、トータルでより顧客の課題解決に貢献するエコシステムが競争優位を勝ち取ります。顧客価値にとって重要な補完財の供給者を集められることが競争優位を築く鍵となります。

2点目はだれがコンサンプション・エコシステムにおけるリーダーになるのか、ということです（400ページの**図A-9**参照）。

これに対する仮説は、エコシステム内で最も大きい価値貢献をもたらす者がリーダーになるというものです。つまり、顧客価値を提供するうえで必要不可欠なサービス・データを持つ者がリーダーに

図A-8

コンサンプション・エコシステムの価値構造①

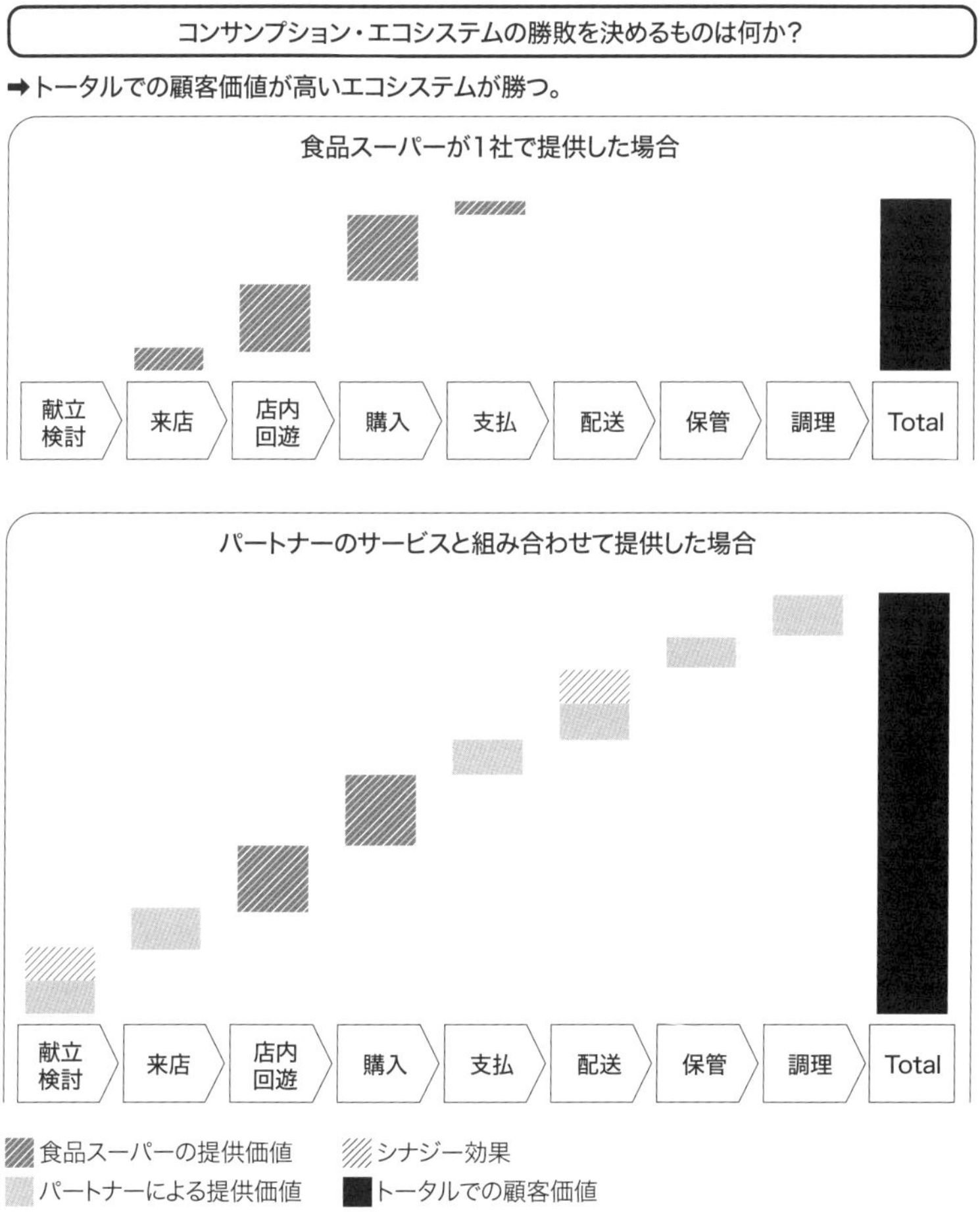

出所:NTT DATA

図A-9

コンサンプション・エコシステムの価値構造②

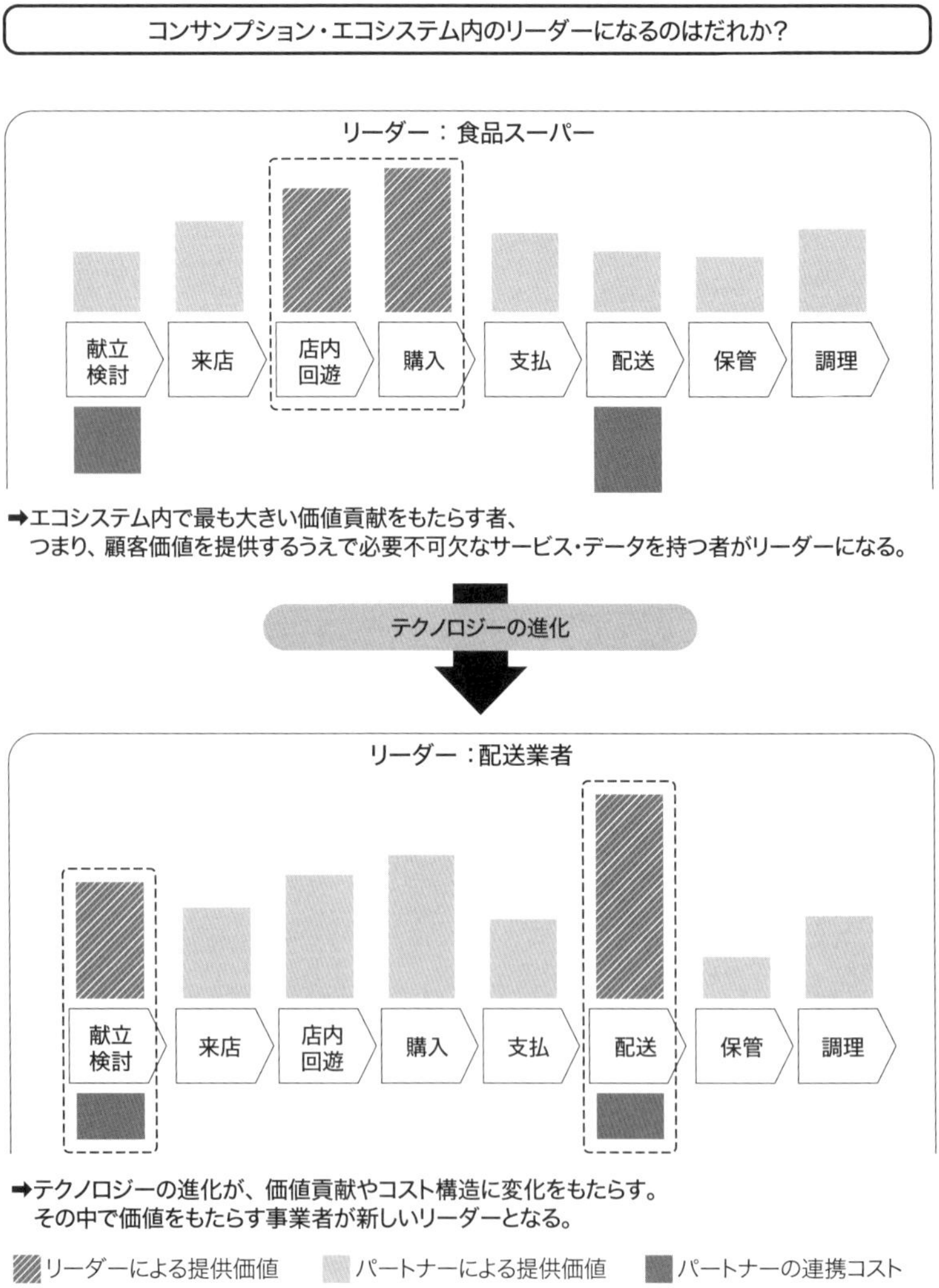

出所：NTT DATA

なります。また、技術の進歩によって貢献の価値とコスト構造が変われば、従来の補完財の提供者がリーダーにとって代わるケースも考えられます。たとえば、食品スーパーの事例において、消費者の課題が献立の検討や食材の運搬だとすると、これを技術によって低コストで解決できる事業者が新たなエコシステムのリーダーになるかもしれません。当社は、企業のデジタル変革を支援するため、このようなフレームワークをブラッシュアップしていきたいと考えています。

スブラマニアム　山口さん、ありがとうございました。みなさんがフレームワークに盛り込まれたお考えと長年の経験、そして私の著書からアイデアを創発していただいたことを非常にありがたく思います。対談を大いに楽しむことができました。

最後に申し上げたいのは、デジタルに関する視野狭窄を避けるということです。従来型企業でのデジタルと言えば効率性です。しかし、それだけではなくデータの価値やデジタル・エコシステムの可能性にもぜひ目を向けていただきたいと思います。

＊この対談のより詳しい内容の動画を、ＮＴＴデータのウェブサイトでご覧いただくことができます。

訳者あとがき

本書を最後まで読んでくださった皆様は、ビジネス・ルールがこれまでと大きく変わっていることに気づき、その新たなルールの下で勝つ方法を見つけるべく取り組んでおられることと思います。私たちがお客様と取り組むプロジェクトも、お客様の事業やサービスをどのように変革していくかといった、少し先の未来を検討することが多くなっています。

これは、デジタル化の急速な進展により、これまで不可能であったことが実現できるようになったことが大きく影響しています。私たちは従前より、技術や世の中の変化を正しく捉え、お客様事業にとってあるべき姿を描くための方法論、Foresight Design Method™（フォーサイト・デザイン・メソッド）を構築し、お客様と議論してきました。一方、デジタル変革に取り組みつつも、その投資対効果に確信を持てないお客様も多く、ＮＴＴデータはコンサルティングという形で伴走してきました。

そのような中で、*The Future of Competitive Strategy*（本書の原書）という、堂々たるタイトルの本に出会ったのが２０２２年７月のことでした。単発的《エピソディック》データとインタラクティブ・データ、デジタル・エコシステム、プロダクション・エコシステムとコンサンプション・エコシステム……手際よく整理された重要な概念が次々に展開していきます。

本書を読んだ当時、自分なりにデジタル時代におけるビジネス形態やそれが競争力を持つ要因を大枠では理解していましたが、言葉にして定義しきれていなかったので大きな衝撃を受けました。ビジネスパーソンなら、だれもが読んだマイケル・ポーターの『競争の戦略』を想起させるようなスケールと深みを感じたものです。

これまで私たちは、「その製品が欲しいから」という理由で買っていましたが、デジタル時代になると、「製品を通じてこんな体験をしたいから」という理由で買うようになり、購入目的そのものが変わってしまいました。そうした体験を支えているのが「データ」であり、「製品」はそれを生み出すためのものになっています。

さらに、そのデータはインタラクティブ・データであってこそ大きな価値を持つのであり、企業はそのデータを扱えるようにしなければなりません。データの価値を徹底的に説く本書には実践的な教訓がふんだんに盛り込まれています。

このようにビジネス環境が大きく変化するなか、本書が、従来型企業はいかにしてデータを活用してビジネス価値を高めるかを4つのステップで説明している点も、私たちNTTデータが皆様にソリューションを提供する際の道標になるものでした。

バリューチェーンの効率化、ユーザーなどからのインタラクティブなフィードバックをバリューチェーンの活動全体の変革に活かす、インタラクティブ・データを活用して新たな収益源をつくり出す、そしてコンサンプション・エコシステムを構築するという4つのステップは、デジタル時代における経営戦略として重要であり、NTTデータもその実現に向けて取り組んでおります。

社長直轄組織として設立されたコンサルティング&アセットビジネス変革本部（以下、変革本部）は、私たちNTTデータがお客様に価値あるソリューションを提供できるようになるための企業変革を促す組織です。これまでお客様とともに時代をつくり上げてきたノウハウを活かし、デジタル時代に即した新たな価値を提供できるよう、仕事のやり方を変え、それを実行する人材を育成し、デジタル時代に応じた組織改革・行動変革を推進しています。スブラマニアム教授が本書で説くコンサンプション・エコシステムの概念は、そんな私たちの取り組みと完全に共鳴するものでした。

NTTデータにおいて変革本部は、「フォーサイト（Foresight）起点のコンサルティング力強化」と「アセットベースのビジネスモデルへの進化」という2つの戦略を遂行するミッションを担っています。そのメンバーが本書を学び、デジタル時代のビジネスについて理解を深めたところで、これを日本のお客様にも展開していこうという機運が高まり、当時NTTデータ代表取締役副社長であった山口重樹のリードのもと、変革本部の川嶌健一を中心とする本書翻訳プロジェクトがスタートしました。

データドリブンなサービスを創出するうえで最も困難なことのひとつとして、大量のデータを獲得するまで、データ活用の効果を具現化できないという点が挙げられます。本書でも、データを獲得する必要条件としてデジタル顧客獲得の重要性が書かれていますが、潜在顧客にメリットを訴求できないためにデジタル顧客が増えず、サービスの検証が十分にできていないという状態に陥っている企業も少なくないことでしょう。

製品やサービスが浸透するスピードが指数関数的に加速している今日ですが、それでもある程度の時間はかかります。成果が出始めるまでのこの期間が、日本の企業にとってはなかなか許容しづらい投資期間となります。それが原因で、大量のインタラクティブ・データから得られる新しい便益を体験することなく事業から撤退した経験をお持ちの読者もおられるのではないでしょうか。

そのような事態を避けるためには、ある程度の勝算を持ってサービスを開始する必要がありますが、そのために、ゼロベースでアイデア創発するのではなく、他社、他業界、他国の取り組みからビジネスモデルを抽出して、自社のサービス戦略に落とすことができると私は考えています。

「ＮＴＴデータイノベーションカンファレンス２０２３」というイベントでスブラマニアム教授と対談した際、私は、ビジネスモデルが「磁石」となってデータという「砂鉄」でさまざまな紋様を描くことができるというアナロジーで、教授の主張を日本の視聴者に紹介しました。豊富な実績を持つＮＴＴデータは、「どの磁石を使えば、どのような紋様が描けるか」を予測することができます。

デジタルがビジネスモデルの優劣を決める要因であることを活用し、ＮＴＴデータのグローバルネットワーク、さまざまな業界、企業との取り組みから獲得してきたノウハウをフル活用し、お客様のビジネスの成功に向けた支援を継続していきます。本書でスブラマニアム教授が提示してくれたデジタル競争戦略のフレームをＮＴＴデータが使いこなし、お客様に価値を提供することこそが、日本のデジタル化への貢献だと考えています。

そして、コンサンプション・エコシステムが形成された世界で、豊かなデジタル体験を満喫できる日の到来を、一人の消費者としても心待ちにしています。

ＮＴＴデータグループ　コンサルティング＆アセットビジネス変革本部　野崎大喜

Capital Expenditures (Capex) Signal Ongoing Decline of Sector," Institute for Energy Economics & Financial Analysis, February 26, 2020, https://ieefa.org/ieefa-brief-oil-majors-shrinking-capital-expenditures-capex-signal-ongoing-decline-of-sector.
5. Ben Samoun, Marie-Helene, Havard Holmas, Sylvain Santamarta, and J. T. Clark, "Going Digital Is Hard for Oil and Gas Companies—but the Payoff Is Worth It," BCG Global, March 12, 2019, https://www.bcg.com/publications/2019/digital-value-oil-gas.
6. Stephen Shankland, "5G's Fast Responsiveness Is the Real Reason It'll Be Revolutionary," CNET, December 8, 2018, https://www.cnet.com/news/how-5g-aims-to-end-network-latency-response-time.
7. Julie Song, "Council Post: Why Low Latency (Not Speed) Makes 5G A World-Changing Technology." Forbes, February 6, 2020, https://www.forbes.com/sites/forbestechcouncil/2020/02/06/why-low-latency-not-speed-makes-5g-a-world-changing-technology/?sh=126229592141.
8. Bert Markgraf, "How Far Can a Cell Tower Be for a Cellphone to Pick Up the Signal?," Chron, October 26, 2016, https://smallbusiness.chron.com/far-can-cell-tower-cellphone-pick-up-signal-32124.html.
9. Marshall W. Van Alstyne, Marshall Geoffrey G. Parker, and Sangeet Paul Choudary, "Pipelines, Platforms and the New Rules of Strategy," *Harvard Business Review*, April 2016.
10. Ingrid Lunden, "Verizon Acquires Sensity Systems to Add LED Light Control to Its IoT Platform," TechCrunch, September 12, 2016, https://techcrunch.com/2016/09/12/verizon-acquires-sensity-systems-to-add-led-light-control-to-its-iot-platform.
11. Ingrid Lunden, "Verizon Buys Fleetmatics for $2.4B in Cash to Step up in Telematics," TechCrunch, August 1, 2016, https://techcrunch.com/2016/08/01/verizon-buys-fleetmatics-for-2-4b-in-cash-to-step-up-in-telematics/?_ga=2.35 330721.1433828888.1607712936-763817211.1607712936.
12. Peggy Smedley, "AT&T Is All-In with IoT." Connected World, October 1, 2018, https://connectedworld.com/att-is-all-in-with-iot.
13. Tanguy Catlin and Johannes-Tobias Lorenz, "Digital Disruption in Insurance: Cutting through the Noise," McKinsey & Co., March 2017, https://www.mckinsey.com/~/media/mckinsey/industries/financial%20services/our%20insights/time%20for%20insurance%20companies%20to%20face%20 digital%20reality/digital-disruption-in-insurance.ashx.
14. Tjun Tang, Michelle Hu, and Angelo Candreia, "Why Chinese Insurers Lead the Way in Digital Innovation," BCG Global, February 27, 2018, https://www.bcg.com/publications/2018/chinese-insurers-digital-innovation.
15. Catlin and Lorenz, "Digital Disruption in Insurance."
16. Sarah Judd Welch, "Nike's Forum Shows the Promise and Peril of Community," *Harvard Business Review*, March 25, 2014, https://hbr.org/2014/03/nikes-forum-shows-the-promise-and-peril-of-community?ab=at_articlepage_whattoreadnext.
17. Catlin and Lorenz, "Digital Disruption in Insurance."

Phenotyping: A Timely Opportunity to Consider Purpose, Quality, and Safety," *npj Digital Medicine 88* (September 6, 2019).
6. Alissa Walker, "Why Sidewalk Labs' 'Smart' City Was Destined to Fail," Curbed, May 7, 2020, https://archive.curbed.com/2020/5/7/21250678/sidewalk-labs-toronto-smart-city-fail.
7. Sidney Fussell, "The City of the Future Is a Data-Collection Machine," *Atlantic*, November 21, 2018, https://www.theatlantic.com/technology/archive/2018/11/google-sidewalk-labs/575551.
8. Shoshana Zuboff, *The Age of Surveillance Capitalism: The Fight for Human Future at the New Frontier of Power* (London: Profile Books, 2019).（ショシャナ・ズボフ著『監視資本主義』野中香方子訳，東洋経済新報社，2021 年）
9. Alan J. Meese, "Price Theory, Competition, and the Rule of Reason," *University of Illinois Law Review* 77 (December 31, 2002).
10. Lauren Feiner, "Google Sued by DOJ in Antitrust Case over Search Dominance," CNBC, October 20, 2020, https://www.cnbc.com/2020/10/20/doj-antitrust-lawsuit-against-google.html.
11. A deeply flawed lawsuit that would do nothing to help consumers.
12. Bala Iyer, Mohan Subramaniam, and U. Srinivasa Rangan, "The Next Battle in Antitrust Will Be about Whether One Company Knows Everything about You," *Harvard Business Review*, July 6, 2017, https://hbr.org/2017/07/the-next-battle-in-antitrust-will-be-about-whether-one-company-knows-everything-about-you.
13. Maya Goethals and Michael Imeson, "How Financial Services Are Taking a Sustainable Approach to GDPR Compliance in a New Era for Privacy, One Year On," Deloitte, 2019, https://www2.deloitte.com/content/dam/Deloitte/uk/Documents/risk/deloitte-uk-the-impact-of-gdpr-on-the-financial-services.pdf.
14. Jack M. Balkin and Jonathan Zittrain, "A Grand Bargain to Make Tech Companies Trustworthy," *Atlantic*, October 3, 2016, https://www.theatlantic.com/technology/archive/2016/10/information-fiduciary/502346.
15. Balkin and Zittrain, "A Grand Bargain to Make Tech Companies Trustworthy."
16. David E. Pozen and Lina M. Khan, "A Skeptical View of Information Fiduciaries," *Harvard Law Review*, December 10, 2019, https://harvardlawreview.org/2019/12/a-skeptical-view-of-information-fiduciaries.
17. Russell Brandom, "This Plan Would Regulate Facebook without Going through Congress," The Verge, April 12, 2018, https://www.theverge.com/2018/4/12/17229258/facebook-regulation-fiduciary-rule-data-proposal-balkin.
18. "Democratic Senators Introduce Privacy Bill Seeking to Impose 'Fiduciary' Duties on Online Providers," Inside Privacy, December 21, 2018, https://www.insideprivacy.com/data-privacy/democratic-senators-introduce-privacy-bill-seeking-to-impose-fiduciary-duties-on-online-providers.

第 10 章——デジタル競争戦略

1. "Industry Market Research, Reports, and Statistics," IBISWorld, February 16, 2020, https://www.ibisworld.com/global/market-size/global-oil-gas-exploration-production.
2. Katharina Buchholz, "The Biggest Oil and Gas Companies in the World," Statista Infographics, January 10, 2020, https://www.statista.com/chart/17930/the-biggest-oil-and-gas-companies-in-the-world.
3. Buchholz, "The Biggest Oil and Gas Companies in the World."
4. Kathy Hipple, Tom Sanzillo, and Clark Williams-Derry, "IEEFA Brief: Oil Majors' Shrinking

May 26, 2020, https://www.insidehook.com/article/music/get-to-know-bruce-springsteens-one-of-a-kind-fender-guitar.
5. Ingemar Dierickx and Karel Cool, "Asset Stock Accumulation and the Sustainability of Competitive Advantage," *Management Science* 35, no. 12 (1989): 1504–1511.
6. Jay Barney, "Firm Resources and Sustained Competitive Advantage," *Journal of Management* 17, no. 1 (1991): 99–120, https://doi.org/10.1177/014920639101700108.
7. Michael Hammer, "Reengineering Work: Don't Automate, Obliterate," *Harvard Business Review*, July–August 1990.
8. "Whirlpool Corporation Announces Planned Acquisition of Yummly," Whirlpool Corporation, May 2, 2017, https://whirlpoolcorp.com/whirlpool-corporation-announces-planned-acquisition-of-yummly.
9. Bala Iyer and Mohan Subramaniam, "Corporate Alliances Matter Less Thanks to APIs," *Harvard Business Review*, June 8, 2015, https://hbr.org/2015/06/corporate-alliances-matter-less-thanks-to-apis.
10. D. J. Teece, "Explicating Dynamic Capabilities: The Nature and Microfoundations of (Sustainable) Enterprise Performance," *Strategic Management Journal* 28, no. 13 (December 2007): 1319–1350, at 1335.
11. たとえばボストン・コンサルティング・グループは，低成長産業で高いシェアのある部門を「キャッシュカウ」として活用して高成長産業で新規事業を獲得する，「BCG マトリックス」という戦略ツールを発表して人気を集めた．
12. Constantinos C. Markides, "Diversification, Restructuring and Economic Performance," *Strategic Management Journal* 16, no. 2 (February 1995): 101–118.
13. C. K. Prahalad and Gary Hamel, "The Core Competence of the Corporation," *Harvard Business Review*, May–June 1990.
14. Anita M. McGahan and Michael E. Porter, "How Much Does Industry Matter, Really?," *Strategic Management Journal* 18 (July 1997): 15–30.
15. Iyer and Subramaniam, "Corporate Alliances Matter Less Thanks to APIs."
16. Hortense de la Boutetière, Alberto Montagner, and Angelika Reich, "Unlocking Success in Digital Transformations," McKinsey & Company, January 24, 2020, https://www.mckinsey.com/business-functions/organization/our-insights/unlocking-success-in-digital-transformations.

第 9 章——権利、セキュリティ、プライバシー

1. Steph Solis, "Massachusetts Question 1: Right to Repair Ballot Initiative Explained," masslive, September 26, 2020, https://www.masslive.com/politics/2020/09/massachusetts-question-1-right-to-repair-ballot-initiative-will-determine-who-can-access-car-mechanical-data.html.
2. "Massachusetts Question 1, 'Right to Repair Law' Vehicle Data Access Requirement Initiative (2020)," Ballotpedia, https://ballotpedia.org/Massachusetts_ Question_1,_"Right_to_Repair_Law"_Vehicle_Data_Access_Requirement_Initia tive_(2020).
3. Matt Stout, "Mass. Has Been Pummeled by Ads on Question 1. They Veer into Exaggeration and 'Fearmongering,' Experts Say—The Boston Globe," Boston Globe, September 21, 2020, https://www.bostonglobe.com/2020/09/21/metro/massachusetts-has-been-pummeled-by-ads-about-question-1-they-veer-into-exaggeration-fear-mongering-experts-say.
4. "The Privacy Project," *New York Times*, April 11, 2019, https://www.nytimes.com/interactive/2019/opinion/internet-privacy-project.html?searchResult Position=1.
5. Kit Huckvale, Svetha Venkatesh, and Helen Christensen, "Toward Clinical Digital

12. Qing Lan, "Tencent's WeBank: A Tech-Driven Bank or a Licensed Fintech?," EqualOcean, August 4, 2020, https://equalocean.com/analysis/2020080414410.
13. Stella Yifan Xie, "Jack Ma's Giant Financial Startup Is Shaking the Chinese Banking System," *Wall Street Journal*, July 29, 2018, https://www.wsj.com/articles/jack-mas-giant-financial-startup-is-shaking-the-chinese-banking-system-1532885367.
14. "Bank of China Limited 2017 Annual Report," April 2018, https://pic.bankofchina.com/bocappd/report/201803/P020180329593657417394.pdf.
15. Jay Peters, "Oral-B's New $220 Toothbrush Has AI to Tell You When You're Brushing Poorly." The Verge, October 25, 2019. https://www.theverge.com/circuitbreaker/2019/10/25/20932250/oral-b-genius-x-connected-toothbrush-ai-artificial-intelligence.
16. Alessandra Potenza, "This New Bluetooth-Connected Toothbrush Brings a Dentist into Your Bathroom," The Verge, June 9, 2016, https://www.theverge.com/circuitbreaker/2016/6/9/11877586/phillips-sonicare-connected-tooth brush-dentist-app.
17. Medea Giordano, "Colgate's Smart Toothbrush Finally Nails App-Guided Brushing," *Wired*, August 25, 2020, https://www.wired.com/review/colgate-hum-smart-toothbrush.
18. R. E. Caves and M. E. Porter, "From Entry Barriers to Mobility Barriers: Conjectural Decisions and Contrived Deterrence to New Competition, *Quarterly Journal of Economics* 91, no. 2 (May 1977): 241–261.
19. Anne Midgette, "Pianos: Beyond the Steinway Monoculture," *Washington Post*, September 5, 2015, https://www.washingtonpost.com/entertainment/music/the-piano-keys-of-the-future/2015/09/03/9bbbbfee-354c-11e5-94ce-834ad8f5 c50e_story.html.
20. Mohan Subramaniam and Raj Rajgopal, "Learning from China's Digital Disrupters," *MIT Sloan Management Review*, January 16, 2019, https://sloanre view.mit.edu/article/learning-from-chinas-digital-disrupters.
21. Evelyn Cheng, "China Wants to Boost Loans to Small Businesses: Tech Companies May Be the Answer," CNBC, January 29, 2019, https://www.cnbc.com/2019/01/29/chinese-fintech-companies-find-new-opportunities-in-business-loans.html.
22. Clayton M. Christensen, *The Innovator's Dilemma: When New Technologies Cause Great Firms to Fail* (Boston: Harvard Business School Press, 1997). (クレイトン・クリステンセン著『イノベーションのジレンマ（増補改訂版）』玉田俊平太監修，伊豆原弓訳，翔泳社 ,2001 年）
23. R. M. Henderson and K. B. Clark, "Architectural Innovation: The Reconfiguration of Existing Product Technologies and the Failure of Established Firms," *Administrative Science Quarterly* 35, no. 1 (March 1990): 9–30.
24. Ron Adner, *Winning the Right Game* (Cambridge MA: MIT Press, 2021).（ロン・アドナー 著『エコシステム・ディスラプション』中川功一監訳 , 蓑輪美帆訳，東洋経済新報社，2022 年）

第 8 章――デジタル・ケイパビリティ

1. Nikolaos Logothetis, *Managing for Total Quality: from Deming to Taguchi and SPC* (New Delhi: Prentice Hall, 1992).
2. Jeffrey K. Liker and James K. Franz, *The Toyota Way to Continuous Improvement: Linking Strategy and Operational Excellence to Achieve Superior Performance* (New York: McGraw-Hill, 2011).（ジェフリー・K・ライカーほか著『トヨタ経営大全 3〈問題解決〉』（上下巻），稲垣公夫訳，日経 BP 社，2012 年）
3. Michael Hammer, "Process Management and the Future of Six Sigma," *MIT Sloan Management Review* 43, no. 2 (2002).
4. Will Levith, "Get to Know Bruce Springsteen's One-of-a-Kind Fender Guitar," InsideHook,

Pharmaceutical Journal, April 7, 2017, https://www.pharmaceutical-journal.com/news-and-analysis/features/smart-inhalers-will-they-help-to-improve-asthma-care/20202556.article.
9. Sumant Ugalmugle, "Smart Inhalers Market Share Analysis 2019: Projections Report 2025," Global Market Insights, Inc., September 2019, https://www.gminsights.com/industry-analysis/smart-inhalers-market.
10. Tenzin Kunsel and Dheeraj Pandey, "Smart Inhalers Market by Product (Inhalers and Nebulizers), Indication (Asthma and COPD), and Distribution Channel (Hospital Pharmacies, Retail Pharmacies, and Online Pharmacies): Global Opportunity Analysis and Industry Forecast, 2019–2026," Smart Inhalers Market Size Analysis & Industry Forecast 2019–2026, June 2019, https:// www.alliedmarketresearch.com/smart-inhalers-market#:~:text=The%20global%20smart%20inhalers%20market,58.4%25%20from%202019%20to%202026.
11. Donald G. McNeil Jr., "Can Smart Thermometers Track the Spread of the Coronavirus?," *New York Times*, March 18, 2020, https://www.nytimes.com/2020/03/18/health/coronavirus-fever-thermometers.html.
12. "How Smart Is Your Inhaler?," GlaxoSmithKline, November 8, 2016, https://www.gsk.com/en-gb/behind-the-science/innovation/how-smart-is-your-inhaler.

第７章――デジタル競合企業

1. Lauren Debter, "Amazon Surpasses Walmart as the World's Largest Retailer," *Forbes*, May 25, 2019, https://www.forbes.com/sites/laurendebter/2019/05/15/worlds-largest-retailers-2019-amazon-walmart-alibaba.
2. Trefis Team, "Amazon vs Alibaba—One Big Difference," *Forbes*, May 22, 2020, https://www.forbes.com/sites/greatspeculations/2020/05/22/amazon-vs-alibaba--one-big-difference.
3. "Qq.com Competitive Analysis, Marketing Mix and Traffic," Alexa, https://www.alexa.com/siteinfo/qq.com.
4. "Tencent Announces 2020 Second Quarter and Interim Results," Tencent, August 12, 2020, https://static.www.tencent.com/uploads/2020/08/12/00e999c 23314aa085c0b48c533d4d393.pdf.
5. Bani Sapra, "This Chinese Super-App Is Apple's Biggest Threat in China and Could Be a Blueprint for Facebook's Future. Here's What It's like to Use WeChat, Which Helps a Billion Users Order Food and Hail Rides," *Business Insider*, December 21, 2019, https://www.businessinsider.com/chinese-superapp-wechat-best-feature-walkthrough-2019-12.
6. Zarmina Ali, "The World's 100 Largest Banks, 2020," S&P Global Market Intelligence, April 7, 2020, https://www.spglobal.com/marketintelligence/en/news-insights/latest-news-headlines/the-world-s-100-largest-banks-2020-57854079.
7. Ali, "The World's 100 Largest Banks, 2020."
8. Andrea Murphy, Hank Tucker, Marley Coyne, and Halah Touryalai, "Global 2000—The World's Largest Public Companies 2020," *Forbes*, May 13, 2020, https://www.forbes.com/global2000.
9. Jon Russell, "Alibaba's Digital Bank Comes Online to Serve 'The Little Guys' in China," TechCrunch, June 26, 2015, https://techcrunch.com/2015/06/25/alibaba-digital-bank-mybank/; Catherine Shu, "Tencent Launches China's First Private Online Bank." TechCrunch, January 5, 2015, https://techcrunch.com/2015/01/04/tencent-webank.
10. "ICBC Releases 2018 Annual Results," ICBC China, March 28, 2019, https://www.icbc.com.cn/icbc/en/newsupdates/icbc%20news/ICBCReleases 2018AnnualResults.htm#:~:text=As%20at%20the%20end%20of,balance%20of%20loan%20was%20RMB1.
11. "ICBC Releases 2018 Annual Results."

11. "Yummly® Guided Cooking Is Here!," Whirlpool Corporation, December 13, 2018, https://www.whirlpoolcorp.com/yummly-guided-cooking-here.
12. Natt Garun, "Whirlpool's New Smart Oven Works with Alexa and Yummly to Help You Avoid Burning Down Your Kitchen," The Verge, January 8, 2018, https://www.theverge.com/ces/2018/1/8/16862504/whirlpool-smart-oven-range-microwave-yummly-alexa-google-assistant-ces-2018.
13. Andrei Hagiu and Elizabeth J. Altman, "Intuit QuickBooks: From Product to Platform," Harvard Business School Case 714–433, October 2013 (revised December 2013).
14. Mike Murphy, "More Than Just Vacuums: IRobot Is Building the Platform for the Robots of the Future," Protocol, August 25, 2020, https://www.protocol.com/irobot-builds-platform-for-future-robots.
15. Arielle Pardes, "Old-School Mattress Brands Join the Sleep-Tech Gold Rush," *Wired*, July 29, 2019, https://www.wired.com/story/tempur-sealy-sleep-tech.
16. Benjamin Edelman, "How to Launch Your Digital Platform," *Harvard Business Review*, April 2015, 90–97.
17. 従来型企業がAPIの利用についてデジタル先進企業から学ぶべき点については以下を参照されたい。Bala Iyer and Mohan Subramaniam, "The Strategic Value of APIs," *Harvard Business Review*, January 7, 2015, https://hbr.org/2015/01/the-strategic-value-of-apis; and Bala Iyerand Mohan Subramaniam, "Are You Using APIs to Gain Competitive Advantage?," *Harvard Business Review*, August 3, 2015, https://hbr.org/2015/04/are-you-using-apis-to-gain-competitive-advantage.
18. たとえば以下を参照されたい。Bala Iyer and Mohan Subramaniam, "Corporate Alliances Matter Less Thanks to APIs," *Harvard Business Review*, June 8, 2015, https://hb.org/2015/06/corporate-alliances-matter-less-thanks-to-apis.

第6章——デジタル顧客

1. Victoria Dmitruczyk, "Nanotechnology and Nanosensors—Our Future as a Society?," Medium, March 31, 2019, https://medium.com/@12vgt2003/nanotechnology-and-nanosensors-our-future-as-a-society-33522e84c202.
2. P. K. Kopalle, V. Kumar, and M. Subramaniam, "How Legacy Firms Can Embrace the Digital Ecosystem via Digital Customer Orientation," *Journal of the Academy of Marketing Science* 48 (2020): 114–131, https://doi.org/10.1007/s11747-019-00694-2.
3. Stacy Lawrence, "Startup Partners with AstraZeneca on Smart Inhalers Ahead of Aussie IPO," FierceBiotech, July 23, 2015, https://www.fiercebiotech.com/medical-devices/startup-partners-astrazeneca-smart-inhalers-ahead-aussie-ipo; Carly Helfand, "Novartis Matches Respiratory Rivals with 'Smart Inhaler' Collaboration," FiercePharma, January 6, 2016, https://www.fiercepharma.com/sales-and-marketing/novartis-matches-respiratory-rivals-smart-inhaler-collaboration.
4. "What Do You Want to Know about Asthma?," Healthline, https://www.healthline.com/health/asthma.
5. "Chronic Respiratory Diseases: Asthma," World Health Organization, https://www.who.int/news-room/q-a-detail/asthma.
6. Sandra Vogel, "Foobot—The Smart Indoor Air Quality Monitor," Internet of Business, May 5, 2017, https://internetofbusiness.com/foobot-smart-indoor-air-quality-monitor.
7. "My Air My Health," PAQS, http://www.paqs.biz.
8. Dara Mohammadi, "Smart Inhalers: Will They Help to Improve Asthma Care?,"

タピラーは現在も社内の予測能力の開発を続け，サードパーティとの協力を継続している．
7. “About Us,” Sleep Number Corporation, http://newsroom.sleepnumber.com/about-us.
8. “Leading Tools Manufacturer Transforms Operations with IoT,” Cisco, https://www.cisco.com/c/dam/en_us/solutions/industries/docs/manufacturing/c36-732293-00-stanley-cs.pdf.
9. Chet Namboodri, “Digital Transformation: Sub-Zero Innovates with the Internet of Everything,” Cisco, September 18, 21014, https://blogs.cisco.com/digital/sub-zero-innovates-with-the-internet-of-everything?dtid=osscdc000283.
10. “Industry 4.0: Capturing Value at Scale in Discrete Manufacturing,” McKinsey & Co., https://www.mckinsey.com/~/media/mckinsey/industries/advanced%20electronics/our%20insights/capturing%20value%20at%20scale%20in%20 discrete%20manufacturing%20with%20industry%204%200/industry-4-0-cap turing-value-at-scale-in-discrete-manufacturing-vf.pdf.

第5章——コンサンプション・エコシステム

1. Mohan Subramaniam and Mikołaj Jan Piskorski, “How Legacy Firms Can Compete in the Sharing Economy,” *MIT Sloan Management Review* 61, no. 4 (June 9, 2020): 31–37.
2. 製品連携デジタル・プラットフォームのフレームワークは，*MIT Sloan Management Review*, 2020年夏号に，“How Legacy Firms Can Compete in the New Sharing Economy” のタイトルで掲載された．このフレームワークの背後にあるアイデアの形成には，論文の共著者であるMikołaj Jan Piskorskiが貢献した．論文を掲載してくれた*MIT Sloan Management Review*に感謝する．
3. Mark Raskino and Graham Waller, *Digital to the Core: Remastering Leadership for Your Industry, Your Enterprise, and Yourself* (Boston: Gartner, 2015).
4. Steven Kutz, “What It’s Like to Play Tennis with a ‘Smart’ Racket That Sends You Data,” MarketWatch, September 4, 2015, https://www.marketwatch.com/story/what-its-like-to-play-with-a-smart-tennis-racket-2015-09-03.
5. Stuart Miller, “Turning Tennis Rackets into Data Centers,” *New York Times*, December 23, 2013.
6. “FDA Approves Pill with Sensor That Digitally Tracks If Patients Have Ingested Their Medication,” US Food and Drug Administration, November 13, 2017, https://www.fda.gov/news-events/press-announcements/fda-approves-pill-sensor-digitally-tracks-if-patients-have-ingested-their-medication.
7. アリババとテンセントがセンサー・データによって中国の銀行に対して優位性を獲得したことについては，以下を参照されたい．Mohan Subramaniam and Raj Rajgopal, “Learning from China’s Digital Disrupters,” *MIT Sloan Management Review*, January 16, 2019, https://sloanreview.mit.edu/article/learning-from-chinas-digital-disrupters.
8. Bon-Gang Hwang, Stephen R. Thomas, Carl T. Haas, and Carlos H. Caldas, “Measuring the Impact of Rework on Construction Cost Performance,” *Journal of Construction Engineering and Management* 135, no. 3 (2009): 187–198, https://doi.org/10.1061/(asce)0733-9364(2009)135:3(187).
9. 従来の銀行サービスがプラットフォーム型ビジネスモデルによって受ける影響については以下を参照されたい．Subramaniam and Rajgopal, “Learning from China’s Digital Disrupters.”
10. Jacob Kastrenakes, “Alexa Will Soon Be Able to Directly Control Ovens and Microwaves,” The Verge, January 4, 2018, https://www.theverge.com/2018/1/4/16849306/alexa-microwave-oven-controls-added-ge-kenmore-lg-samsung-amazon.

6. Michael E. Porter, *Competitive Advantage: Creating and Sustaining Superior Performance* (New York: Free Press, 1985).（マイケル .E. ポーター著『競争優位の戦略』土岐坤ほか訳，ダイヤモンド社，1985 年）
7. 業界もエコシステムも相互依存の上に成り立っているため，多くの研究が業界をエコシステムと位置づけている．そのような研究のレビューは以下を参照のこと．Mohan Subramaniam, "Digital Ecosystems and Their Implications for Competitive Strategy," *Journal of Organization Design* 9, no. 1 (2020), https://doi.org/10.1186/s41469-020-00073-0.
8. Peter Campbell, "Ford and Volkswagen Unveil 'Global Alliance,'" *Financial Times*, January 15, 2019, https://www.ft.com/content/40d67c72-18c9-11e9-9e64-d150b3105d21.
9. たとえば以下を参照されたい．Ming-Jer Chen and Danny Miller, "Competitive Attack, Retaliation and Performance: An Expectancy-Valence Framework," *Strategic Management Journal* 15, no. 2 (1994): 85–102, http://www.jstor.org/stable/2486865.
10. ゲーム理論などの経済理論に立脚する実証的な研究は，業界内の競合企業は相互依存的な競争行動を通じてネットワークの一部を構成するという考え方を支持している．たとえば以下を参照されたい． Adam Brandenburgerand Barry Nalebuff, "The Right Game: Use Game Theory to Shape Strategy," *Harvard Business Review*, 1995.
11. Tieying Yu, Mohan Subramaniam, and Albert A Cannella Jr., "Competing Globally, Allying Locally: Alliances between Global Rivals and Host-Country Factors," *Journal of International Business Studies* 44, no. 2 (2013): 117–137, https://doi.org/10.1057/jibs.2012.37.
12. Tieying Yu, Mohan Subramaniam, and Albert A. Cannella, "Rivalry Deterrence in International Markets: Contingencies Governing the Mutual Forbearance Hypothesis," *Academy of Management Journal* 52, no. 1 (2009): 127–147, https://doi.org/10.5465/amj.2009.36461986.
13. Thomas H. Davenport, *The AI Advantage: How to Put the Artificial Intelligence Revolution to Work* (Cambridge, MA: MIT Press, 2019).
14. Sara Zaske, "Germany's Vision for Industrie 4.0: The Revolution Will Be Digitised," ZDNet, February 23, 2015, https://www.zdnet.com/article/germanys-vision-for-industrie-4-0-the-revolution-will-be-digitised.

第 4 章――プロダクション・エコシステム

1. Mohan Subramaniam, "The Four Tiers of Digital Transformation," *Harvard Business Review*, September 21, 2021, https://hbr.org/2021/09/the-4-tiers-of-digital-transformation.
2. Hau L. Lee, V. Padmanabhan, and Seungjin Whang, "The Bullwhip Effect in Supply Chains," *Sloan Management Review* 38, no. 3 (1997).
3. "Average Research & Development Costs for Pharmaceutical Companies," Investopedia, September 16, 2020, https://www.investopedia.com/ask/answers/060115/how-much-drug-companys-spending-allocated-research-and-develop ment-average.asp.
4. Leonard P. Freedman, Iain M. Cockburn, and Timothy S. Simcoe, "The Economics of Reproducibility in Preclinical Research," *PLOS Biology* 13, no. 6 (June 9, 2015), https://journals.plos.org/plosbiology/article?id=10.1371%2Fjournal.pbio.1002165.
5. "Caterpillar and Trimble Form New Joint Venture to Improve Customer Productivity and Lower Costs on the Construction Site," Trimble, October 5, 2008, https://investor.trimble.com/news-releases/news-release-details/caterpillar-and-trimble-form-new-joint-venture-improve-customer.
6. "Caterpillar and Uptake to Create Analytics Solutions," Caterpillar, March 5, 2015, https://www.caterpillar.com/en/news/corporate-press-releases/h/caterpillar-and-uptake-to-create-analytics-solutions.html. これは控えめな成功を収めて 3 年間の実験に終わったが，キャ

O’Reilly Media, 2011).
5. Shanhong Liu, “Microsoft Corporation’s Search Advertising Revenue in Fiscal Years 2016 to 2020,” Statista, August 12, 2020, https://www.statista.com/statistics/725388/microsoft-corporation-ad-revenue.
6. Mohan Subramaniam, Bala Iyer, and Gerald C. Kane, “Mass Customization and the Do-It-Yourself Supply Chain,” *MIT Sloan Management Review*, April 5, 2016, https://sloanreview.mit.edu/article/mass-customization-and-the-do-it-your self-supply-chain.
7. Bala Iyer and Thomas H. Davenport, “Reverse Engineering Google’s Innovation Machine,” *Harvard Business Review*, April 2008, https://hbr.org/2008/04/reverse-engineering-googles-innovation-machine.
8. Jeff Dunn, “Here’s How Huge Netflix Has Gotten in the Past Decade,” *Business Insider*, January 19, 2017, https://www.businessinsider.com/netflix-subscribers-chart-2017-1.
9. Shanhong Liu, “Slack—Total and Paying User Count 2019,” Statista, March 17, 2020, https://www.statista.com/statistics/652779/worldwide-slack-users-total-vs-paid.
10. Salesforce bought Slack for $27.7 billion in December 2020.
11. Matthew Panzarino, “Apple and Google Are Launching a Joint COVID-19 Tracing Tool for IOS and Android,” TechCrunch, April 10, 2020, https://techcrunch.com/2020/04/10/apple-and-google-are-launching-a-joint-covid-19-tracing-tool.
12. Mishaal Rahman, “Here Are the Countries Using Google and Apple’s COVID-19 Contact Tracing API,” xda, February 25, 2021, https://www.xda-developers.com/google-apple-covid-19-contact-tracing-exposure-notifications-api-app-list-countries.
13. Geoffrey Fowler, “Perspective: Alexa Has Been Eavesdropping on You This Whole Time,” *Washington Post*, May 8, 2019, https://www.washingtonpost.com/technology/2019/05/06/alexa-has-been-eavesdropping-you-this-whole-time.
14. Jonny Evans, “How to See Everything Apple Knows about You (u),” *Computerworld*, April 30, 2018, https://www.computerworld.com/article/3269234/how-to-see-everything-apple-knows-about-you-u.html.
15. Bala Iyer, Mohan Subramaniam, and U. Srinivasa Rangan, “The Next Battle in Antitrust Will Be about Whether One Company Knows Everything about You,” *Harvard Business Review*, July 6, 2017, https://hbr.org/2017/07/the-next-battle-in-antitrust-will-be-about-whether-one-company-knows-everything-about-you.

第3章――デジタル・エコシステム

1. Michael E. Porter, *Competitive Strategy: Techniques for Analyzing Industries and Competitors* (New York: Free Press, 1980).（マイケル .E. ポーター著『競争の戦略 新訂』土岐坤ほか訳 , ダイヤモンド社 , 1995 年）
2. Mohan Subramaniam, Bala Iyer, and Venkat Venkatraman, “Competing in Digital Ecosystems,” *Business Horizons* 62, no. 1 (2019): 83–94, https://doi.org/10.1016/j.bushor.2018.08.013.
3. たとえば以下を参照されたい . Richard P. Rumelt, “How Much Does Industry Matter?,” *Strategic Management Journal* 12, no. 3 (1991): 167–185, http://www.jstor.org/stable/2486591; and Anita M. Mcgahan and Michael E. Porter, “The Emergence and Sustainability of Abnormal Profits,” *Strategic Organization* 1, no. 1 (2003): 79–108, https://doi.org/10.1177/1476127003001001219.
4. Joe Staten Bain, *Industrial Organization: A Treatise* (New York: Wiley, 1959).（J.S. ベイン著『産業組織論』（上下巻）, 宮沢健一監訳 , 丸善 , 1970 年）
5. Michael E. Porter, “How Competitive Forces Shape Strategy,” *Harvard Business Review*, March 1979.

大野一訳 , 日経 BP 社 , 2018 年）
10. J. Rohlfs, "A Theory of Interdependent Demand for a Communications Service," *Bell Journal of Economics and Management Science* 5 (1974): 16–37.
11. Michael E. Porter, "Strategy and the Internet," *Harvard Business Review*, March 2001, 11.
12. Ingrid Lunden, "Amazon's Share of the US e-Commerce Market Is Now 49%, or 5% of All Retail Spend," TechCrunch, July 13, 2018, https://tech crunch.com/2018/07/13/amazons-share-of-the-us-e-commerce-market-is-now-49-or-5-of-all-retail-spend.
13. George Carey-Simos, "How Much Data Is Generated Every Minute on Social Media?," WeRSM, August 19, 2015, https://wersm.com/how-much-data-is-generated-every-minute-on-social-media.
14. Rose Leadem, "The Insane Amounts of Data We're Using Every Minute (Infographic)," *Entrepreneur*, June 10, 2018, https://www.entrepreneur.com/article/314672.
15. Simon Kemp, "Digital Trends 2019: Every Single Stat You Need to Know about the Internet," The Next Web, January 30, 2019, https://thenextweb.com/contributors/2019/01/30/digital-trends-2019-every-single-stat-you-need-to-know-about-the-internet.
16. Bernard Marr, "How Much Data Do We Create Every Day? The Mind-Blowing Stats Everyone Should Read," *Forbes*, September 5, 2019, https://www.forbes.com/sites/bernardmarr/2018/05/21/how-much-data-do-we-create-every-day-the-mind-blowing-stats-everyone-should-read.
17. Josh Constine, "How Big Is Facebook's Data? 2.5 Billion Pieces of Content and 500+ Terabytes Ingested Every Day," TechCrunch, August 22, 2012, https:// techcrunch.com/2012/08/22/how-big-is-facebooks-data-2-5-billion-pieces-of-content-and-500-terabytes-ingested-every-day.
18. Breanna Draxler, "Facebook Algorithm Predicts If Your Relationship Will Fail," *Discover*, November 20, 2019, https://www.discovermagazine.com/the-sciences/facebook-algorithm-predicts-if-your-relationship-will-fail.
19. "Google and Facebook Tighten Grip on US Digital Ad Market," eMarketer, September 21, 2017. https://www.emarketer.com/Article/Google-Facebook-Tighten-Grip-on-US-Digital-Ad-Market/1016494.
20. Mohan Subramaniam and Bala Iyer, "The Strategic Value of APIs," *Harvard Business Review*, January 7, 2015, https://hbr.org/2015/01/the-strategic-value-of-apis.
21. Carlos A. Gomez-Uribe and Neil Hunt, "The Netflix Recommender System: Algorithms, Business Value, and Innovation," *ACM Transactions on Management Information Systems* 6, no. 4 (December 2015).
22. Kartik Hosanagar, *A Human's Guide to Machine Intelligence: How Algorithms Are Shaping Our Lives and What We Can Do to Control Them* (New York: Viking, 2019).

第 2 章——API

1. Bala Iyer and Mohan Subramaniam, "Corporate Alliances Matter Less Thanks to APIs," *Harvard Business Review*, June 8, 2015, https://hbr.org/2015/06/corporate-alliances-matter-less-thanks-to-apis.
2. Bala Iyer, Nalin Kulatilaka, and Mohan Subramaniam, "The Power of Connecting in the Digital World: Understanding the Capabilities of APIs," Working Paper, May 2016.
3. Matt Murphy and Steve Sloane, "The Rise of APIs," TechCrunch, May 22, 2016, https://techcrunch.com/2016/05/21/the-rise-of-apis.
4. Daniel Jacobson, Greg Brail, and Dan Woods, *APIs: A Strategy Guide* (Cambridge, MA:

14. Mohan Subramaniam and Mikołaj Piskorski, "How Legacy Firms Can Compete in the Sharing Economy," *MIT Sloan Management Review* 61, no. 4 (2020): 31–37.
15. Mohan Subramaniam, "The Four Tiers of Digital Transformation," Harvard Business Review, September 21, 2021. https://hbr.org/2021/09/the-4-tiers-of-digital-transformation.
16. Michael Porter, "How Competitive Forces Shape Strategy," *Harvard Business Review* 57, no. 2 (1979): 137–145.
17. Amrita Khalid, "Ford CEO Says the Company 'Overestimated' Self-Driving Cars," Engadget, April 10, 2019, https://www.engadget.com/2019-04-10-ford-ceo-says-the-company-overestimated-self-driving-cars.html.
18. David P. McIntyre and Arati Srinivasan, "Networks, Platforms, and Strategy: Emerging Views and Next Steps," *Strategic Management Journal* 38, no. 1 (2016): 141–160, https://doi.org/10.1002/smj.2596.
19. Paul A. David, "Clio and the Economics of QWERTY," *American Economic Review* 75 (1985): 332–337.
20. David P. McIntyre and Mohan Subramaniam, "Strategy in Network Industries: A Review and Research Agenda," *Journal of Management* 35, no. 6 (2009): 1494–1517.
21. T. R. Eisenmann, "Internet Companies' Growth Strategies: Determinants of Investment Intensity and Long-Term Performance," *Strategic Management Journal* 27, no. 2 (2006): 1183–1204.
22. Ted Levitt, "Marketing Myopia," Harvard Business Review 38 (1960): 45–56.

第１章——データ

1. Rupert Neate, "$1tn Is Just the Start: Why Tech Giants Could Double Their Market Valuations," *Guardian*, January 18, 2020, https://www.theguardian.com/technology/2020/jan/18/1-trillion-dollars-just-the-start-alphabet-google-tech-giants-double-market-valuation.
2. "The World's Most Valuable Resource Is No Longer Oil, but Data," *Economist*, May 6, 2017, https://www.economist.com/leaders/2017/05/06/the-worlds-most-valuable-resource-is-no-longer-oil-but-data.
3. Marshall W. Van Alstyne, Geoffrey G. Parker, and Sangeet Paul Choudary, "Pipelines, Platforms and the New Rules of Strategy," *Harvard Business Review*, April 2016.
4. Mikołaj Jan Piskorski, *A Social Strategy: How We Profit from Social Media* (Princeton, NJ: Princeton University Press, 2016).
5. Erik Brynjolfsson, Yu Hu, and Michael Smith, "From Niches to Riches: The Anatomy of the Long Tail," *MIT Sloan Management Review* 7, no. 21 (2006).
6. Chris Anderson, *The Long Tail: Why the Future of Business Is Selling Less of More* (New York: Hachette, 2014).（クリス・アンダーソン著『ロングテール』篠森ゆりこ訳，早川書房，2014 年）
7. David P. McIntyre and Mohan Subramaniam, "Strategy in Network Industries: A Review and Research Agenda," *Journal of Management* 35, no. 6 (2009): 1494–1517, https://doi.org/10.1177/0149206309346734.
8. Geoffrey Parker, Marshall Van Alstyne, and Sangeet Paul Choudary, *Platform Revolution: How Networked Markets Are Transforming the Economy—and How to Make Them Work for You* (New York: W. W. Norton, 2017).（ジェフリー・G・パーカーほか著『プラットフォーム・レボリューション』妹尾堅一郎監訳，渡部典子訳，ダイヤモンド社，2018 年）
9. Carl Shapiro and Hal R. Varian, *Information Rules: A Strategic Guide to the Network Economy* (Boston: Harvard Business School Press, 1998).（カール・シャピロほか著『情報経済の鉄則』

原注

序章――データが主役の時代

1. "The World's Most Valuable Resource Is No Longer Oil, but Data," *Economist*, May 6, 2017, https://www.economist.com/leaders/2017/05/06/the-worlds-most-valuable-resource-is-no-longer-oil-but-data.
2. Jacques Bughin, James Manyika, and Tanguy Catlin, "Twenty-Five Years of Digitization: Ten Insights into How to Play It Right," McKinsey & Co., May 2019, https://www.mckinsey.com/~/media/mckinsey/business%20functions/mckin sey%20digital/our%20insights/twenty-five%20years%20of%20digitization%20 ten%20insights%20into%20how%20to%20play%20it%20right/mgi-briefing-note-twenty-five-years-of-digitization-may-2019.ashx.
3. 本書では「製品」（products）という言葉は，物理的製品とサービスの両方を意味する．
4. Nicholas Shields, "Ford Is Pouring Billions into Digital Transformation," *Business Insider*, July 27, 2018, https://www.businessinsider.com/ford-corporate-restructuring-digital-transformation-2018-7.
5. "Carmakers Are Collecting Data and Cashing In—and Most Drivers Have No Clue," *CBS News*, November 13, 2018, https://www.cbsnews.com/news/car makers-are-collecting-your-data-and-selling-it.
6. Taylor Soper, "Starbucks Teams Up with Ford and Amazon to Allow In-Car Orders via Alexa," GeekWire, March 22, 201, https://www.geekwire.com/2017/starbucks-partners-ford-amazon-allow-car-orders-via-alexa.
7. "Smartphones on Wheels," *Economist*, September 4, 2014, https://www.economist.com/technology-quarterly/2014/09/04/smartphones-on-wheels.
8. "Ford Strives for 100% Uptime for Commercial Vehicles with Predictive Usage-Based Maintenance Solution," Field Service Connect UK 2020, March 5, 2020, https://fieldserviceconnecteu.wbresearch.com/blog/ford-strives-for-100-uptime-for-commercial-vehicles-with-predictive-usage-based-maintenance-solution.
9. Arielle Pardes, "Old-School Mattress Brands Join the Sleep-Tech Gold Rush," *Wired*, July 29, 2019, https://www.wired.com/story/tempur-sealy-sleep-tech.
10. Erik Brynjolfsson and Andrew McAfee, "The Business of Artificial Intelligence," *Harvard Business Review*, July 2017.
11. James Manyika, Michael Chui, Peter Bisson, Jonathan Woetzel, Richard Dobbs, Jacques Bughin, and Dan Aharon, "Unlocking the Potential of the Internet of Things," McKinsey & Co., February 13, 2020, https://www.mckinsey.com/business-functions/mckinsey-digital/our-insights/the-internet-of-things-the-value-of-digitizing-the-physical-world.
12. Mohan Subramaniam, "Digital Ecosystems and Their Implications for Competitive Strategy," *Journal of Organizational Design* 9 (2020): 1–10.
13. John Joseph, "CIMCON Lighting Launches the NearSky Connect Program to Accelerate Smart City Transformations," Cimcon, October 3, 2018, https://www.cimconlighting.com/en/cimcon-blog/cimcon-lighting-launches-the-nearsky-connect-program-to-accelerate-smart-city-transformations.

三好寛（みよし ひろし）

株式会社NTTデータ 法人コンサルティング＆マーケティング事業本部 部長
製造業/小売業/公共分野の幅広い領域で、DXグランドデザインやDX組織の立ち上げ等に関するコンサルティングに従事。DX活動を企業文化に組み込み、新たな事業運営の仕組みを構築するために、組織変革/人材強化等のテーマに注力した変革コンサルティングを提供している。

渡部良一（わたなべ りょういち）

株式会社NTTデータ 法人コンサルティング＆マーケティング事業本部 部長
15年以上にわたり、データ活用のコンサルティングからBI/DWHシステム構築・データドリブン組織変革の取組を支援。日本におけるTableauおよびデータビジュアライゼーションの第一人者として『データビジュアライゼーションの教科書』(秀和システム、2019年)を執筆・出版。

川嶌健一（かわしま けんいち）

株式会社NTTデータ 社会基盤ソリューション事業本部 課長
デジタルコンテンツのアーカイビングと高度利活用に関する調査研究やソリューション適用プロジェクトに多数従事。現在では文化芸術・学術セクターにおけるデジタル変革の企画構想と実現に注力。

本村達也（もとむら たつや）

株式会社NTTデータ 法人コンサルティング＆マーケティング事業本部 課長
製薬、化学など複数の業界でグローバル経営管理のコンサルタントとして活動。NTTデータの製造業向け事業における戦略策定・経営管理にも携わった後、現在はデータ＆インテリジェンスコンサルティングのチームをマネジメントしつつ、製薬インダストリにおけるForesight(DX未来像)の企画構想・策定・発信をリード。

松原誠慈（まつばら せいじ）

株式会社NTTデータグループ 秘書室 課長
小売・流通業の基幹インフラ更新案件に多数携わった後、ソリューション事業の企画部門にて事業戦略策定、およびDX戦略の構想から実装まで従事。現職では役員の政策秘書として、全社戦略の策定を支援。

清水要（しみず かなめ）

株式会社NTTデータ 法人コンサルティング＆マーケティング事業本部 主任
自動車行政領域の営業プロジェクトに携わった後、小売業を中心に、企業のDXテーマに関わるコンサルティングに従事。DX組織の立ち上げ支援から、個別DXプロジェクトの推進や業務設計、現場へのIT導入までDX実行に必要なコンサルティング領域を幅広く提供。

[翻訳協力]

株式会社NTTデータグループ コンサルティング＆アセットビジネス変革本部
磯矢亮太、大谷知也、幸坂央、中智晴、古郡一雅、宗像亮、横山真由子（50音順）

株式会社NTTデータ経営研究所 取締役グローバルビジネス推進センター長
石塚昭浩

[訳者一覧]

NTT DATA

NTT DATAは、NTTグループの海外ビジネスを牽引する日本発のグローバル企業であり、世界中の約19万人の従業員とともに、グローバル最先端のベストプラクティスを世界約80カ国以上のお客様へ提供している。日本の社会・産業を世界の優れた知見と最先端の技術により変革することを目指し、Foresight起点のコンサルティング力強化と先進技術開発への投資に注力している。

NTTデータグループ コンサルティング＆アセットビジネス変革本部

NTT DATAが中期経営計画の戦略に掲げる「Foresight起点のコンサルティング力強化」と「アセットベースのビジネスモデルへの進化」の着実な遂行のために、社長直轄組織として設立。各インダストリ別組織・テクノロジー組織のコンサルティング力強化・アセットベースビジネス進化に向けた事業変革や人材育成の仕組みを全社的に構築し、組織改革・行動変革を推進することをミッションとしている。

山口重樹（やまぐち しげき）

株式会社NTTデータグループ顧問（2022年当時、株式会社NTTデータ代表取締役副社長）、株式会社NTTデータ経営研究所代表取締役社長、株式会社クニエ代表取締役社長
NTTデータで企業向け、政府自治体向けシステムの企画・設計・開発およびマネジメントに従事。ペイメントビジネス、中国APACビジネスにも従事。テクノロジー・データ・デザインを掛け合わせたデジタル変革事業拡大、コンサルティング力の強化等に責任者として従事。著書に『デジタルエコノミーと経営の未来』（東洋経済新報社、2019年）、『信頼とデジタル』(ダイヤモンド社、2020年)、『デジタル変革と学習する組織』(ダイヤモンド社、2021年)がある。

野崎大喜（のざき だいき）

株式会社NTTデータグループ コンサルティング＆アセットビジネス変革本部副本部長
NTT DATAの変革戦略「Foresight起点のコンサルティング力強化」「アセットベースのビジネスモデルへの進化」の推進を主導。専門はセールス＆マーケティングおよび新規事業創出。流通小売企業へのEC事業支援、電力業界への新規ビジネス創出支援などを手がけた。社長政策秘書を経験した後、直近は複数のソリューションビジネスを事業責任者として拡大させてきた。

新田龍（にった りょう）

株式会社NTTデータグループ コンサルティング＆アセットビジネス変革本部 グローバルフォーサイト推進室長
17年以上にわたりデータ活用領域のコンサルティングに従事。日本国内および北米・東南アジアで、製造業を中心に企業のデータ活用の戦略から業務改革、分析基盤整備、組織改革・人材育成まで支援。2021年からはNTTデータ内のコンサルティング力強化にも従事。

森山裕（もりやま ひろし）

株式会社NTTデータグループ コンサルティング＆アセットビジネス変革本部 部長
製造業、小売・流通業、メディア・情報サービス業など複数業界企業向けに、ITを活用したビジネス変革の構想策定コンサルティングを多数実施。近年は、中期経営計画策定、およびその実行推進に携わり、現職ではNTT DATAの変革戦略の一つである「アセットベースのビジネスモデルへの進化」をリードしている。

［著者］

モハン・スブラマニアム（Mohan Subramaniam）

スイスのビジネススクールIMD教授。専門は企業戦略とデジタル変革。コネチカット大学助教授、ボストン・カレッジ キャロル経営大学院准教授、IMD客員教授などを歴任し、2022年8月より現職。『MITスローン・マネジメント・レビュー』の編集諮問委員会のメンバーとして活動しており、同誌のほか、『ハーバード・ビジネス・レビュー』『ストラテジック・マネジメント・ジャーナル』『アカデミー・オブ・マネジメント・ジャーナル』などの学術誌に寄稿している。

デジタル時代の競争戦略のソートリーダーとして国際的に認められており、欧州（テレコム・オーストリア、フォースタルピン・スチールなど）・米国（ゼネラルモーターズ、アバンター・コーポレーション、ハミルトン・サンストランドなど）・インド（デル・コーポレーション、HPエンタープライズ、ハネウェル、ペプシコ、コグニザント、タタ・コンサルティング・サービス、インフォシス、HCL、アディティヤ・ビルラ・グループなど）を中心に、幅広く企業支援を行っている。

デジタル競争戦略
――コンサンプション・エコシステムがつくる新たな競争優位

2023年8月29日　第1刷発行

著　者――モハン・スブラマニアム
訳　者――NTTデータグループ コンサルティング＆アセットビジネス変革本部
発行所――ダイヤモンド社
〒150-8409　東京都渋谷区神宮前6-12-17
https://www.diamond.co.jp/
電話／03･5778･7730（編集）　03･5778･7240（販売）
装丁――――DESIGN WORK SHOP JIN
製作進行――ダイヤモンド・グラフィック社
印刷――――勇進印刷
製本――――ブックアート
編集担当――久世和彦

ISBN 978-4-478-11746-0